T5-AFW-784

Die Lehrbücher des Alten Bundes

# DAS BUCH DER SPRÜCHE, DER PREDIGER UND DAS HOHELIED

## DIE WEISHEIT UND DIE LIEBE

Von

**Hans Brandenburg**

BRUNNEN-VERLAG GMBH · GIESSEN UND BASEL

ISBN 3 7655 0238 3
Einband und Schutzumschlag: Erich Augstein
Foto des Schutzumschlags: Staatsbibliothek Berlin

Printed in Germany
Gesamtherstellung: Buch- und Offsetdruckerei H. Rathmann, Marburg/Lahn

# INHALTSVERZEICHNIS

DAS HOHELIED

# VORWORT

Das Ziel dieser alttestamentlichen Bibelerklärungen ist nicht, die Zahl der wissenschaftlichen Kommentare zu vergrößern. Sie haben vielmehr die Absicht, dem Bibelleser das Verständnis der alttestamentlichen Schriften zu erleichtern. Die Kenntnis des Alten Testaments ist in unsern Gemeinden leider gering. Das ist eine große Verarmung. Wenn bei manchem Leser durch diese Erklärungen die Lust zu regelmäßigem Lesen der Bibel wächst, so haben sie ihre Aufgabe erfüllt. „Der Appetit kommt beim Essen", sagt ein französisches Sprichwort. Das gilt auch vom Bibellesen. Fang erst einmal an — und dein Interesse wird wachsen!

Weil der Verfasser auch bei diesem Band vor allem an den schlichten Bibelleser gedacht hat, sind Korrekturen und Konjekturen am Text nach Möglichkeit vermieden. Oft wären Umstellungen von Versen naheliegend gewesen. Sie wurden aber unterlassen, damit der Leser sich in seiner eigenen Handbibel zurechtfindet, die aufgeschlagen danebenliegen sollte. Auch die vielen Parallelstellen sollen zum Forschen in der Schrift und zum Nachdenken mithelfen. Dazu erweitern sie die Bibelkenntnis. An wenigen Stellen überschreiten wir die eigentliche Bibelerklärung und suchen Wege zur praktischen Anwendung zu weisen.

Die drei Schriften — Sprüche, Prediger, Hohelied — gehören zu den am wenigsten bekannten Teilen der Bibel. Selten werden Predigttexte ihnen entnommen. Das ist schade. Mit um so mehr Spannung sollte der Bibelleser diese Schriften aufschlagen.

Dies ist der letzte Band aus dem Bibelwerk „Das lebendige Wort". Hiermit nimmt der Verfasser von einer Arbeit Abschied, die ihm viele Jahre seines Alters bei aller Mühe großen Reichtum vermittelte. Er dankt darum dem Verlag, der ihm s. Z. den Auftrag gab, das Werk Jakob Kroekers fortzusetzen und zu einem gewissen Abschluß zu bringen. Ich gedenke mit großem Dank meines väterlichen Freundes, der in der Adventszeit des Jahres 1948 von seinem Herrn abgerufen wurde. Sehr viel verdanke ich ihm selbst und habe oft bedauert, daß er das Werk nicht vollenden konnte. Die geistvolle originelle Art Kroekers konnte ich selbstverständlich nicht nachzuahmen suchen. Der Leser wird daher zwischen jenen Bänden und den von mir verfaßten tiefgehende Unterschiede erkennen, aber keinen Gegensatz. Die Ehrfurcht vor dem Worte Gottes, der Glaube an die Offenbarung Gottes in diesem Wort, das in Jesus seine Erfüllung findet, hat uns jahrzehntelang verbunden. Wenn mein Dienst ein Dank für Jakob Kroekers Arbeit sein darf, bin ich froh.

Zu danken habe ich auch aufs neue dem Herrn Altlehrer Burger in Auenstein, Kt. Aargau, daß er sich wieder der nicht geringen Mühe unterzog, die vielen Parallelstellen in der Korrektur nachzuprüfen. Verschweigen kann ich auch nicht den Dank dafür, daß ich meiner Frau alle meine Manuskripte in die Maschine diktieren durfte – ein beglückender Ausdruck unserer Arbeitsgemeinschaft.

Wir alle aber wollen unsern Gott loben, daß er uns nicht stumm blieb, sondern auch durch die Zeugen des Alten Bundes zu uns redet. Ihm sei Dank, daß er zur Arbeit die Kraft gab! Wie weit es zum Gelingen kam, muß der Leser selbst prüfen.

Hans Brandenburg

# DIE WEISHEIT DER SPRÜCHE

Großartig ist die Mannigfaltigkeit des biblischen Wortes: Erzählungen, Predigten, Briefe, Verzeichnisse, Berichte, Gesetze, apokalyptische Visionen und Bilder, Gleichnisse und Rätsel — eine reiche, bunte Vielfalt der Form! Und das alles im Dienste der großen Offenbarung Gottes.

Das Buch, das in unserer Bibel die Überschrift trägt: „Die Sprüche Salomos", zeigt uns eine neue Form der biblischen Verkündigung — die Weisheit. Um das Besondere dieser Verkündigung zu verstehen, müssen wir uns auf ihre Entstehung und Form besinnen. Professor von Rad sagt, das Volk Israel habe unter Weisheit „ein ganz praktisches, auf Erfahrung gegründetes Wissen von den Gesetzen des Lebens und der Welt" verstanden (415). Friedrich Oetinger, der „Magus des Südens", nannte die Sprüche gern „die Weisheit auf der Gasse" (vgl. Spr. 1, 20). Er schätzte sie besonders hoch, weil sie den „sensus communis", das heißt das allgemeine Wahrheitsgefühl bekunden, das allgemein zugängliche Verständnis der Dinge aussagen. Was die Sprüche aussprechen, ist allen gesunddenkenden Menschen zugänglich. Während der natürliche Mensch vom Geistes Gottes nichts vernimmt, weil es ihm eine Torheit ist und er es darum nicht verstehen kann (1. Kor. 2, 14), ist „die Weisheit" allen zugänglich. Sie bringt etwa das, was die Theologen oft die natürliche Offenbarung nennen. Dieser Ausdruck entspricht allerdings dem biblischen Befund nicht. Die Bibel kennt die Natur nicht als eine selbständige Größe Gott gegenüber. Sie weiß nur von Gottes Schöpfung, die die Zeichen seines Handelns an sich trägt. Doch hat er ihr Ordnungen gegeben, und diese sind dem Beobachtenden und Forschenden zugänglich. Die Weisheit ist keineswegs die späteste Frucht israelitischer Frömmigkeit. Man hat das früher gemeint, weil offenbar diese Sammlung der Sprüche erst in der Spätzeit Israels — also nach dem Exil — zustande kam. Von Rad spricht mit Recht von einem „sehr vielschichtigen Phänomen" (415). Offenbar ist die älteste Schicht der Sprüche uralt. Die Sprichwörter im Leben der Völker haben meist eine sehr lange Geschichte. In Europa ist wohl kaum ein Volk so reich an weisheitlichen Sentenzen und Sprichwörtern wie die Russen. Gerade hier erkennt man bald, daß man es mit sehr alter Volksweisheit zu tun hat. D. Ernst Johanssen, der Pioniermissionar in Ostafrika, erforschte die Sprichwörter der Schambala im Hochland von Usambara und erkannte bald, daß in diesen Sprichwörtern der Afrikaner die ältesten mythischen Überlieferungen zu finden sind.

Von Rad schreibt: „In allen Kulturstufen steht der Mensch vor der Aufgabe, das Leben zu bewältigen. Zu diesem Zweck muß er es kennen und darf nicht ablassen, zu beobachten und zu lauschen, ob . . . nicht doch da und dort etwas wie eine Gesetzmäßigkeit zu finden ist" (416). So ist „die Weisheit eine elementare Form der Lebensbemächtigung" (a.a.O.). Diese Erfahrungsweisheit aufgrund von Beobachtung ist die älteste Schicht der Weisheit, wie wir sie auch im Kernstück unseres Spruchbuches finden werden. Das Wesen dieser Beobachtungskunst ist — erkenntnistheoretisch gesprochen — induktiv, das heißt, das Auge bleibt stets offen für neue Eindrücke und Erfahrungen. Die Beobachtung läßt sich nicht durch ein Systemdenken beeinflussen und geht auch nicht von einer Vorerkenntnis aus, die etwa ihre Bestätigung, ihren Beweis finden soll. Das induktive Denken ist bescheiden und nie abgeschlossen. Es bleibt immer neuen Beobachtungen offen. Es ist darum auch gar nicht überraschend, wenn wir Sprüche finden werden, die andern zu widersprechen scheinen. Der Weisheit liegt also nichts am abgerundeten System, sondern nur an der aufmerksamen Beobachtung.

Vielen von uns ist diese Art des Denkens fremd geworden. Dank unserer Schulbildung suchen wir Abstraktionen oder gehen von ihnen aus. Wir denken „doktrinär", das heißt, wir wollen Lehrsätze aufstellen. Die biblische Weisheit aber will das Leben zeigen. Sie kommt ganz gewiß auch auf erkennbare Ordnungen; diese aber können stets korrigiert werden durch neue Beobachtungen. Wir denken demnach meist nicht induktiv, sondern deduktiv. Wir setzen einen Wahrheitssatz hin, wollen ihn beweisen und versuchen, alles auf einen Nenner zu bringen und in ein System zu zwingen. Solch ein System mag vielleicht imponieren, wird aber der Wirklichkeit nicht gerecht. Diese unterwirft sich nicht unsern Maßen, sondern sprengt sie immer aufs neue. Das deduktive Denken gibt uns leicht das Gefühl des Reichtums und der Überlegenheit. Wir meinen, die Wahrheit unterworfen, eingefangen zu haben. Das Weisheitsdenken der Bibel dagegen ist bescheiden und demütig. Die Weisheit „tastet die Erfahrungswelt auf Ordnungen hin ab" (v. Rad 419). Dabei fühlt sich der Mensch selbst als ein Teil der Schöpfung. Er findet in sich selbst Analogien für die Vorgänge draußen und überträgt das Beobachtete auch auf sich selbst und die seelischen Vorgänge im Leben. Der Weise ist also nicht der stolze Wissende, sondern der, der sich gehorsam in die erkannten Ordnungen fügt. Das ist Lebensweisheit. Wer sich dagegen aufbäumt und den Gehorsam verweigert, schadet sich selbst und ist nicht weise, sondern ein Narr. Die weitere Stufe der Weisheit nennt Rad die „didaktische". Denn die erkannte Weisheit kann vom Weisen gelehrt und seinen Schülern übertragen werden. Diese können mithin die Weisheit lernen. Nun gibt es Weisheitsschulen. Der Schüler stützt sich nicht auf eigene Beobachtungen und Erkenntnis, sondern auf die seines Lehrers, des Alten.

Die Weisheit prägt ihre Erkenntnis in kurze Sätze oder Sentenzen. Selbstverständlich gab es diese Art von Sprüchen unter allen Völkern. Längst vor Israel hatten Babel und Ägypten, die benachbarten, mächtigen Kulturkreise, ihre Spruchweisheit. Es ist auch gar nicht überraschend, daß die Sprüche in Israel oft denen bei ihren Nachbarn gleichen. Dabei braucht es gar nicht immer eine Übernahme zu bedeuten. Die Frage der Priorität sollte nicht gestellt werden. „Die Weisheit war eigentlich etwas Internationales und Interreligiöses" (v. Rad 427). Weil sie dem natürlichen Wahrheitsempfinden entsprachen, konnten in den Sprüchen weithin die gleichen Resultate aus den Beobachtungen gewonnen werden. Sie sind und bleiben eben die „Weisheit auf der Gasse". Weil die Weisheit immer eine empfangende ist und ihre Erkenntnis nicht selbst produziert, kann sie bei aller Demut daran festhalten, daß sie recht behält. Sie weiß, daß sie mit ihrem Wissen um Gottes Ordnung das Richtige und Gute zeigt. Und das Gute bewährt sich als das Nützliche. Insofern macht die Spruchweisheit leicht den Eindruck des Utilitarismus, eines naiven Nützlichkeitsglaubens. Sie wirkt leicht hausbacken. Von Rad aber schreibt, es sei „der ganzen Antike die Überzeugung tief eingewurzelt, daß nämlich das Gute immer auch das Nützliche sei" (433).

Wir sollten darum beim Lesen der Sprüche nicht zu schnell von göttlicher Vergeltung sprechen. Von dieser ist im ältesten Teil unseres Buches (Kap. 10 ff.) gar nicht die Rede. Die Gerechtigkeit bewährt sich, wie Rad sagt, „im Raum des Bürgerlich-Sozialen" (434). Man hat darum die Weisheit eine „ethische Intelligenz" genannt, also nicht „reine Vernunft", sondern „praktische Vernunft". Gewiß steht hinter der biblischen Weltansicht, auch hinter den alltäglichen Dingen, die Hand des Schöpfers. Doch sind mit dem Hinweis auf diesen die ältesten Sprüche sehr sparsam. Es scheint, als ob der Mensch die Wirkung Gottes in den Dingen des Alltags erst allmählich entdeckt. Er erkennt sich in seinem Handeln von Gott begrenzt — von Rad sagt „ von Gott umgriffen" —, auch in all den Dingen, die ihm begegnen. Man lese etwa Spr. 16, 2. 9. 33; 19, 21; 20, 24; 21, 1. 2. 30 f.

Die späteste Form der Weisheitsfrömmigkeit finden wir in Kap. 1—9 unseres Buches, aber auch in manchen Psalmen (z. B. 1 und 37). Hier herrscht ein einseitig lehrhafter Ton. Die Weisheit beobachtet nicht mehr und registriert nicht mehr. Sie erzieht nur noch. Aus der Mitte dieser Weisheitslehre kamen später die Schriftgelehrten in Jesu Zeit. Nun wird die Weisheit angeboten als das Heil für den einzelnen. Es gilt, nach ihr zu fragen, sie zu suchen, nach ihr zu forschen; doch kann man sie auch verfehlen und verlieren. Immer steht dem Weisen der Narr oder der Tor gegenüber. Schließlich wird die Weisheit eine personifizierte Gestalt, die als Heilsmittlerin gesehen wird (siehe besonders Kap. 8). Dieser Weisheit bedient sich Gott, damit der Mensch lernt, was zu seinem Heil gehört und was er zu einem gottwohlgefälligen Leben nötig hat. „Sie ist die Gestalt, in der sich Jahwe vergegenwärtigt und in der er vom Menschen gesucht werden will", sagt v. Rad (443). Darum kann die Weisheit von sich sagen, was wir ähnlich nur aus Jesu Mund hören: „Ich liebe, die mich lieben" (8, 17); „Wer mich findet, der findet das Leben" (8, 35). Die Weisheit redet wie Gott und ist doch nicht Gott selbst.

Wer dieser Weisheit folgt, findet in ihr die „Quelle des Lebens" (13, 14). Wir sehen aufs neue, daß es hier nicht um intellektuelle Erkenntnis geht, sondern um ein praktisches Verhalten. Der echte Weise ist gottesfürchtig und fromm. Er sieht und weiß, daß ein Wandel in Gottes Gebot und Ordnung die rechte Klugheit ist. Die Sünde ist immer Dummheit. Es ist demnach „keine autonome Weisheit, die in den Sprüchen Salomos gelehrt wird, sondern die Weisheit derer, die im Bunde und unter dem Gesetz des Gottes Israels stehen", sagt Kraus (7). Der Weise ist auch der Gerechte, denn das Recht ist Gottes Ordnung. Nur wer diese einhält, kann Gottes Wohlgefallen haben. Die Gerechtigkeit ist das „Rechtverhalten" (nach Hans Walter Wolff) und kommt der Gemeinschaft zugute. „Gerechtigkeit fördert das Leben" (11, 19). Aber das nicht allein: „Gerechtigkeit erhöht ein Volk" (14, 34). Daß es hier nicht um einen platten Vergeltungsglauben geht, ist schon oben gesagt. Es ist vielmehr eine sachliche Diagnose, wenn es heißt: „Wer dem Bösen nachjagt, dem gereicht es zum Tode" (11, 19). Gewiß kann diese Erkenntnis arg mißbraucht werden, indem man umgekehrt folgert: Wer von Todesmächten betroffen wird, zeigt damit, daß er dem Bösen nacheifert. So dachten Hiobs Freunde und wurden von Gott bestraft. Es muß eben jedes Bibelwort vor dem Mißbrauch geschützt werden. Man denke an das Gespräch Jesu mit dem Versucher (Matth. 4, 7). Denn auch die Spruchweisheit ist nur ein Teil der ganzen biblischen Offenbarung.

Das Buch der Sprüche wird nicht von Salomo selbst verfaßt sein, denn es enthält mehrere verschiedene Überschriften. Doch wird die Überlieferung aus den Königsbüchern (vgl. 1. Kön. 5, 12 ff.) begründet sein, daß Salomo den Reichtum der Spruchweisheit wesentlich erweiterte. Es liegt jedenfalls kein zwingender Grund vor, einen großen Teil der Sprichwörter der Zeit Salomos oder seiner Person nicht zuzuschreiben. Die Sentenz war eben damals die Form, in der Erkenntnisse weitergegeben wurden. Ein Teil der Sammlung entstand aber zur Zeit des Königs Hiskia, was wir in Kap. 25, 1 ausdrücklich gesagt bekommen. Dazu kommen dann noch Worte von ungenannten „Weisen" (lies 22, 17; 24, 23). Im Anhang finden sich dann noch weitere selbständige kurze Stücke (Kap. 30 f.). So ist das gesamte Buch der Sprüche aus mehreren Teilen zusammengefügt. Ein längerer Abschnitt ist ihm als Einleitung vorangesetzt (Kap. 1–9). Vielleicht geht diese auf den Redaktor und Herausgeber des ganzen Buches zurück. In der Auslegung wird gezeigt, daß auch diese neun Kapitel aus einer Anzahl Unterteilen bestehen. Die übrigen Kapitel haben kein gemeinsames Thema, sondern bringen die einzelnen Sprichwörter meist ohne innere Ordnung. Deshalb verzichten wir auf weitere Unterteilung.

Die Übersetzung der Sprüche ist nicht nur dadurch schwierig, daß manche hapax legomena, das heißt Worte, die nur einmal in der Bibel vorkommen, in ihnen zu lesen sind. Es liegt auch im Wesen der Spruchweisheit, daß sie ihre Aussagen kurz und prägnant tut. Sentenzen vermeiden jede Erklärung und sparen die Worte. Dadurch bleiben für uns manche Sätze dunkel oder lassen verschiedene Sinndeutungen zu. Wir bringen daher neben unserer Übersetzung hier und da auch abweichende Übertragungen von Strack, Ringgren und aus der sogenannten Miniaturbibel Schlachters, die wir aufs neue schätzen lernten.

Runde Klammern im Text bringen Ergänzungen zum besseren Verständnis. Eckige Klammern enthalten Anmerkungen des Verfassers. Ein Fragezeichen in Klammern zeigt an, daß die Übersetzung ungewiß ist.

## I. Die Einleitungsreden (Kap. 1–9)

Die ersten neun Kapitel unseres Buches der Sprüche heben sich deutlich von den folgenden Kapiteln ab. Sie sind keine Sammlung von Sinnsprüchen, auch wenn sie einige spruchartige Aussagen enthalten (z. B. 1, 7. 17. 19. 32 f.; 2, 21 f.; 3, 35; 4, 7. 18. 21; 6, 16–19. 23. 27 f.; 8, 11; 9, 7–10. 12). Aber diese Sprüche zeigen nur, daß Unterweisung und Mahnung der Frommen immer wieder einmünden in kurze Sätze, die das Gesagte zusammenfassen. Es ist die Art der Weisen, ihre Belehrung in Sprüche zu fassen, die sich leicht merken lassen und eine zeitlose Wahrheit aussprechen.

## 1. Eine erweiterte Überschrift (1, 1—7)

*(1) Sprüche Salomos, des Sohnes Davids, des Königs Israels, (2) um Weisheit und Zucht zu erkennen, um Worte der Einsicht zu verstehen, (3) um Zucht, die zur Klugheit führt, zu gewinnen, Gerechtigkeit, Rechtsempfinden und Redlichkeit, (4) den Unerfahrenen Klugheit zu geben, den Knaben Erkenntnis und Besonnenheit. (5) Der Weise höre zu und mehre sein Wissen, und der Verständige erwerbe die rechte Führung, (6) damit er Spruch und Allegorie verstehe, die Worte der Weisen und ihre Rätsel! (7) Die Furcht Jahves ist der Anfang der Erkenntnis; (nur) Narren verachten Weisheit und Zucht.*

*V. 1.* Die vorliegende Sammlung verspricht dem Leser Salomo-Sprüche. Der Spruch (maschal) heißt eigentlich: ein Gleichnis; dann auch: ein Denkspruch, ein Sprichwort. Es ist die kurze Formulierung einer Wahrheitserkenntnis, oft als eine einfache These ausgesprochen, oft aber in gleichnisartigen Bildern ausgedrückt. Von Salomo wird erzählt (1. Kön. 5, 12): „Er redete dreitausend Sprüche." Zugleich aber wird betont: „Die Weisheit Salomos war größer als aller, die im Osten wohnen, und als aller Ägypter Weisheit." Dieser Vergleich ist nicht zufällig. Wir kennen Weisheitssprüche der Sumerer, die vor den Chaldäern in Mesopotamien lebten. Noch zahlreicher sind die uns bekannt gewordenen Weisheitssprüche der alten Ägypter. Viele dieser Worte waren ein internationaler Geistesbesitz. Von Salomo wissen wir, daß er enge familiäre Beziehungen zu Ägypten hatte. Der Pharao Ägyptens war sein Schwiegervater (1. Kön. 3, 1; 11, 1). Der geistige Austausch zwischen den beiden Ländern wird groß gewesen sein.

Die eigentliche Spruchsammlung beginnt erst mit Kapitel 10. Dort lesen wir eine neue Überschrift: „Sprüche Salomos". Der oder die Herausgeber zeigen dadurch an, daß die ersten neun Kapitel als Einleitung zu der eigentlichen Sammlung zu verstehen sind.

*V. 2–4.* In diesen drei Versen wird der Zweck der Spruchweisheit umschrieben. Der Zweck ist, Weisheit und Zucht zu erkennen oder zu begreifen. Die Weisheit ist also mehr als ein bloßes Wissen. Sie ist die bewußte rechte Frömmigkeit. Darum ist sie mit der Zucht, der Erziehung zum rechten, gottwohlgefälligen Wandel, verbunden. Darum gilt es, die Worte der Einsicht recht zu verstehen. Der Redende soll gerüstet werden zu eigener Urteilskraft. Er muß verstehen lernen, was einsichtige, verständige Reden sind. In V. 3 wird betont, daß ein solcher die Zucht gern annehmen wird, die ihn zur Klugheit und Verständigkeit führt. Daraus folgt eine bestimmte Lebenshaltung: Gerechtigkeit, Rechtsempfinden und Redlichkeit. Es wird deutlich, daß es nicht um eine abstrakte Weisheit geht, sondern um eine Hinführung zu einer Haltung, wie Gott sie von uns will. So lernen noch Unerfahrene und Unreife die wahre Lebensklugheit und Gewandtheit, die nötige Erkenntnis und Umsicht. Das sagt V. 4. Auch hier geht die Bildung der Lernenden nicht auf die Häufung von Wissensstoff, sondern auf praktische Lebenserkenntnis, die umsichtig macht.

*V. 5.* Aber auch jener, der schon weise ist, fahre fort zu lernen! Hier gibt es keinen Perfektionismus. Diese praktische Lebensweisheit ist nie fertig. Der Verständige soll seine Führungsgabe entfalten. Der Ausdruck stammt von der Schiffahrt und wird vom Steuermann gebraucht, ähnlich wie das moderne Wort „Kybernetik". Um zur Leitung anderer fähig zu sein, gilt es, die eigenen Gaben zu mehren und neue Fähigkeiten zu erwerben.

*V. 6.* Es gilt, die besondere Sprache der Spruchweisheit zu lernen: Anspielungen, Gleichnisse, bildhafte Rede, Rätselsprüche. Es ist nicht unbedingt nötig, in diesen Ausdrücken verschiedene Typen der Sprüche zu suchen. Es soll nur deutlich sein, daß die Spruchweisheit sich nicht jedem sofort erschließt, wie man auf den ersten Blick hin meinen könnte.

*V. 7.* Die notwendige Voraussetzung ist die Gottesfurcht. Wer Gott und seinen Willen nicht ernst nimmt, wird auch keine Weisheit und Erkenntnis erlangen. Man denke an Jesu Wort (Joh. 7, 17): „So jemand will des Willen tun, der wird innewerden, ob ich von Gott oder von mir selber rede." Alle religiöse Erkenntnis ist abhängig vom Willen zum Gehorsam. Wer sich Gott nicht unterwerfen will, der ist ein „Narr". Auch diese Bezeichnung meint nicht bloß ein intellektuelles Versagen, sondern eine Auflehnung gegen Gott (vgl. Ps. 14, 1). Von den Narren, die Gottes Weisheit ablehnen, sind die Unkundigen und Unreifen (V. 4) zu unterscheiden. V. 7 ist gleichsam das Motto für das ganze Spruchbuch.

## 2. Die erste Mahnrede (1, 8—33)

*(8) Höre, mein Sohn, auf die Zucht deines Vaters und verwirf nicht die Weisung deiner Mutter! (9) Denn sie sind ein schöner Kranz für dein Haupt und ein Geschmeide für deinen Hals. (10) Mein Sohn, wenn Sünder dich verführen, folge ihnen nicht! (11)*

*Wenn sie sagen: „Komm mit uns! Wir wollen auf Bluttat lauern, wir wollen dem Unschuldigen ohne Ursache nachstellen, (12) wir wollen sie lebendig verschlingen gleich dem Totenreich — als Gesunde, die ins Grab sinken —; (13) wir werden allerhand kostbare Schätze finden, wir werden unser Haus mit Beute füllen. (14) Dein Los sollst du in unserer Gemeinschaft* [d. h. in unserer Mitte] *werfen. Der Beutel sei uns allen gemeinsam!" (15) Mein Sohn, gehe nicht den Weg mit ihnen! Halte deinen Fuß zurück von ihrem Pfade! (16) Denn ihre Füße laufen zum Bösen — sie eilen, um Blut zu vergießen. (17) Denn vergeblich ist das Netz vor den Augen aller Vögel ausgebreitet. (18) Jene aber lauern auf ihr (eigenes) Blut, sie stellen den (eigenen) Seelen nach. (19) So ist der Weg derer, die ungerechtem Gewinn nachstreben. (Ein solcher) greift nach dem Leben des Besitzers (der Seele).*

*(20) Laut ruft die Weisheit auf der Gasse; auf den Plätzen erhebt sie ihre Stimme. (21) Im ärgsten Lärm ruft sie, in den Pforten der Stadttore hält sie ihre Reden: (22) Wie lange, ihr Einfältigen, werdet ihr Einfalt lieben und die Spötter Lust haben an ihrem Spott und die Narren Erkenntnis hassen? (23) Bekehrt euch zu meiner Zurechtweisung! Siehe, ich will euch meinen Geist hervorquellen lassen! Meine Worte werde ich euch kundtun. (24) Weil ich gerufen habe und ihr euch weigertet — weil ich meine Hand ausstreckte, und niemand gab acht —, (25) weil ihr all meinen Rat unbeachtet ließet und meine Zurechtweisung nicht wolltet, (26) darum werde auch ich eures Unglücks lachen und spotten, wenn Schrecken über euch kommt. — (27) Wenn Schrecken gleich einem Unwetter über euch kommt und euer Unglück wie ein Sturm kommen wird, wenn Not und Bedrängnis über euch kommt, (28) dann werden sie nach mir rufen, aber ich werde nicht antworten — sie werden nach mir suchen, werden mich aber nicht finden. (29) Weil sie Erkenntnis haßten und Furcht Jahves nicht erwählten, (30) meinen Rat nicht wollten und meine Zurechtweisung verachteten, (31) darum werden sie die Frucht ihres Wandels essen und satt werden von ihren (eigenen) Ratschlägen. (32) Denn der Abfall der Narren bringt sie um, und die Sorglosigkeit läßt sie untergehen. (33) Wer aber auf mich hört, wird sicher wohnen und vor dem Schrecken des Bösen ruhig bleiben.*

Die Einteilung dieser Einleitungskapitel in einzelne Reden unterliegt einer gewissen Willkür. Sie geschieht aber hier, um dem Leser die Übersicht zu erleichtern. Diese erste Rede zerfällt deutlich in zwei Teile. V. 8–19 ist eine Warnung vor den Verführern, V. 20–33 ein Weckruf der Weisheit. Die Spruchliteratur, auch diese einleitenden Kapitel, liebt die Gegenüberstellung. Insofern ist es sinnvoll, auch hier beide Teile in einer Rede zusammenzufassen. Gegenüber der Verführungsmacht der Frevler, die ins Verderben führen, steht der Ruf der göttlichen Weisheit, der zu Heil und Rettung leitet.

### a) Warnung vor den Verführern (1, 8–19)

*V. 8.* Wer die Weisheit lernen will, muß als erstes die Kunst des Hörens lernen (22, 17; Jak. 3, 17; vgl. auch die vielen Aufforderungen bei den Propheten, z. B. Jes. 1, 2; Jer. 6, 10; 7, 2; 22, 29; Micha 1, 2 und weiterhin sehr oft). – Die Anrede „mein Sohn" kommt in den Einleitungskapiteln 1–9 nicht weniger als fünfzehnmal vor. Sie ist in der Weisheitsliteratur beliebt und bedeutet meist nicht den leiblichen Sohn, sondern den Weisheitsschüler. Vgl. auch 23, 15. 19. 26; 24, 13. 21! Im Hintergrund steht allerdings wie hier, daß es Pflicht der Eltern in Israel ist, die Kinder zur rechten Gottesfurcht zu erziehen (Eph. 6, 4). Der Ausdruck Zucht ist vieldeutig und kann sowohl Züchtigung als Zurechtweisung und Ermahnung bedeuten. Es ist also die Erziehung mit allen in Frage kommenden Mitteln. Für Weisung steht hier der Ausdruck „Thora", der sonst für das Gesetz Jahves gebraucht wird.

*V. 9.* Solch eine Erziehung zur Furcht Gottes und zur Weisheit ist eine Ehre für den, der sie empfängt, und gleicht einem Orden oder sonst einem Ehrenzeichen.

*V. 10.* Durch die vorangegangenen Verse wird die folgende Warnung unterstrichen und begründet. Die Verführer nehmen dem Verführten seinen im vorigen Vers erwähnten Ehrenkranz. Die Weisheit weiß von der Macht der Sünde und Verführung. Ihr gegenüber gibt es nur ein glattes Nein.

*V. 11.* Die Verführer sind Verbrecher, die auf Raub und Gewalttat ausgehen. Dieses Bild braucht nicht ein Zeichen dafür zu sein, daß anarchische Zustände herrschen. Wie auch Söhne geordneter Familien sich in verbrecherische Kreise ziehen lassen, davon weiß unsere Zeit leider übergenug.

*V. 12. 13.* Die Aussicht auf materiellen Gewinn schlägt alle Bedenken des Gewissens und der guten Sitte zu Boden.

*V. 14.* Der auf den ersten Blick etwas dunkle Vers will sagen: Teile dein Schicksal mit uns, so sollst du auch teilhaben an der gemeinsamen Kasse. Diese Lockrede zeigt einen kräftigen Realismus.

*V. 15.* Widerstehe den Anfängen! Setze deinen Fuß nicht erst auf den Weg, der dich ins Verderben führt! Wer erst mitzumachen anfängt, kann schwer wieder aussteigen. Das Bild vom Weg oder Pfad als Ausdruck für die Lebenshaltung ist in der Weisheitsliteratur beliebt (z. B. 3, 6. 17; 5, 21; 8, 13; 16, 7 und oft; vgl. Ps. 1, 1; 37, 5).

*V. 16.* Diesen Vers übernahm Paulus in seinen Römerbrief (3, 15; vgl. Jes. 59, 7), wo er die allgemeine Verderbtheit des Menschengeschlechts schildert.

*V. 17. 18.* Wie die Vögel die Gefahr des Fangnetzes nicht erkennen und sich fangen lassen, so wird der Bösewicht schließlich in die eigene Falle gehen und sein Leben (wörtlich „Seele") verlieren. „Umsonst", das heißt, sie lassen sich durch den Anblick des Netzes nicht warnen. Der Vogelfang mit Netz und Fallen war im Orient verbreitet. Vgl. in den Psalmen: 9, 16; 25, 15; 31, 5; 35, 7 f.; 57, 7; 140, 6; 141, 10!

*V. 19.* Dieser Satz zieht aus dem Gesagten die Folgerung. Ungerechter Gewinn, der durch Trug, Diebstahl oder Raub gewonnen wird, straft schließlich den Täter selbst. Wir sehen hier zum ersten Mal, was wir noch oft zu beobachten haben werden, daß die Weisheit gern die gerechte Vergeltung am Missetäter betont. Dabei wird weniger an ein außerweltliches Gerichtsverfahren gedacht, als vielmehr an ein innerweltliches Gesetz.

### b) Der Ruf der Weisheit (1, 20–33)

*V. 20. 21.* Nach dieser drastischen Warnung und im Gegensatz zu den Stimmen der Verführer hören wir nun die Stimme der Weisheit. Diese eigenartige Personifizierung der Weisheit bereitet der Auslegung gewisse Schwierigkeiten. Die Weisheit verkündet den göttlichen Ratschluß und Weg. Sie ist nicht Gottes Stimme, erst recht nicht die Stimme eines menschlichen Propheten. Wir werden sie in Kap. 8 noch einmal ausführlicher reden hören und uns dann ein Bild von diesem göttlichen Werkzeug zu machen suchen. Gleich einem Buße predigenden Propheten steht die Weisheit auf den Straßen und Plätzen oder gar am Tor, wo in Israel die öffentlichen Gerichtsverhandlungen stattfanden (2. Sam. 15, 2; 2. Kön. 7, 17; Hiob 29, 7; 31, 21; Ps. 69, 13; Spr. 22, 22; 31, 23; Jes. 29, 21; Amos 5, 10. 12. 15). Laut wie die Propheten erhebt die Weisheit Gottes ihre Stimme (vgl. Jes. 1, 2; Micha 1, 2 und öfter). Kein noch so arger Lärm der Welt kann ihre Stimme dämpfen.

*V. 22.* Es folgt nun eine Buß= und Bekehrungspredigt, wie wir sie im Neuen Testament aus dem Munde Johannes des Täufers kennen. „Wie lange ..." — so hat einst Mose seine Reden an Pharao begonnen (2. Mose 10, 3. 7; 16, 28). Die gleiche Frage hören wir im Bußruf an das Volk Israel (4. Mose 14, 11. 27; Jos. 18, 3; 1. Kön. 18, 21; auch Jer. 47, 5). Die hier angeredeten Einfältigen sind die Unentschiedenen und Unreifen, deren Erkenntnis zu einer Entscheidung bisher nicht ausreichte. Von ihnen wer= den Toren oder Narren unterschieden, die sich gegen Gott entschieden haben und darum den Gottlosen gleichen. Die Einfältigen sollen ihre Unreife überwinden und diese nicht lieben und festhalten. Die Spötter aber haben Lust an ihrem Spott, sie kleben daran. Die Narren wollen die echte Wahrheitserkenntnis nicht. Ja, sie hassen sie.

*V. 23.* Nun folgt der seit Samuel von den Propheten geübte Ruf zur Umkehr, zur Bekehrung (1. Sam. 7, 3; Jes. 55, 7; Jer. 4, 1; Hes. 3, 19; Hos. 12, 7; Joel 2, 12; Mal. 3, 7 und öfter). Bezeichnend aber ist, daß hier nicht von der Bekehrung zu Gott, sondern zur Zurechtweisung oder Zucht gesprochen wird. Der Ausdruck kann sogar „strafen" heißen. Echte Be= kehrung ist Bereitschaft, sich richten und die Zucht Gottes gefallen zu lassen. Wo das geschieht, da ist Raum für Gottes Geist. Von diesem Geist redet auch hier die Weisheit. Ehe Jesus mit dem Geiste tauft, gilt es der Bußpredigt Johannes des Täufers stillzuhalten. Der Geist soll „hervor= quellen" wie eine Wasserquelle (vgl. Jes. 44, 3; Hes. 36, 26 f.; Joel 3, 1). Wort und Geist stehen hier eng beieinander. „Meine Worte sind Geist und Leben", sagt Jesus (Joh. 6, 63). Dem Wort, das vom Geist gewirkt ist und Geist schenkt, auf seiten der Weisheit Gottes stehen das Hören und die Bekehrung auf seiten der Menschen gegenüber.

*V. 24. 25.* Wo auf unserer Seite die Weigerung zu hören steht, die Nichtbeachtung ausgestreckter Hände (Jes. 65, 2) und die Verachtung des göttlichen Wortes,

*V. 26–28.* da antwortet Gottes Zorn. Das ist seine in der ganzen Bibel verkündete Verhaltensweise — vom Paradiese bis zu den Gerichts= kapiteln der Offenbarung des Johannes. Der Schrecken des Gerichts kommt gleich einem Ungewitter und einem Sturm, gegen den wir Menschen hilflos sind. Der einzige Helfer in der Not, der von uns verachtet wurde, wird dann auf all unser Hilfegeschrei nicht antworten. Es gibt ein zu spätes Suchen nach der helfenden Hand (Jes. 55, 6; Amos 8, 12; Matth. 23, 37).

*V. 29–31.* Erkenntnis und Furcht Gottes — das ist es, was die Weis= heit ihren Schülern vermittelt. Wer sie ablehnt, muß den Schaden tragen. „Die Frucht ihrer Wege" — die Wirkung ihrer Lebensführung ist gleich=

sam ihre Nahrung. Sie werden die Suppe auslöffeln müssen, die sie sich selbst einbrockten. Und von den eigenen Ratschlägen, die schwach und hilflos sind, wird ihr Hunger dann nicht gestillt werden.

*V. 32. 33.* Wieder ziehen die letzten Verse dieser Rede der Weisheit den Summa=Strich. Es gibt eben nur zwei Möglichkeiten. Der Tor, das ist der Gottlose, fällt von Gottes Weisheit ab und bringt sich dadurch ins Verderben. Statt Sorglosigkeit steht hier wörtlich „Glück" oder „Ruhe". Sie verlassen sich auf ihr eigenes Glück und lassen sich um die rechte Gotteserkenntnis keine grauen Haare wachsen. Das ist ihr Unglück. – Wer aber Ohr und Herz der Stimme der Weisheit öffnet, der bleibt be= wahrt. Eigentlich: Er bleibt in Ruhe. Er findet die Ruhe in Gott und kann sicher wohnen. Mit diesem Ausdruck umschreiben die Propheten gern das Heil Gottes (5. Mose 33, 12. 28; Jes. 32, 17 f.; Jer. 23, 6; Sach. 14, 11 und öfter).

So hat diese erste Rede der Einleitung den Schülern der Weisheit eine klare Wegweisung gegeben und sie davor gewarnt, die Weisheit gering= zuschätzen.

## 3. Die zweite Mahnrede (2)

*(1) Mein Sohn, wenn du meine Reden annimmst und meine Gebote bei dir bewahrst, (2) dein Ohr der Weisheit leihst, dein Herz der Einsicht zuneigst, (3) ja, wenn du nach der Erkenntnis rufst und deine Stimme um Verständnis erhebst, (4) wenn du sie gleich Silber suchst, wie nach verborgenen Schätzen forschst, (5) dann wirst du die Furcht Jahves erkennen und die Erkenntnis Gottes finden. (6) Denn Jahve schenkt Weisheit; aus seinem Munde kommt Erkennt= nis und Einsicht. (7) Er bewahrt den Aufrichtigen den Erfolg und ist ein Schild für die, die unsträflich wandeln; (8) indem er die Pfade des Rechts hütet, bewahrt er auch den Weg seiner Frommen. (9) Dann wirst du Gerechtigkeit und Recht verstehen, und du wirst in Geradheit wandeln auf guter Bahn. (10) Denn Weisheit wird in dein Herz dringen, und Erkenntnis wird deiner Seele angenehm sein. (11) Besonnenheit wird dich behüten, Einsicht wird über dir wachen, (12) um dich vor dem bösen Wege zu retten, vor den Menschen, die Ränke spinnen, (13) die die geraden Pfade verlassen, um auf dunklen Wegen zu gehen, (14) die Freude haben, Böses zu*

*tun, und über arge Verkehrtheiten jubeln, (15) deren Pfade krumm sind und die in ihren Bahnen verkehrt sind. (16) Sie wird dich retten vor dem fremden Weibe, vor der Fremden, deren Reden glatt sind, (17) die den Freund ihrer Jugend verlassen und den Bund ihres Gottes vergessen hat. (18) Denn ihr Haus sinkt in den Tod und ihre Bahn zu den Todesschatten. (19) Alle, die zu ihr gehen, kehren nicht zurück und erreichen nicht die Pfade des Lebens. (20) Du aber gehe auf dem Weg des Guten und halte ein die Pfade der Gerechten! (21) Denn die Redlichen werden das Land bewohnen und die Unsträflichen in ihm bleiben. (22) Aber die Gottlosen werden aus dem Lande ausgerottet und die Abtrünnigen aus ihm herausgerissen.*

### a) Weisheit führt zu Gottesfurcht und Gotteserkenntnis (2, 1–8)

In dieser zweiten Rede wird der Reichtum der Weisheit entfaltet und dadurch das in der ersten Rede Gesagte vertieft. Auch diese Rede wirkt durch ihren Kontrast: Im ersten Teil wird das Geschick des um Weisheit Beflissenen ausgemalt und im zweiten Teil das Verhängnis derer, die die Weisheit verlassen und verführt werden.

*V. 1.* Mit einer neuen Anrede beginnt diese zweite Rede. Der Schüler wird als der geistliche Sohn angesehen. Durch vier Verse hindurch wird die Bedingung gezeigt, die der Schüler zu erfüllen hat. Er hat die ihm vorgetragenen Reden anzunehmen und die Gebote im Gewissen zu bewahren. Wie jedes Wort Gottes nicht naturhaft wirkt, sondern an unsere Willigkeit appelliert und unsern Gehorsam fordert — so auch das Wort der Weisheit. Nehme ich es an, so beuge ich mich vor ihm und lasse es gelten. Bewahre ich es, so halte ich es nicht nur im Gedächtnis, sondern lasse es weiter auf mich wirken.

*V. 2.* Ohr und Herz gehören zusammen. Dringt das Wort nicht bis ins Herz, so ist der Dienst des Ohrs vergeblich. Einsicht bestätigt die Weisheit durch Erfahrung.

*V. 3.* Gott wartet auf das Gebet, um uns zu antworten. So hat der Schüler der Weisheit betend nach der Erkenntnis zu rufen und zu bitten um das rechte Verstehen des Willens Gottes.

*V. 4.* Wer den Wert der Weisheit kennt, wird nach ihr suchen wie jener Kaufmann, der köstliche Perlen suchte (Matth. 13, 45 f.). Man vergleiche auch das Lied der Weisheit aus Hiob 28 (besonders V. 15–19)!

Nun werden die Folgen solch einer Haltung in den kommenden Versen ausführlich geschildert. Professor von Rad (441) nennt die Verse 5–8 ein Gedicht vom fünffachen Segen der Weisheit.

*V. 5.* Einem solchen Beter wird die Gottesfurcht verständlich, und Gott selbst wird ihm nicht verborgen bleiben.

*V. 6.* Der schenkende Herr reicht dar, wonach unser Herz hungert. Sein Wort vermittelt uns die rechte Weisheit.

*V. 7.* Dem Aufrichtigen, Redlichen, Ehrlichen „spart er Heil auf" (so übersetzt Kautzsch). Andere übersetzen: „Er sichert dem Aufrichtigen das Gelingen." Sie werden nicht vergeblich nach der Weisheit suchen. Wer nach seinen Geboten wandelt, darf mit seinem Schutz rechnen.

*V. 8.* Weil Gott das Recht wahrt und hütet, so bewahrt er auch die, die nach ihm leben.

### b) Weisheit bewahrt vor dem Bösen (2, 9–22)

*V. 9.* Während der gefallene Mensch den Maßstab für Gut und Böse verlor, lernt der nach der Weisheit Fragende Gottes Maßstäbe dafür kennen. Er lernt, sein Leben danach zu richten.

*V. 10.* Die Weisheit dringt bis ins Herz. Wir werden an das Prophetenwort erinnert: „Ich will mein Gesetz in ihr Herz geben" (Jer. 31, 33). Die Weisheit kommt also nicht als ein Zwingherr von außen. Sie läßt vielmehr ein neues Wollen nach Gottes Willen im Herzen entstehen. Auch unser Geschmack ändert sich: Die Erkenntnis Gottes und seiner Gebote wird unserer Seele angenehm.

*V. 11.* Die eigene Besonnenheit und Einsicht sind der Zügel, der uns vor Irrwegen bewahrt. Auch darin macht die Weisheit reich.

*V. 12.* Mit V. 12 beginnt die Schilderung des Lebens der Frevler, vor dem die Weisheit uns behütet. Wir bleiben vor den ränkespinnenden Leuten bewahrt. Ein feines Gewissen gibt uns auch ein gut Teil Menschenkenntnis, und wir fallen nicht auf solche herein, die dunkle Wege gehen.

*V. 13–15.* Diese bilden den Gegensatz zu denen, die durch die Weisheit auf schlichtem, redlichem Pfade einhergehen. Von der Freude an der Bosheit spricht auch Paulus in Röm. 1, 32.

*V. 16.* Mit großem Ernst warnt die Weisheit vor aller Verführung zur Unkeuschheit und zum Ehebruch (vgl. 5, 3–23; 6, 24–35; 7, 5–27; 23, 27 f.; 30, 20). Das Gesetz verwarf jeglichen Ehebruch (2. Mose 20, 14; 3. Mose 20, 10; 18, 20; 5. Mose 5, 17; auch 2. Sam. 11, 7–10 ff.) und bedrohte ihn mit der Todesstrafe. Auch die Propheten haben den Ehebruch scharf gegeißelt. Besonders zu Jeremias Zeit scheint der Verfall der Ehe drohend gewesen zu sein (Jer. 5, 7 f.; 7, 9; 9, 1; 23, 10. 14; 29, 23; auch Hos. 4, 2; Mal. 3, 5). Das gleiche wird auch für die Zeit dieser Vorrede gelten.

*V. 17.* Die Verführerin ist ihrem Gott und darum ihrem Gatten untreu. Sie bricht den Bund mit dem einen wie mit dem andern.

*V. 18.* Mag das Todesurteil über die Ehebrecher auch nicht immer vollzogen worden sein (Joh. 8, 5), so ist Gottes Urteil doch gesprochen. Der Weg der Ehebrecherin endet im Tode, und wer ihr folgt, teilt ihr Geschick. Nichts verdirbt ja den Geschmack an Gottes Willen so sehr wie ein Leben der Unkeuschheit. Es macht erfahrungsgemäß taub für den Ruf Gottes. Davon weiß die Seelsorge viel trübe Beispiele. Und doch gilt Röm. 5, 20, und Paulus kann an die Korinther schreiben: „Solche sind euer etliche gewesen; aber ihr seid abgewaschen, ihr seid geheiligt, ihr seid gerecht geworden durch den Namen des Herrn Jesu und durch den Geist unseres Gottes" (1. Kor. 6, 9—11).

*V. 20.* Die Warnung ist also auch für den Weisheitsschüler nötig, damit er ja den Weg der Gerechtigkeit und des Willens Gottes nicht verläßt.

*V. 21. 22.* Zum Schluß dieses Abschnittes steht, wie so oft in den Weisheitsreden, die Regel, die fest eingeprägt sein soll. Das Land der Verheißung, das gelobte und geliebte Land Kanaan, ist hier der allgemeine Ausdruck für das Heil Gottes, das Gott seinem Volk verheißen hat (Ps. 37, 9. 22. 29; Matth. 5, 5). Nur die Treuen erben (Röm. 8, 17; 2. Tim. 2, 12). Wer sich aber im Trotz von Gott löst, von dem löst sich Gott mit allem, was er seinem Volk verheißen hat (Ps. 18, 26 f.).

## 4. Die dritte Mahnrede (3, 1—12)

*(1) Mein Sohn, vergiß meine Weisung nicht, und dein Herz bewahre meine Gebote! (2) Denn die Dauer der Tage und Jahre des Lebens und der Friede werden sich mehren für dich. (3) Gnade und Treue werden dich nicht verlassen. Binde sie um deinen Hals, schreibe sie auf die Tafel deines Herzens! (4) Dann wirst du Gnade finden und hervorragende Klugheit in den Augen Gottes und der Menschen. (5) Vertraue auf Jahve von ganzem Herzen, und stütze dich nicht auf deinen Verstand! (6) Erkenne ihn auf allen deinen Wegen, so wird er deine Pfade ebnen. (7) Sei nicht weise in deinen (eigenen) Augen, fürchte Gott und meide das Böse! (8) Deinem Leibe wird er Gesundheit bereiten und deinen Gebeinen Labsal.*

*(9) Gib Jahve Ehre durch deinen Besitz und von dem Besten* [wörtlich: „Erstlinge"] *deines Einkommens! (10) So werden deine Scheunen sich reichlich füllen, und deine Kufen werden überströmen von Most. (11) Die Zucht Jahves, mein Sohn, sollst du nicht verachten, und werde nicht unwillig, wenn er dich straft! (12) Denn Jahve straft den, den er liebt, gleichwie ein Vater den Sohn, den er gern hat.*

a) Gesetzestreue und ihr Segen (3, 1–6)

Diese kleine Mahnrede lehrt die demütige Beugung unter Gott.

*V. 1.* Die neue Anrede des Schülers wird mit der Mahnung verbunden, das in der Schule der Weisheit Gelernte fest zu bewahren. „Weisung", wörtlich „Thora", wird sonst vom Gesetz Jahves gesagt, aber diese Vorrede gebraucht den Ausdruck auch für die menschliche Weisung, soweit sie mit der göttlichen Thora harmoniert (1, 8; 4, 2; 6, 20; 7, 2).

*V. 2.* Langes Leben gilt im Alten Testament als Zeichen des Segens Gottes: 1. Mose 15, 15; 2. Mose 20, 12; 5. Mose 5, 16; 30, 20; 1. Kön. 3, 11. 14; Ps. 21, 5; 91, 16; Hiob 5, 26.

*V. 3.* „Gnade und Treue" — das sind die entscheidenden Gaben Gottes an die Seinen. In den Psalmen wird beides oft nebeneinander genannt (z. B. Ps. 85, 11). „Gnade" (chessed) ist der Ausdruck für die Gemeinschaft schenkende Huld Gottes. „Treue", eigentlich Festigkeit, Unvergängliches, auch Wahrheit, ist die Garantie Gottes für die Zukunft (Ps. 25, 10; 92, 3; 98, 3; 108, 5; 115, 1; auch Klagel. 3, 22 f. und öfter). Wer die Weisheit empfängt und bewahrt, bleibt in der Gemeinschaft mit Gott. „Um den Hals hängen" heißt soviel wie: stets bei sich haben. Ähnlich 2. Mose 13, 16; 5. Mose 6, 8; 11, 18. Ebenso der Ausdruck: „auf die Herzenstafel schreiben", das heißt: im Gewissen verankert haben. Ähnlich Jer. 31, 33; Röm. 2, 29; 2. Kor. 3, 3.

*V. 4.* Gnade muß gefunden werden, man kann sie nicht fordern. Zum Ausdruck vgl. 1. Mose 18, 3; 33, 8 ff.; 34, 11; 47, 25; 2. Mose 33, 12; 4. Mose 11, 11; Ruth 2, 10; 1. Sam. 16, 22; Esth. 5, 2; Luk. 1, 30! Neben der Gnade werden guter Verstand und hervorragende Klugheit genannt. Vgl. Ps. 111, 10, wo Luther übersetzt: „eine feine Klugheit". Solche Klugheit besaß Abigail (1. Sam. 25, 3). Bei Gott und Menschen ist solch ein der Weisheit Beflissener beliebt (Luk. 2, 52; auch Röm. 14, 18).

*V. 5.* Deshalb sollte gerade der, dem es um Erkenntnis und rechte Klugheit geht, mit ungeteiltem Herzen auf Jahve vertrauen und sich nicht auf „die dürftige Leuchte seines Verstandes" verlassen, wie Otto von Bis=

marck sich einst ausdrückte. Die wahre Weisheit ist also nicht eine gesteigerte intellektuelle Begabung. Sie entsteht vielmehr durch die Gottesfurcht, die sich vor Gott beugt (1. Kor. 2, 14).

*V. 6.* Der auf Gott Trauende bekommt einen Blick für Gott auf allen Wegen, die er geführt wird, und Gott selbst öffnet ihm die Lebenswege (Ps. 37, 5).

### b) Die Zucht Gottes und ihr Gewinn (3, 7—12)

*V. 7.* Wer sich aber selbst für weise hält, gefährdet dieses Gottesverhältnis (Jes. 5, 21; Hiob 27, 12; Röm. 1, 22). Dagegen hilft nur immer erneuerte Gottesfurcht, die das Gewissen schärft.

*V. 8.* Neben der inneren Gesundheit steht in der Bibel auch oft die Verheißung der äußeren Stärkung. Die Bibel zerreißt den Zusammenhang von Leib und Seele nicht (2. Mose 15, 26; Ps. 84, 3; 103, 3). Sie weiß auch, daß unvergebene Schuld krank macht (Ps. 32, 3 f.). „Von größter Tragweite ist der Realismus in der biblischen Psychologie, der auch den Leib in organischen Zusammenhang mit dem Seelenleben bringt. Wirklich göttliche Hilfe muß den Gesamtbezirk des seelischen Lebens, also auch den Leib, umfassen", schreibt Walther Eichrodt in seiner Theologie des Alten Testaments (II, 75/76).

*V. 9.* Hier ist die einzige Stelle in unserem Buch der Sprüche, wo zu einem Opfer aufgefordert wird. Sonst finden wir keine Erinnerung an den israelitischen Kultus. Es geht um die Erstlingsopfer, von denen im Gesetz die Rede ist (2. Mose 23, 19; 4. Mose 28, 26 ff.; 5. Mose 18, 4; 26, 1 ff.; 15, 20 f.; Neh. 10, 37; Hes. 20, 40). Mit dieser Erstlingsgabe ist die ganze Ernte geheiligt und der Schöpfer als Geber der Gaben anerkannt und geehrt.

*V. 10.* Auf solch einen Gehorsam und solche Beugung antwortet Gott mit reichem Segen. Vgl. Mal. 3, 10; auch 3. Mose 27, 30; 5. Mose 12, 6. 14. 28; 14, 22; Matth. 23, 23; Luk. 18, 12!

*V. 11. 12.* Auch diese Verse schließen diese kurze Mahnrede mit einem Merkspruch. Zur demütigen Beugung gehört auch die Geduld im Leiden, die Gott uns als Zucht auflegt. Es geht hier also nicht um einen Eudämonismus, um einen Weg zur Erfüllung unserer Wünsche und unseres Glückgefühls. Gottes strafende Zucht brauchen wir, wie unsere Kinder sie durch uns brauchen. Wenn Gott es ernst mit uns nimmt, so ist das ein Zeichen seiner Liebe. Dieses Wort ist in Hebr. 12, 5—11 ausführlich ausgelegt. Vgl. auch 5. Mose 8, 5; Hiob 5, 17; 33, 16 ff.!

## 5. Die vierte Mahnrede (3, 13—26)

*(13) Selig ist der Mann, der Weisheit findet, und der Mensch, der Einsicht bekommt! (14) Denn ihr Erwerb ist besser als der Erwerb von Silber, und ihr Gewinn ist mehr als Goldes Wert. (15) Sie ist wertvoller als Korallen* [Perlen?], *und nichts, was dir gefällt, ist ihr gleich. (16) In ihrer rechten Hand ist Länge des Lebens, in ihrer linken Reichtum und Ehre. (17) Ihre Wege sind liebliche Wege und alle ihre Pfade Frieden. (18) Ein Baum des Lebens ist sie für die, die sie ergreifen, und selig ist, wer sie festhält. (19) Jahve hat die Erde durch Weisheit gegründet und die Himmel durch Einsicht befestigt. (20) Die Urfluten spalteten sich durch seine Erkenntnis, und die Wolken träufelten Tau.*

*(21) Mein Sohn, laß sie nicht von deinen Augen weichen und bewahre Umsicht und Besonnenheit, (22) so werden sie Leben bedeuten für deine Seele und ein Schmuck für deinen Hals. (23) Dann wirst du deinen Weg sicher gehen und mit deinem Fuß nicht anstoßen. (24) Wenn du dich legst, wirst du dich nicht fürchten, und liegst du, so wird dein Schlaf süß sein. (25) Du wirst dich nicht fürchten vor jähem Schrecken und vor dem Unheil, wenn es über die Gottlosen kommt. (26) Denn Jahve wird deine Zuversicht sein, und er wird deinen Fuß behüten, daß er nicht gefangen werde.*

Diese kurze Rede enthält ein Loblied auf die Weisheit mit reichen Verheißungen. Die ersten Verse preisen den Wert der Weisheit ähnlich dem Lied von der Weisheit in Kap. 28 des Buches Hiob.

### a) Selig, wer die Weisheit findet! (3, 13—20)

*V. 13.* Solche Seligpreisungen liebten die Weisheitslehrer. Wir kennen sie aus den Psalmen (1, 1; 2, 12; 32, 1 f.; 33, 12; 40, 5; 41, 2; 84, 5 f. 13; 94, 12; 112, 1; 119, 1 f.; 128, 1 f.; 146, 5 und öfter). Der Ausdruck entspricht den Seligpreisungen im Munde Jesu.

*V. 14. 15.* Das liest sich wie ein Zitat aus Hiob 28, 15—19. Die Weisheit in ihrem Ewigkeitswert läßt sich mit zeitlichen Wertgrößen nicht beschreiben.

*V. 16.* In der rechten Hand liegt das wertvollere Gut: ein langes Leben mit Gott, in der linken das geringere: Reichtum und Ehre (vgl. V. 2 und die dort genannten Parallelstellen).

*V. 17.* Die Wege sind die Lebensschicksale. Sie sind beim Gerechten lieblich und freundlich (trotz V. 11. 12), weil sie den Segen Gottes haben.

Sie führen zum Frieden. Das ist der Ausdruck für das Heil Gottes. Vgl. Jes. 48, 18. 22; 53, 5; 54, 10; 57, 21; 59, 8; auch Phil. 4, 7! Man sollte in der Wortkonkordanz die wichtigsten Stellen nachsuchen.

*V. 18.* Auch dieses Bild liebt die Weisheit (11, 30; 13, 12; 15, 4; auch Ps. 1, 3; Jer. 17, 8). Palästina war nie sehr baumreich, auch ehe die türkische Mißwirtschaft alle Wälder schwinden ließ. Darum hat ein grünender oder gar fruchtbringender Baum eine ungleich größere Bedeutung als bei uns im waldreichen Norden. Der Ausdruck hier erinnert aber an 1. Mose 2, 9 und 3, 22. Wie dort die Frucht des Lebensbaumes ewiges Leben zu vermitteln versprach, so hier die Weisheit. Wer nach der Weisheit greift, gleicht dem, der die Frucht vom Lebensbaum ißt. Bleibt er dabei, so ist er glückselig zu nennen.

*V. 19. 20.* Wie hoch der Wert der Weisheit ist, wird daran deutlich, daß der Schöpfer sie als Werkzeug der Erschaffung der Erde und des Himmels benutzte (8, 22–30).

### b) Der Weise hat Klugheit und Geborgenheit (3, 21–26)

*V. 21. 22.* Weil die Weisheit solch hohen Wert hat, darf der Schüler sie nicht aus den Augen lassen. Die zweite Hälfte von V. 21 gebraucht Ausdrücke, die Umsicht, Gewandtheit, Heilsames bedeuten, auch Geschicklichkeit. Die Weisheit führt also auch zu praktischem Handeln. Ja, wer sich in ihr übt, findet Leben und Schönheit. Sie vermittelt uns nicht nur Lebenskraft, sondern auch Harmonie und Anmut.

*V. 23–25.* Die Verse umschreiben noch einmal die Folgen für uns, wenn wir die so wertvolle Weisheit recht nutzen. Zur „Sicherheit" vgl. 1, 33! In dem oft bedrohten Israel wurde sie immer hochgeschätzt (3. Mose 25, 18 f.; 26, 5; 5. Mose 12, 10; 33, 12. 28; 1. Kön. 5, 5; Ps. 4, 9; 78, 53; Jes. 32, 17 f.; Jer. 23, 6; Hes. 28, 26). Gewisse Tritte, die nicht stolpern, sind ein Ausdruck für ein zielsicheres, gewisses Leben (Ps. 40, 3; 119, 133; 121, 3; Hebr. 12, 13). Zur Sicherheit gehört auch der Schutz in der Nacht (Ps. 3, 6; 4, 9; 91, 5; 121, 4 ff.). Ein ruhiger Schlaf ist ein Gottesgeschenk (Matth. 8, 24). Gerichtszeiten müssen um der Gottlosen willen kommen. Sie kommen oft plötzlich und unerwartet (4. Mose 16, 21; Hiob 18, 11; Ps. 73, 19; Pred. 9, 12; Jes. 29, 5; Jer. 6, 26; 18, 7; Hab. 2, 7; Zeph. 1, 18).

*V. 26.* Wieder ist der Schlußsatz wie ein nachträgliches Motto. Er zeigt, daß der Weise der Glaubende ist, der in Jahve seine Zuversicht hat. Luther übersetzt unnachahmlich: „dein Trotz". Sein Weg wird so bewahrt, daß sein Fuß sich in keine Schlinge verfängt (Ps. 91, 11–13).

## 6. Die fünfte Mahnrede (3, 27—35)

*(27) Verweigere nicht das Gute dem, der es bedarf, wenn es in deiner Hände Kraft steht, es zu tun! (28) Sage nicht zu deinem Nächsten: „Geh und komm wieder!" und: „Morgen will ich's geben", während du es doch hast! (29) Bereite nichts Arges gegen deinen Nächsten vor, während er vertrauensvoll bei dir wohnt! (30) Streite nicht unnütz mit einem Menschen, wenn er dir nichts Böses getan hat! (31) Sei nicht neidisch auf einen Gewalttätigen und entscheide dich nicht für einen seiner Wege; (32) denn ein Abtrünniger ist Jahve ein Greuel, aber mit den Redlichen hat er Gemeinschaft. (33) Der Fluch Jahves liegt auf dem Hause des Gottlosen, aber die Wohnung der Gerechten segnet er. (34) Während er der Spötter spottet, gibt er den Demütigen Gnade. (35) Die Weisen erben Ehre, aber die Narren tragen Schande davon.*

### Warnung und Verheißung

Fast sieht es aus, als wäre dieser Abschnitt aus der Spruchsammlung in die Mahnreden der Einleitung hineingesprengt. Wir werden sie als ein Beispiel für den Weisheitsunterricht anzusehen haben. Sie enthalten eine Kette von Warnungen. Jeder Vers beginnt mit der Verneinungspartikel „al", die sich im letzten Vers sogar zweimal findet.

*V. 27.* Die erste Warnung gilt der verweigerten Hilfsbereitschaft (vgl. Hebr. 13, 16).

*V. 28.* Schiebe deine Hilfe nie ohne Grund auf! Doppelt gibt, wer schnell gibt (Matth. 5, 42).

*V. 29.* Jegliche Heuchelei wird durch Aufrichtigkeit überwunden. Es soll uns niemand vergeblich vertrauen. Lies 1. Petr. 1, 22, wo von ungefärbter Bruderliebe, und Röm. 12, 9, wo von ungeheuchelter Liebe geschrieben ist (auch 1. Tim. 1, 5)!

*V. 30.* Den Weisen ziert Friedensliebe (Matth. 5, 9; Röm. 12, 18).

*V. 31.* Statt dem Gewalttätigen nachzueifern, befleißigt sich der Weise der Sanftmut (Matth. 5, 5; 11, 29). Er gebraucht nicht die Ellenbogen.

*V. 32.* Gott hat nur Wohlgefallen an den Aufrichtigen. Und um das Wohlgefallen Gottes allein müht sich der Gottesfürchtige.

*V. 33.* Es geht um ein heiliges Entweder — Oder, um Fluch oder Segen (vgl. 5. Mose 28). Wir kommen um eine Entscheidung nicht herum.

*V. 34.* Gott kann unser spotten (Ps. 2, 4; 59, 9). Die Gedemütigten sind die Elenden der Psalmen (Ps. 9, 19; 10, 17; 22, 27 und sehr oft). Vor der Welt sind sie disqualifiziert. Bei Gott stehen sie hoch im Wert (1. Petr. 3, 4).

*V. 35.* Höchste Ehre ist es, von Gott anerkannt zu sein.

## 7. Die sechste Mahnrede (4, 1—27)

*(1) Achtet, meine Söhne, auf die Zucht des Vaters und merkt auf, um Einsicht zu gewinnen! (2) Denn ich gebe euch gute Lehre. Verlaßt meine Weisung nicht! (3) Denn (auch) ich war ein Sohn meines Vaters, zart und einzig vor meiner Mutter. (4) Und er lehrte mich und sprach zu mir: „Möge dein Herz meine Worte festhalten! Bewahre meine Gebote, so wirst du leben. (5) Erwirb Weisheit, erwirb Einsicht! Vergiß nicht und weiche nicht von den Reden meines Mundes! (6) Verlaß sie nicht, so wird sie dich bewahren. Liebe sie, so werden sie dich behüten. (7) Der Weisheit Anfang ist: Erwirb Weisheit, und mit all deinem Erworbenen erwirb Einsicht! (8) Schätze sie hoch, so wird sie dich erheben. Sie wird dich zu Ehren bringen, wenn du sie umarmst. (9) Sie wird für dein Haupt ein lieblicher Kranz sein, eine herrliche Krone wird sie dir bereiten."*

*(10) Höre, mein Sohn, und nimm an meine Rede, so werden die Jahre deines Lebens zahlreich sein. (11) Ich unterweise dich über den Weg der Weisheit und leite dich auf rechte Bahnen. (12) Wenn du wandelst, wird dein Schritt nicht beengt sein. Wenn du läufst, wirst du nicht stolpern. (13) Halte fest an der Zucht und laß nicht nach! (14) Tritt nicht auf den Pfad der Gottlosen, gehe nicht auf dem Weg der Sünder! (15) Laß ihn fahren, gehe nicht auf ihm, weiche von ihm und geh vorüber! (16) Denn sie schlafen nicht, ehe sie Böses taten. Ihr Schlaf ist ihnen geraubt, ehe sie nicht zu Fall bringen. (17) Denn sie essen das Brot des Frevels und trinken den Wein der Gewalttaten. (18) Aber der Weg der Gerechten ist wie strahlendes Licht am Morgen, das immer leuchtender wird bis zum vollen Tage. (19) Der Weg der Gottlosen (aber) gleicht der Finsternis; sie wissen nicht, worüber sie stolpern.*

*(20) Mein Sohn, achte auf mein Wort, neige dein Ohr zu meiner Rede! (21) Laß sie nicht aus deinen Augen weichen, bewahre sie inmitten deines Herzens! (22) Denn sie sind Leben für die, die sie finden, und Heilmittel für ihren Leib. (23) Mehr, als was sonst zu*

*hüten ist, bewahre dein Herz! Denn von ihm geht das Leben aus. (24) Tue die Falschheit des Mundes von dir weg und entferne die Verkehrtheit der Lippen von dir! (25) Laß deine Augen geradeaus sehen und deine Augenwimpern sich vor dich hin richten! (26) Ebne die Bahn deinem Fuß, und alle deine Wege seien gefestigt! (27) Biege weder zur Rechten noch zur Linken aus! Halte deinen Fuß fern vom Bösen!*

Diese sechste Rede enthält eine neue Empfehlung der Weisheit in drei längeren Abschnitten. V. 1–9: ein väterlicher Rat, die Weisheit zu erwerben; V. 10–19: eine Gegenüberstellung des Weges des Gerechten und des Weges des Gottlosen; V. 20–27: eine Schilderung des geraden Weges.

### a) Väterliche Ermahnung (4, 1–9)

*V. 1.* Es ist nicht auszumachen, ob es hier um das leibliche Verhältnis von Vater und Sohn geht, da auch der Weisheitslehrer Vater genannt wurde und seine Schüler mit Söhne anredete (dagegen Matth. 23, 9). Hören und aufmerken – das ist die Vorbedingung für alle Weisheitsschüler (Ps. 40, 7; Jes. 50, 4 f.; Röm. 10, 14; Gal. 3, 2, wörtlich: „Gehör des Glaubens").

*V. 2.* Was die Schüler empfangen, ist gut. Darum gilt es, bei der Weisung, der Thora, zu bleiben.

*V. 3. 4.* Nun erzählt der Lehrer aus seinem eigenen Leben. Er gibt nur Bewährtes weiter, was er selbst empfing. Für die Weisheit ist das Alter eine Empfehlung. Vgl. Hiob 8, 8 ff.; 15, 10!

*V. 5–9.* Es folgen die Worte des Vaters, die der Sprechende aus der Erinnerung wiedergibt. Die Weisheit will gewonnen, erworben und bewahrt werden durch praktischen Gehorsam. Wer sie bewahrt, den bewahrt sie. Der Anfang aller Weisheit ist: Erwirb sie! Mühe dich um sie! Ohne Fleiß kein Preis! Setz deinen Besitz, dein Eigentum, ein, um sie zu erwerben! Je höher du sie schätzt, um so mehr wird sie auch dich erhöhen. Umarme sie gleich einer Braut, sagt V. 8. Es bringt Ehre, mit ihr verlobt zu sein. Sie gleicht einem Ehrenkranz auf dem Haupt. Die Weisheit Gottes adelt die Ihren. Vgl. 1, 9; Offb. 1, 5; 5, 10; auch 1. Petr. 2, 9!

### b) Der Weg der Zucht und der Weg der Gottlosigkeit (4, 10–19)

Auf diesen väterlichen Rat folgt nun in V. 10–19 die Gegenüberstellung der beiden Wege.

*V. 10.* Mit einer neuen Anrede fährt der Lehrer mit eigenem Wort fort. Aufs neue wird hier betont, daß dem Weisen ein langes, gesegnetes Leben verheißen ist. Siehe 3, 1 f. 16; vgl. auch 2. Mose 20, 12; 5. Mose 5, 16; 1. Kön. 3, 11 ff.; Ps. 21, 5; 91, 16 und öfter!

*V. 11. 12.* Der Wandel des Menschen wird in der Weisheit oft mit einem Wege verglichen (z. B. Ps. 1, 1. 6; 25, 8 ff.). Dieser Weg der Weisheit kann gelernt werden, doch muß man ihn gehen in praktischem Gehorsam. Er ist weit und frei und ohne Steine des Anstoßes, über die man stolpern könnte. Vgl. Ps. 18, 37; 31, 9; auch Hiob 36, 16!

*V. 13.* Die Zucht ist der Erziehungsweg der Weisheit. Man kann übersetzen: „Laß sie nicht los!"

*V. 14. 15.* Jetzt folgt die Warnung vor dem falschen Weg, dem Weg der Gottlosen. Er muß lockend und verführerisch sein, sonst brauchte vor ihm nicht gewarnt zu werden. Wieder werden wir an Ps. 1 erinnert. Auch die Sünde hat ihren Weg, eine Richtung, eine Bahn. Sie hat die Kraft der Gewöhnung. Vierfach wird die Warnung ausgesprochen: Laß ihn fahren! Geh nicht auf ihm! Weiche von ihm! Geh an ihm vorüber!

*V. 16. 17.* Hier wird das Bild der Verächter der Gottesweisheit beschrieben. Ihre Bosheit raubt ihnen den Schlaf. Während die Gerechten schlafen, gehen die Bösen dem Frevel nach. Was sie genießen, ist Frucht ihrer Taten. Jeder kann verstehen, was daraus wird.

*V. 18. 19.* Während dort Finsternis ist, gleicht der Weg der Weisheit dem sieghaften Licht der aufgehenden Sonne (Richt. 5, 31; 2. Sam. 23, 4; Jes. 58, 8). Deshalb geht der Gottesmensch seinen Weg gewiß (siehe 3, 23 und die dort genannten Bibelstellen). Wer das Dunkel vorzieht, wird immer wieder zu Fall kommen.

### c) Volle Entschiedenheit (4, 20—27)

Im dritten Abschnitt wird der gerade Weg geschildert.

*V. 20.* Aufs neue wird der Hörer zur Aufmerksamkeit gemahnt.

*V. 21. 22.* Auch Jesus preist jene selig, die Gottes Wort bewahren (Luk. 11, 28). Sie sind selbst Leben, das heißt, voll göttlicher Lebenskraft vermitteln sie diese den Hörenden und Bewahrenden (5. Mose 6, 6; 11, 18; 32, 46 f.; Jer. 15, 16; Joh. 6, 63. 68 und öfter). Ja, sie wirken heilsam bis in unsere Leiblichkeit hinein. Siehe 3, 8 und die dort genannten Bibelstellen!

*V. 23.* Das Herz ist in der Bibel nicht der Sitz des Gefühls, sondern des Willens und „Mittelpunkt der Lebensfunktionen". Besonders das 5. Buch Mose, das auch sonst manche Ähnlichkeit mit diesen Kapiteln hat, betont immer wieder das ungeteilte Herz (5. Mose 6, 5 f.; 10, 12; 11, 13. 18; 26, 16; 30, 10; auch Ps. 119, 2. 10). Deshalb verheißt Gott im Neuen Bunde das neue Herz (Hes. 36, 26). Ist das Herz Gott untertan, so ist es der ganze Mensch.

*V. 24.* Deshalb muß aller Heuchelei und Lüge der Kampf angesagt werden und alle Verkehrtheit von den Lippen verschwinden. Vgl. Jak. 3, 2–12; Eph. 5, 4!

*V. 25.* Wer aufrichtig ist, dessen Blick ist klar und fest aufs Ziel gerichtet.

*V. 26.* Ist das Auge lauter, so kann es auch auf den Weg achten und wird nicht irren.

*V. 27.* Nun gilt es, festen Kurs zu halten und sich auch nicht die kleinste Abweichung zu erlauben (Jos. 1, 7; 5. Mose 5, 29; 28, 14; auch 2. Sam. 14, 19; 2. Kön. 22, 2; Jes. 30, 21). Das ist der gerade Weg der Gottesfürchtigen und Weisen.

## 8. Die siebente Mahnrede (5, 1—23)

*(1) Mein Sohn, gib acht auf meine Weisheit! Neige dein Ohr zu meiner Einsicht, (2) damit du Besonnenheit bewahrst und deine Lippen die Erkenntnis hüten! (3) Denn die Lippen der Fremden triefen von Süßigkeit, und ihr Gaumen ist glatter als Öl. (4) Aber hernach sind sie bitter wie Wermut und scharf wie die Schärfe des Schwertes. (5) Ihre Füße gehen hinunter zum Tode, das Totenreich hält ihre Schritte fest. (6) Damit sie den Weg des Lebens nicht einschlage, schwanken ihre Bahnen, ohne daß du es weißt. (7) Aber nun, ihr Söhne, hört auf mich und weicht nicht ab von den Reden meines Mundes! (8) Laß deinen Weg ferne von ihr sein und nähere dich nicht zur Tür ihres Hauses, (9) auf daß du deine Ehre nicht andern gebest und deine Jahre einem Grausamen; (10) daß nicht Fremde von deinem Vermögen satt werden und, was du erarbeitet, nicht in das Haus eines Fremden komme; (11) daß du nicht zuletzt stöhnst, wenn dein Leib und dein Fleisch dahinschwinden (12) und du sagen müßtest: „Ach, daß ich die Zucht gehaßt habe und mein Herz die Zurechtweisung verschmäht hat! (13) Daß ich nicht gehört habe auf die Stimme meiner Lehrer und mein Ohr nicht denen zuneigte, die mich unterwiesen! (14) Fast wäre ich in alles Unglück geraten inmitten der Versammlung der Gemeinde.“*

*(15) Trinke Wasser aus deinem (eigenen) Brunnen, was aus deiner Quelle fließt! (16) So werden sie aus deinen Quellen nach außen fließen, Wasserströme auf die freien Plätze. (17) Dir allein sollen sie gehören — und nicht Fremden neben dir! (18) Gesegnet sei deine Quelle, und freue dich am Weibe deiner Jugend! (19) Die liebliche Hindin und anmutige Gazelle — allezeit mögen ihre Brüste dich sättigen, und immerfort magst du taumeln durch ihre Liebe! (20) Mein Sohn, warum willst du taumeln durch eine Fremde und die Brust einer Unbekannten umarmen? (21) Denn die Wege eines jeden liegen vor den Augen Jahves; er wägt alle ihre Bahnen. (22) Seine Verschuldungen fangen den Gottlosen, und mit den Fesseln seiner Sünde wird er festgehalten. (23) Er wird sterben durch Mangel an Zucht, er geht in der Irre um seiner großen Torheit willen.*

An einem konkreten Beispiel wird nun der Weg der Weisheit gezeigt. Schon in Kap. 2, 16 ff. war vor der Verführung zum Ehebruch gewarnt worden. Nun wird dieses Thema ausgeführt. Die Reinhaltung der Ehe ist ein ernstes Anliegen biblischer Sittlichkeit. Daß sie zu allen Zeiten gefährdet war, ist bekannt. Da wir diese Vorrede zu den Sprüchen wohl in die nachexilische Zeit zu legen haben, wird die Gefahr der sittlichen Verwirrung durch den Einfluß des babylonischen und der anderen heidnischen Religionen mit ein Grund gewesen sein, daß so kräftig vor dieser Gefahr gewarnt wird. Israel stand mit seiner Eheauffassung inmitten der anderen Völker allein. Und die Jugend zumal war aufs äußerste gefährdet. Die Rede zerfällt in zwei Teile: die Warnung von Ehebruch (V. 1—14) und der Segen der Ehe (V. 15—23).

### a) Warnung vor dem fremden Weibe (5, 1—14)

*V. 1. 2.* Der Schüler wird aufs neue angeredet und zu gespannter Aufmerksamkeit ermahnt. Er soll besonnen und nüchtern bleiben, damit er nicht im triebhaften Rausch ins Verderben rennt. Die rechte Erkenntnis kann ihn bewahren. Gibt er der Verführung nach, so werden seine Lippen nicht mehr Weisheit reden. Unkeuschheit verdirbt den Geschmack an Gottes guten Gaben. An Beispielen ist das Leben voll.

*V. 3. 4.* Zwar weiß die Verführerin süß zu reden und zu schmeicheln. Sie ist die Frau des Fremden und redet honigsüß und aalglatt. Aber hernach gibt's lauter Bitternis und peinliche Wunden.

*V. 5.* Denn die Ehebrecherin ist schon auf dem Todeswege. Das Ziel ist das Totenreich. Ihre Schritte sind von der Macht des Todes wie gebannt.

*V. 6.* Sie steht unter Gottes Gericht. Ihre Pfade schwanken unter ihren Füßen, als ginge sie über einen Morast, und sie merkt es selbst gar nicht. Aber durch das Gericht Gottes soll sie nun auch den Weg des Lebens und der Weisheit nicht mehr finden. „Dahingegeben" nennt das der Apostel Paulus in ähnlichem Zusammenhang (Röm. 1, 24. 26. 28).

*V. 7.* Hier folgt eine erneute dringende Mahnung, auf die Worte des Lehrers zu hören und sich an sie zu halten.

*V. 8.* Je weiter du dich von der Verführerin distanzierst, um so besser! Der Tür zu ihrem Hause sollte man sich nicht einmal nähern. So ernst ist hier nicht nur die Macht der Verführung, sondern auch die Schwachheit des Widerstands genommen. Vgl. Röm. 7, 18; 1. Kor. 6, 18; 2. Tim. 2, 22; 2. Petr. 1, 4!

*V. 9–14.* Wer die Warnung in den Wind schlägt, verliert seine Ehre. Der „Andere" ist der Mann der Ehebrecherin, der nicht schweigen wird zu dem Fehltritt seiner Frau. Als grausamer Rächer seiner Ehe wird er dem Ehebrecher nach dem Leben trachten. Und wenn es nicht ans Leben geht, so geht es an Besitz und Vermögen. Manch einer ist nach einem Fehltritt Erpressern zum Opfer gefallen. Und wie oft folgt der Verführung eine Vergiftung von Leib und Seele! Das Leben wird zur Qual. Dann helfen keine Selbstvorwürfe: „Ach, hätte ich doch . . . !" Zu spät erkennt der schuldig Gewordene, daß er die Warnung seines Lehrers nicht ernst genommen hat. – Auf Ehebruch stand Todesstrafe (3. Mose 20, 10), worüber die Gemeindeversammlung zu befinden hatte.

### b) Empfehlung der Ehe und neue Warnung (5, 15–23)

In einem weiteren Abschnitt wird nun der Segen einer Ehe geschildert. Statt nach der Frau des Fremden zu sehen, erfreue dich am Glück deiner eigenen jungen Ehe!

*V. 15.* Gleich einer frischen Quelle, die in jenem trockenen, heißen Lande den Wanderer erquickt, soll der Umgang mit der eigenen Frau erfrischen und beglücken. Von diesem irdisch-natürlichen Glück spricht das Hohelied in kräftigen Bildern.

*V. 16.* Diesen Vers versteht Strack als Frage: Du willst doch nicht etwa das Glück deiner Ehe mit anderen teilen? Ringgren dagegen erinnert an 4. Mose 24, 7, wo der Segen der Familie und einer reichen Nachkommenschaft mit der überströmenden Flut verglichen wird. Vgl. auch Ps. 128, 3 f., wo mit einem anderen Bild das gleiche ausgesagt ist! Ein gesundes, geheiligtes Ehe- und Familienleben wirkt sich als Segen aus für die ganze Umgebung.

*V. 17. 18.* Welch ein starkes Ja zur Schöpfungsordnung Gottes und ein Lobpreis der ehelichen Liebe! (Wie unrecht haben jene, die in völliger Unkenntnis der Bibel bei ihr Leibfeindlichkeit und Ablehnung des Eros der Geschlechter vermuten!) Die Einehe ist die Erfüllung der leiblichen Sehnsucht. Sie steht unter Gottes reich und glücklich machendem Segen. Halte deiner ersten Liebe die Treue und freue dich der Gemeinschaft mit deiner Frau! Das ist der beste Schutz gegen die teuflischen Verführungskünste der Fremden. Vgl. 1. Kor. 7, 2!

*V. 19.* Die Frau wird mit der lieblichen Hindin (der Hirschkuh) oder der anmutigen Gazelle (andere übersetzen: Gemse) verglichen. An ihrer Schönheit magst du dich berauschen und im Taumel der Liebe in ihre Arme sinken. So wird die eheliche Liebe hier gepriesen.

*V. 20—23.* Den Abschluß dieses Lobpreises des Ehelebens bildet noch einmal die dunkle Folie des ehebrecherischen Verhältnisses. Warum willst du Gottes großes Geschenk verachten und dich an eine Unbekannte verlieren und dabei den nächsten lieben Menschen vergessen? So wird die höchste natürliche Gottesgabe der Geschlechterliebe zur Fratze und zum Fluch. Frage dich doch: Warum sollte ich solch verhängnisvollen Irrweg gehen? Gottes Allwissenheit entziehst du dich durch keinerlei Heimlichkeit (Ps. 139, 1—5). Gott sieht alle deine Wege, auch die krummen und schmutzigen. Und er beachtet jeden unserer Schritte. Der Frevler fängt sich in der eigenen Schlinge und bereitet sich das notvolle Geschick selbst. V. 22 spricht Jesus mit anderen Worten aus: „Wer Sünde tut, der ist der Sünde Sklave" (Joh. 8, 34). Wer die Zucht haßt (Ps. 50, 17), geht in den Tod. Wer Torheit statt Weisheit sucht, verirrt sich hoffnungslos. Zu wenig Zucht — zu viel Torheit! So steht es hier zum Abschluß dieses ernsten Kapitels.

## 9. Die achte Mahnrede (6, 1—19)

*(1) Mein Sohn, bist du Bürge geworden für deinen Nächsten, hast du Handschlag gegeben für einen Fremden, (2) bist du verstrickt durch die Reden deines Mundes, gefangen durch die Reden deines Mundes, (3) so tue doch folgendes, mein Sohn, und rette dich! Denn du hast dich in die Hand deines Nächsten gegeben. Wirf dich nieder und bestürme deinen Nächsten! (4) Laß keinen Schlaf in deine Augen kommen und keinen Schlummer in deine Wimpern! (5) Rette dich wie eine Gazelle aus (seiner) Hand und wie ein Vogel aus der Hand des Vogelstellers!*

*(6) Begib dich zur Ameise, du Fauler! Schaue ihre Wege und werde weise! (7) Sie hat keinen Anführer, keinen Aufseher, keinen Herrscher; (8) sie bereitet ihr Brot im Sommer, sie sammelt in der Erntezeit ihre Speise. (9) Wie lange willst du faul daliegen? Wann willst du aufstehen von deinem Schlaf? (10) „Ein wenig schlafen, ein wenig schlummern, ein wenig die Arme verschränken zum Liegen" — (11) auf diese Weise wird deine Armut kommen wie ein Landstreicher und dein Mangel wie ein gewappneter Mann.*

*(12) Ein nichtsnutziger Mensch, ein heilloser Mann, der da wandelt in der Falschheit seines Mundes! (13) Der mit seinen Augen zwinkert, mit seinen Füßen Zeichen gibt, mit seinen Fingern deutet, (14) der Ränke in seinem Herzen (trägt), allezeit Böses schmiedet, Streitigkeiten hervorruft! (15) Darum wird sein Unglück plötzlich kommen. Im Nu wird er zerschlagen, und keine Heilung wird dasein. (16) Sechs sind es, die Jahve haßt, und sieben sind ein Greuel seinem Herzen: (17) hochmütige Augen und eine verlogene Zunge; Hände, die unschuldiges Blut vergießen; (18) ein Herz, das frevelhafte Pläne schmiedet; Füße, die dem Bösen nacheilen; (19) ein falscher Zeuge, der Lügen atmet, der Streit unter Brüdern anrichtet.*

Eigentlich geht es hier um vier wichtige ausführliche Mahnungen, die ohne sichtbaren Zusammenhang aneinandergereiht sind. Es handelt sich wohl wieder um Beispiele des Unterrichts in der Weisheit: eine Warnung davor, für andere Bürgschaft zu leisten (1—5); eine Warnung vor Trägheit (6—11); eine Warnung vor Heimtücke (12—15); ein Zahlenspruch (16—19).

### a) Warnung vor Bürgschaftsleistung (6, 1—5)

*V. 1. 2.* Es wird der Fall angenommen, der Schüler habe sich zu einer Bürgschaft für einen andern überreden lassen. Zum Thema vgl. 11, 15; 17, 18; 20, 16; 22, 26; 27, 13; aber auch 3. 27! Offenbar geht es hier auch um einen zeitgebundenen Notstand. Ein leichtfertiges Bürgschaftleisten schafft dem Leichtsinn Vorschub und läßt aus Leichtgläubigkeit in große Not kommen.

*V. 3—5.* Ist ein solcher Fall eingetreten, so soll der Bürge alles versuchen, um sich aus der Verpflichtung zu befreien. Und da ein Rechtsmittel nicht in Frage käme, muß er sich aufs Bitten verlegen, und zwar ungesäumt. Lieber den Schlaf fliehen, als in der steten Gefahr leben! Er soll den andern bestürmen, selbst seinen Verpflichtungen nachzukommen, damit der Bürge gar nicht erst für ihn einzutreten brauchte. In V. 5 wird an den Gazellen= und Hirschfang mit dem Netz erinnert (vgl. Jes. 51, 20) — ein Bild, das oft in den Psalmen zu finden ist (9, 16; 25, 15; 31, 5; 35, 7 f.; 57, 7; 140, 6; 141, 10; aber auch Klagel. 1, 13; Hes. 12, 13; 17, 20; 19, 8; 32, 3; Hos. 5, 1). Wie solch ein gefangenes Tier alles daransetzt, um seine Freiheit zu gewinnen, so sollte ein in solch eine gefährliche Verpflichtung Hineingeratener alles daransetzen, das Netz zu zerreißen.

Mag diese Warnung dem Wort Jesu widersprechen (Matth. 5, 42), so wird es sich doch hier um Leichtsinn und Unbesonnenheit handeln, der auch Jesus keinen Vorschub leisten will. Etwas anderes wäre eine nüchterne Hilfsbereitschaft, wie sie etwa in Kap. 3, 27 empfohlen ist. Man lese über diesen Fragenkomplex: 2. Mose 22, 24; 5. Mose 15, 8; Neh. 5, 8—10; Ps. 37, 26; Jer. 15, 10! Alle diese Fragen dürfen nicht gesetzlich geordnet werden, sondern in der unmittelbaren Verantwortung vor Gott (vgl. auch Luk. 6, 34 f.). Strack erwähnt in diesem Zusammenhang ein Wort Luthers: „Es ist Bürgewerden ein Werk, das einem Menschen zu hoch ist und nicht gebührt, und greift mit Vermessenheit in Gottes Werk. Denn erstlich ver= bietet die Schrift, man soll keinem Menschen trauen noch sich auf ihn verlassen, sondern allein auf Gott ... Wer aber Bürge wird, der traut einem Menschen und setzt sich mit Leib und Gut in die Gefahr auf einen falschen, ungewissen Grund ... Zum andern traut er auf sich selbst und macht sich selbst zum Gott. Nun er aber seines Leibes und Guts keinen Augenblick sicher und gewiß ist, so wenig als des, für den er Bürge wird, ... so tut er unchristlich und geschieht ihm Recht, weil er das versetzt und zusagt, das nicht sein noch in seiner Macht, sondern in Gottes Händen allein steht."

Statt sich in fragwürdige Geldgeschäfte zu verflechten, ist der Weis= heitsschüler zu treuem Fleiß in aller Arbeit verpflichtet. Es ist eine alte Erkenntnis, daß Gemeinschaft mit Gott in jeder Beziehung fleißig macht. Schon bei der Erschaffung des ersten Menschenpaares hat Gott als seine Aufgabe die Arbeit genannt. Lies 1. Mose 2, 15; auch 3, 17 ff.!

### b) Warnung vor Faulheit (6, 6—11)

*V. 6—8.* Dem Faulen wird die Ameise zum Vorbild gegeben, ein Zeichen aufmerksamer Beobachtung der Schöpfung. Bei der Erwähnung von Salomos Spruchweisheit wird sein offenes Auge für die Kreatur ge= rühmt (1. Kön. 5, 13). Man denke aber auch an die Gleichnisse Jesu! — Wer das Verhalten dieses kleinen Tierchens beobachtet, kann aus seiner Rastlosigkeit lernen und weise werden. Denn Fleiß gehört zur Weisheit. Die Ameise braucht auch keine Antreiber gleich den Fronvögten in Ägyp=

ten (2. Mose 1, 11 ff.). Nachdem die Ameise im Sommer sammelte, hat sie im Winter keine Not.

*V. 9–11.* Nun folgt die Rüge an den Trägen. V. 10 gibt drastisch seine Einwände wieder. Wie ist doch der Mensch zu allen Zeiten der gleiche geblieben! Wer faul bleibt, über den kommt das Schicksal eines Landstreichers. Die Not überfällt ihn wie ein Räuber, gegen den er sich nicht zur Wehr setzen kann. Gegen die Faulheit wenden sich daher viele Worte unseres Buches (10, 26; 13, 4; 15, 19; 19, 24; 20, 4; 21, 25; 22, 13; 24, 30–34; 26, 13–16). Auch das Neue Testament weiß, daß die Sünde faul macht (Hebr. 12, 1), der Glaube jedoch fleißig (Röm. 12, 11). Der Fleiß hängt mit der Treue zusammen, die Gott von seinen Leuten erwarten kann (Matth. 24, 45; Luk. 12, 42; 16, 10 ff.; 1. Kor. 4, 2). Die Zeit ist ein Kapital, das uns Gott zur Verwaltung anvertraute (Eph. 5, 16). Die Geschichte der Gemeinde auf Erden zeigt, daß in allen Erweckungen der Eifer sich im Fleiß kundtut. Fehlt dieser, so ist es ein deutliches Zeichen der Schwärmerei. Vgl. 1. Thess. 4, 11 f.; 2. Thess. 3, 6–13!

Es folgt eine erste Warnung vor jeglicher Heimtücke.

### c) Warnung vor Falschheit und Bosheit (6, 12–15)

*V. 12–14.* Sieben Kennzeichen eines heimtückischen und darum Verderben bringenden Menschen werden hier aufgezählt: 1. die Falschheit und Heuchelei in seinen Reden; 2. das vieldeutige Zwinkern mit den Augen; 3. mit den Füßen gibt er seinen Genossen heimliche Zeichen; 4. mit den Fingern versucht er seine Andeutungen zu unterstützen; 5. heimlich im Herzen schmiedet er Ränke; 6. allezeit plant er allerlei Bosheit; 7. überall ruft er Zwist und Streit hervor. Eine erschütternde, aber realistische Charakterisierung.

*V. 15.* Doch ein solcher findet seinen plötzlichen Untergang, mit dem er nicht rechnet (Ps. 73, 19). Er wird zerschlagen, ohne daß er Hilfe findet. „Gott ist noch Richter auf Erden" (Ps. 58, 8–12), diese Überzeugung gehört zum Glauben des Alten Testaments.

### d) Ein Zahlenspruch (6, 16–19)

Der folgende Zahlenspruch bringt eine besondere, erst in der Spätzeit ausgebildete Form des Sprichworts. In diesen Zahlensprüchen wird eine genannte Zahl von Dingen, Eigenschaften oder Personen zusammengestellt, über die eine gleichlautende Aussage gemacht werden kann. Dieser Spruchstil, den wir auch im Anhang unseres Buches (aber auch im apokryphen Buch des Jesus Sirach) finden, zeigt schon eine ausgesprochene Kunstform der Spruchweisheit. Vgl. 30, 15 f. 18 f. 21–23. 24–28. 29–31!

*V. 16.* Was Jahve haßt, ist ein Greuel (z. B. 3. Mose 18, 27; 5. Mose 7, 25; 18, 9 ff.; Ps. 5, 7 und oft). Darum ist es auch von seinen Leuten gehaßt (Ps. 139, 21 f.; Offb. 2, 6).

*V. 17–19.* Nun werden diese sieben Greuel aufgezählt: 1. hochmütige Augen (Ps. 18, 28; aber 131, 1); Jes. 2, 11; 5, 15; 10, 12; 2. eine verlogene Zunge (Ps. 5, 10; 50, 19; 52, 6; 78, 36; 109, 2; 120, 2 f.); 3. Hände, die unschuldiges Blut vergießen (1, 16; 1. Mose 9, 6; Jes. 59, 7; Röm. 3, 15; Offb. 16, 6); 4. ein Herz, das böse Pläne schmiedet (24, 2; Ps. 28, 3; Jes. 32, 6; Jer. 7, 24; 18, 12); 5. Füße, die dem Bösen nacheilen (1, 16; Ps. 50, 18; Jes. 59, 7; Röm. 3, 15); 6. falsche Zeugen (12, 17; 14, 25; 19, 5. 28; 21, 28; auch 2. Mose 23, 1; 5. Mose 19, 18 ff.; Matth. 26, 60); 7. der Anstifter von Streit zwischen Brüdern (1. Mose 13, 8; 45, 24; aber Ps. 133, 1 ff.). All das ist Jahve ein Greuel, weil es gegen die Liebe verstößt und die Gemeinschaft sprengt. Vgl. dazu das erste Kapitel der Bergpredigt (Matth. 5), um zu erkennen, woran Gott sein Wohlgefallen hat!

## 10. Die neunte Mahnrede (6, 20—7, 27)

*(20) Mein Sohn, beachte das Gebot deines Vaters und verwirf nicht die Weisung deiner Mutter! (21) Binde sie allezeit in dein Herz und knüpfe sie um deinen Hals! (22) In deinem Wandel wird sie dich leiten. Wenn du dich legst, wird sie dich behüten, und wenn du erwachst, wird sie sich mit dir bereden. (23) Denn eine Leuchte ist das Gebot und die Weisung ein Licht, und ein Weg des Lebens sind die Zurechtweisungen der Zucht, (24) daß du bewahrt werdest vor dem fremden Weibe und der glatten Zunge der Fremden. (25) Begehre ihre Schönheit nicht in deinem Herzen, auch möge sie dich nicht mit ihren Wimpern fangen! (26) Denn durch ein unzüchtiges Weib kommt man bis auf ein Stück Brot herunter, und eines Mannes Weib macht Jagd auf eine kostbare Seele (?). (27) Kann jemand Feuer im Busen tragen, ohne daß seine Kleider brennen? (28) Kann jemand auf glühenden Kohlen gehen, ohne sich die Füße zu verbrennen? (29) So ist's, wenn einer zum Weibe seines Nächsten geht; es bleibt nicht ungestraft, wer sie anrührt. (30) Man verachtet den Dieb nicht, wenn er stiehlt, um seine Gier zu stillen, wenn er hungert. (31) Wenn er ergriffen wird, wird er es siebenfach ersetzen; die ganze Habe seines Hauses wird er hergeben. (32) (Aber) wer mit einem Weibe die Ehe bricht, hat den Verstand verloren. Der, der solches tut, richtet sein Leben zugrunde. (33) Er wird*

*Schläge und Schande finden, und seine Schmach bleibt ungelöscht. (34) Denn Eifersucht ist der Zorn des Mannes, und am Tage der Rache kennt er kein Mitleid. (35) Er läßt sich durch keine Sühne umstimmen und willigt nicht ein, wenn du dein Geschenk noch so groß sein läßt.*

*(7, 1) Mein Sohn, bewahre meine Rede und merke dir meine Gebote! (2) Bewahre meine Gebote, so wirst du leben, und meine Weisung wie deinen Augapfel! (3) Binde sie an deine Finger, schreibe sie auf die Tafel deines Herzens! (4) Sprich zur Weisheit: „Du bist meine Schwester" und nenne die Einsicht „Freundin", (5) damit du behütet werdest vor dem fremden Weibe, vor der Unbekannten, die süß redet! (6) Denn durchs Fenster meines Hauses, durchs Gitter schaute ich, (7) und ich sah einen Unerfahrenen, ich bemerkte unter den Söhnen einen Jüngling ohne Verstand. (8) Er ging vorüber auf der Straße, nahe ihrem Winkel, und betrat den Weg zu ihrem Hause (9) in der Abenddämmerung beim Einbruch der Nacht in der Dunkelheit. (10) Und siehe, ein Weib geht ihm entgegen im Gewand einer Hure mit verschlagenem Sinn; (11) wild und ungezügelt bleiben ihre Füße nicht in ihrem Hause. (12) Bald draußen, bald auf den Plätzen und an jeder Ecke lauert sie. (13) Und sie packt ihn, und sie küßt ihn. Mit frechem Gesicht sagt sie zu ihm: (14) „Dankopfer war ich schuldig, heute habe ich meine Gelübde erfüllt. (15) Darum ging ich aus dir entgegen, dich zu suchen, und habe dich gefunden. (16) Ich habe mein Lager mit Teppichen bedeckt, mit bunten ägyptischen Decken. (17) Ich habe mein Bett mit Myrrhe, Aloe und Zimt besprengt. (18) Komm, wir wollen uns bis zum Morgen an Liebeslust berauschen, uns ergötzen an Liebkosungen! (19) Denn der Mann ist nicht zu Hause; er ist auf eine weite Reise gegangen. (20) Einen Beutel mit Geld nahm er mit sich. Er wird erst zum Vollmond heimkehren." (21) Sie verführte ihn mit ihrer vielen Überredung; durch das Schmeicheln ihrer Lippen riß sie ihn fort. (22) Plötzlich geht er ihr nach – gleich einem Ochsen, der zur Schlachtbank geht, wie ein Narr zur Züchtigung mit Fußfesseln, (23) bis daß ein Pfeil ihm seine Leber spaltet, wie ein Vogel in die Schlinge fliegt – und erkennt nicht, daß es um sein Leben geht.*

*(24) Aber nun, ihr Söhne, hört auf mich und achtet auf die Reden meines Mundes! (25) Dein Herz weiche nicht auf ihre Wege ab und verirre dich nicht auf ihre Pfade! (26) Denn zahlreich sind die*

*Erschlagenen, die sie fällte, und massenhaft sind, die sie mordete. (27) Ihr Haus gleicht Wegen in den Tod; sie fuhren hinunter in die Todeskammer.*

Eigentlich geht es hier um zwei Mahnreden, die aber um des Inhalts willen zusammengefaßt werden sollten. Es geht um eine dritte ausführliche Warnung vor Verführung zum Ehebruch. In Kap. 2, 16–19 war das Thema nur kurz berührt. In Kap. 5, 1–14 wurde das Unheil des Ehebruchs beschrieben. Nun aber folgt eine ausführliche Warnung, die wir in vier Abschnitte teilen:

## a) Gesetzestreue bewahrt vor Verführung und Schaden (6, 20–35)

*V. 20–23.* Ähnlich wie in Kap. 1, 8 wird der Schüler an die Erziehung durch die Eltern erinnert. Des Vaters Gebot ist eine Leuchte und die Weisung der Mutter ein Licht (Ps. 119, 105). Der Vater gebietet in Strenge, die Mutter gibt Rat in Güte. Wenn beides geachtet und bewahrt wird, so führen solche Zurechtweisungen auf den Pfad des Lebens und bewahren vor dem Todesweg der Verführung. Das Bild vom Binden an das Herz und vom Knüpfen um den Hals erinnert wie Kap. 1, 9 und 3, 3 an 2. Mose 13, 9; 5. Mose 6, 8; 11, 18. Es ist ein starkes Bild für das Festhalten an der elterlichen Erziehung. Sie begleitet uns auf dem Wege, im Ruhen und beim Erwachen und ist eine gute Hilfe zu rechtem Wandel nach Gottes Willen. Man könnte den Schluß von V. 22 auch übersetzen: „Sie möge dich anreden!" Das Wort ist also lebendig und zieht uns in eine Gemeinschaft. Die Berleburger Bibel schreibt dazu: „Es wird dasselbe mit dir Gespräche halten, wie ein Freund mit dem andern tut."

*V. 24.* Im Zusammenhang geht es hier vor allem um die Bewahrung vor der Verführerin zum Ehebruch und ihrer Überredungskunst. Vgl. 5, 3.

*V. 25.* Es gilt, die Begierde zu bezwingen und sich von den schönen Augen nicht einfangen zu lassen.

*V. 26.* Dieser Vers ist nicht ganz eindeutig. Er könnte heißen: Eine feile Dirne kann man um einen Laib Brot bekommen. Oder aber: Durch den Umgang mit Dirnen verarmt man bis auf trockenes Brot. Das Weib aber eines andern Mannes, die auf Ehebruch ausgeht, jagt nach einem „kostbaren Leben". Sie ist also wählerisch, aber um so gefährlicher für den Mann, den sie umgarnen will.

*V. 27–29.* Mit Feuer soll man nicht spielen, sonst brennt man bald lichterloh. Man kann auch nicht ohne schweren Schaden auf glühenden

Kohlen spazieren. So geht es dem, der auch nur einen Augenblick auf die Lockung des fremden Weibes eingeht. Der Lateiner sagt: Principiis obsta, das heißt: Widerstehe den Anfängen! Nicht einmal die Gedanken sollen sich mit der Fremden beschäftigen, da sie die wilde Lust wecken.

*V. 30. 31.* Mundraub und Diebstahl aus Hunger mag man milde beurteilen, zumal der Dieb den Wert mehrfach ersetzen könnte.

*V. 32–35.* Nicht so der Ehebruch! Es ist Wahnsinn, ihn zu begehen. Wer die fremde Ehe bricht, muß seinen Verstand verloren haben, denn er richtet sich selbst zugrunde. Er wird der Rache des betrogenen Ehemanns nicht entgehen. Dazu verliert er seine Ehre und Würde und gerät in Schande. Der Zorn des betrogenen Gatten kann nicht durch eine Sühneleistung beruhigt werden, wie sie ein Dieb etwa leisten könnte.

### b) Erneute Mahnung zur Wachsamkeit (7, 1–5)

*V. 1.* Mit einer neuen Anrede wird der Schüler ermahnt, auf den Lehrer der Weisheit zu hören. Vorher wurde er an die elterliche Erziehung erinnert (6, 20 ff.). Nun soll er die Reden und Gebote seines Lehrers fest ins Gedächtnis fassen.

*V. 2.* Es geht dabei ums Leben. Vgl. 4, 4; auch 3. Mose 18, 5; 5. Mose 32, 47; Joh. 6, 68 und sehr oft! Der Augapfel wird viefach in der Bibel als das wertvollste Glied des Leibes herangezogen: 5. Mose 32, 10; Ps. 17, 8; Sach. 2, 12.

*V. 3.* Vgl. 6, 21!

*V. 4. 5.* Wer die Weisheit seine Schwester zu nennen vermag und die Einsicht seine Freundin, der zeigt, daß er mit ihr am liebsten Umgang hat. Dadurch wird er behütet vor den verlockenden Worten der Verführerin, der „Fremden", die ihm auch fremd bleiben soll. Vgl. 2, 16; 5, 3; 6, 24!

### c) Ein warnendes Beispiel (7, 6–23)

Es wird ein abstoßendes schmerzliches Erlebnis erzählt, wobei die realistische Darstellung bemerkenswert ist.

*V. 6. 7.* Aus dem Fenster seines Hauses erblickt der Weisheitslehrer einen jungen Mann, der noch zu den Unerfahrenen und daher Unvernünftigen gehört.

*V. 8. 9.* Dieser törichte junge Mann „streicht auf der Gasse herum" (so die Miniaturbibel) in der Nähe des Hauses eines übel beleumdeten

Weibes. Es war in der Dämmerung bei Einbruch der nächtlichen Dunkelheit.

*V. 10. 11.* Da kommt jene Frau im Gewand einer Dirne ihm entgegen (auch im Mittelalter mußten die käuflichen Prostituierten in den deutschen Städten an ihrer Kleidung erkennbar sein). Sie hatte ihre böse Absicht im Herzen schon mitgebracht. Aufgeregt und frech sind ihre Schritte. „Im Hause haben ihre Füße keine Ruhe", übersetzt Ringgren.

*V. 12. 13.* Ihr dirnenhaftes Benehmen wird beschrieben. Sie schaut lauernd nach einem Opfer umher — bald hier, bald dort. Schließlich packt sie den jungen Mann und küßt ihn dreist.

*V. 14—20.* Nun wird ausführlich ihre Rede wiedergegeben. Sie hat ein Dankopfer im Tempel dargebracht. Nach 3. Mose 7, 16 soll auf einer Opfermahlzeit das Übrigbleibende am folgenden Tage verspeist werden. Um diese Mahlzeit geht es ihr. Nun lädt sie den Fremden zum Essen ein und tut ganz bekannt. Sie ist schamlos genug, das geschmückte Lager zu beschreiben, und lädt ihn zur Unzucht ein. Die Sache sei für ihn ganz ohne Gefahr, denn der Gatte ist mit großer Kasse auf Reisen gegangen. Er wird nicht so bald zu erwarten sein.

*V. 21—23.* Ihr schmeichlerisches Gerede siegt über den Verstand des Unerfahrenen. Die Verführerin hat mehr Erfahrung in der Kunst der Überredung als er in der Kunst des Widerstands. Er läßt sich wie ein Stück Vieh zur Schlachtbank mitführen, so willenlos, so gebunden. Dabei merkt er nicht, daß es ums Leben geht, und eilt gleich dem Vogel in die tödliche Schlinge. Der Todespfeil trifft ihn in die Leber. Nach alter Auffassung soll die Begierde ihren Sitz in der Leber haben.

### d) Eine abschließende Warnung (7, 24—27)

*V. 24.* Wer auf das Wort der Warnung achtet, wird vor solch furchtbarer Gefahr bewahrt.

*V. 25.* Sein Herz wird auf den Weg der Verführerin nicht eingehen und nicht vom rechten Wege abirren.

*V. 26.* Die große Zahl derer, die zugrunde gingen wie Erschlagene in einer blutigen Schlacht, sollte jeden warnen. Die Unzucht ist eine Massenmörderin.

*V. 27.* Das Hurenhaus ist ein Tor ins Totenreich. Wer es betritt, sinkt ins Grab. Gewiß sind damit nicht allein die gemeint, die durch ein sittenloses Leben krank wurden und frühzeitig dahinstarben. Es gilt vielmehr das Wort aus Ps. 1, 6: „Der Gottlosen Weg vergeht."

## 11. Die zehnte Mahnrede (8—9, 18)

*(1) Ruft nicht die Weisheit laut, und erhebt nicht die Einsicht ihre Stimme? (2) Oben auf der Höhe am Wege, wo die Wege sich kreuzen, hat sie sich aufgestellt. (3) Zur Seite der Tore, beim Eingang zur Stadt an den Türen, ruft sie laut: (4) „An euch, Männer, geht mein Ruf und meine Stimme an euch, Menschenkinder! (5) Lernet, ihr Einfältigen, Klugheit! Und ihr Toren, werdet einsichtig im Verstand! (6) Höret! Denn Vortreffliches will ich reden und tue meine Lippen auf für Redliches. (7) Denn Wahrheit sinnt mein Gaumen, aber Frevel ist meinen Lippen ein Greuel. (8) Alle Reden meines Mundes sind gerecht, nichts Verdrehtes und Falsches ist in ihnen. (9) Alle sind klar den Einsichtigen und richtig für die, die Erkenntnis fanden. (10) Nehmt meine Zucht an statt Silber und Erkenntnis statt auserlesenen Goldes! (11) Denn Weisheit ist besser als Korallen, und kein Kleinod gleicht ihr. (12) Ich, die Weisheit, weile bei der Klugheit und durchschaue die schlausten Ränke (?). (13) Die Furcht Gottes ist Haß des Bösen; Hochmut, Hoffart, bösen Wandel und heuchlerischen Mund hasse ich. (14) Mein ist Rat und Umsicht; ich bin Einsicht, und mein ist die Kraft. (15) Durch mich herrschen Könige, und Fürsten bestimmen, was recht ist. (16) Durch mich regieren Vorsteher und Vornehme, alle, die Recht sprechen. (17) Ich liebe, die mich lieben, und die nach mir forschen, finden mich. (18) Reichtum und Ehre sind bei mir, alt angestammtes Vermögen und Gerechtigkeit. (19) Meine Furcht ist besser als Gold und Feingold und mein Ertrag besser als auserlesenes Silber. (20) Ich wandle auf dem Pfad der Gerechtigkeit, inmitten der Pfade des Rechts, (21) um denen, die mich lieben, Reichtum zu vererben und ihre Schatzkammern zu füllen.*

*(22) Jahve bereitete mich im Anfang seiner Wege, als Uranfang seiner Werke vorlängst. (23) Von Ewigkeit bin ich gebildet, im Anfang, beim Uranfang der Erde. (24) Als die Urfluten noch nicht waren, bin ich geboren — vor den Quellen, die reich an Wasser waren. (25) Ehe denn die Berge eingesenkt wurden, vor allen Hügeln wurde ich geboren, (26) ehe er die Erde gemacht hatte und das freie Feld und die Gesamtheit der Schollen des Erdkreises. (27) Als er die Himmel herrichtete, da war ich dabei. Als er den Horizont setzte auf die Oberfläche der Flut, (28) als er droben die Wolken festmachte, als er die Quellen der Flut hart werden ließ, (29)*

*als er dem Meere seine Grenze setzte, damit die Wasser seine Bestimmung nicht überschritten, als er die Grundfesten der Erde festsetzte — (30) da war ich Werkmeister zu seiner Seite, da war ich tagtäglich (sein) Ergötzen, die ganze Zeit spielend vor seinem Angesicht, (31) spielend auf dem Kreis seiner Erde — und (hatte) mein Ergötzen mit den Menschenkindern.*
*(32) Und nun, ihr Söhne, hört auf mich! Denn selig sind, die meine Wege bewahren. (33) Höret die Zucht, daß ihr weise werdet, und verachtet sie nicht! (34) Selig ist der Mensch, der auf mich hört, daß er tagtäglich an meinen Türen wache, daß er die Pforten meiner Türen hüte! (35) Denn wer mich findet, der findet das Leben und erlangt Lob von Jahve. (36) Wer mich aber verfehlt, verletzt sein Leben; alle meine Hasser lieben den Tod."*
*(9, 1) Die Weisheit baute ihr Haus, sie hat ihm sieben Säulen ausgehauen. (2) Sie hat ihr Schlachtvieh geschlachtet, ihren Wein gemischt, auch ihren Tisch gedeckt. (3) Sie hat ihre Mägde ausgeschickt und lädt ein oben auf der Anhöhe der Stadt: (4) „Wer einfältig ist, der weiche hierher aus! Mangelt ihm Verstand, so will ich mit ihm reden. (5) Kommt, esset von meiner Speise, trinkt vom Wein, den ich mischte! (6) Laßt von der Einfalt, damit ihr lebet! Schreitet geradeaus auf dem Wege der Einsicht! (7) Wer den Spötter zurechtweist, holt sich Schande; wer den Gottlosen züchtigt, der kriegt sein Teil ab. (8) Schilt nicht den Spötter, daß er dich nicht hasse! Züchtige den Weisen, und er wird dich lieben. (9) Gib dem Weisen, und er wird noch weiser werden; und belehre den Gerechten, und er wird an Lehre zunehmen. (10) Der Anfang der Weisheit ist die Furcht Gottes, und die Erkenntnis des Heiligen ist Einsicht. (11) Denn durch mich werden deine Tage zahlreich, und man wird dir die Jahre deines Lebens mehren. (12) Wenn du weise bist, bist du dir zugute weise; aber wenn du spottest, hast du's allein zu tragen."*
*(13) Frau Torheit ist voller Unruhe, (voll) Unverstand und begreift gar nichts. (14) Sie sitzt vor der Tür ihres Hauses auf einem Sessel auf den Höhen der Stadt, (15) um die Vorübergehenden anzurufen, die auf rechtem Pfade wandeln: (16) „Wer einfältig ist, weiche hierher aus! Mangelt ihm Verstand, so will ich mit ihm reden. (17) Gestohlene Wasser sind süß, und heimliches Brot ist angenehm." (18) Aber er weiß nicht, daß Schatten dort (hausen). Die sie rief, die sind in den Tiefen des Totenreiches.*

Diese beiden letzten Kapitel aus dem ersten großen Teil des Spruch=buches sind der Höhepunkt dieses Teils, vielleicht auch des ganzen Buches. Gewiß bringen die übrigen 22 Kapitel eine Fülle reichen Stoffes und wek=ken viel interessante Fragen. Wir werden aber Kapitel 1—9 als den jüng=sten Teil des ganzen Buches zu betrachten haben, und insofern dürfen wir diese als eine reife Frucht der Weisheitsliteratur ansehen.

Christa Bauer=Kayatz spricht „von auffallender Besonderheit in der ganzen alttestamentlichen Weisheitsliteratur" (75) im Blick auf diese Rede. „Sie übersteigt die Möglichkeit der Redeweise der Weisheitslehrer und selbst die der Propheten" (70).

### a) Ein einführendes Wort (8, 1—3)

*V. 1.* Wie 1, 20 ff. wird die Weisheit als Person bezeichnet. Gegen=über dem geflüsterten schmeichelnden Wort der Verführerin, die in der Dämmerung zu sich lockt, ruft die Weisheit laut, so daß alle sie hören können, wenn sie nur wollen.

*V. 2.* Sie ist allen sichtbar, weil sie sich auf die Höhe stellt und an den Kreuzweg, wo viele vorübergehen.

*V. 3.* Die Tore der Städte waren nicht nur ihre Eingänge, sondern zugleich der Ort, wo die Gerichtsverhandlungen und andere wichtige Be=ratungen stattfinden. Vgl. 5. Mose 16, 18; 1. Sam. 9, 18; 2. Kön, 7, 17; Hiob 31, 21; Ps. 69, 13; 127, 5; Jes. 29, 21 und öfter! Hier, wo Entschei=dungen fallen, nimmt auch die Weisheit das Wort — wie sonst auch die Propheten z. B. Jer. 17. 19.

### b) Der Ruf der Weisheit (8, 4—36)

Mahnung der Weisheit, sie in ihrer Wichtigkeit zu erkennen (V. 4—21).

*V. 4.* Die Weisheit wendet sich vor allem an die Männer, die in den Versammlungen ihre Stimme haben.

*V. 5.* Sie wendet sich aber besonders an die Einfältigen. Sie sind ja die Unerfahrenen, die erziehungsfähig sind. Den Einfältigen fehlt das, was allein die Weisheit zu geben vermag. Schließlich werden auch die Toren gerufen, wenngleich sie sich schon gegen die Weisheit entschieden haben. Sie sollen neue Einsicht über ihre Irrwege bekommen.

*V. 6.* Die wiederholte Aufforderung „Höret!" erinnert an die prophe=tischen Reden (z. B. Jes. 1, 2. 10; Micha 6, 2; besonders oft bei Jer. 7, 13 u. a.). Sie werden Vortreffliches zu hören bekommen. Ganz wörtlich heißt es sogar „Fürstliches". Es geht um den „Adel der Gesinnung" (Kraus 20).

„Redliches" – ein Lieblingswort der Weisheit, wörtlich: „Geradheit". Der Redliche haßt krumme Wege; er geht seinen geraden Lebensweg.

*V. 7.* Alles, was die Weisheit mit ihrem Munde redet, ist lautere Wahrheit und steht im Gegensatz zur Lüge. Vgl. auch Ps. 25, 10; 43, 3; 86, 11; 91, 4 und öfter! Der Gegensatz zur Wahrheit ist der Frevel, die Gottlosigkeit. Die Wahrheit ist in der Bibel nicht nur die Übereinstimmung der Idee mit der Wirklichkeit. In der alttestamentlichen Sprache ist sie das gleiche wie Treue, Beständigkeit, Festigkeit, vor allem die Gewißheit Gottes.

*V. 8.* Gerecht sind ihre Reden oder rechtschaffen. Gerechtigkeit ist „eine neue Ordnung des Lebens" (Kraus 22), die Gott schafft. Diese Wirkung haben die Worte der Weisheit.

*V. 9.* Wer zur rechten Erkenntnis kam, hat auch ein Organ und Urteilsvermögen für die Richtigkeit der Reden der Weisheit. Einem solchen sind ihre Worte einleuchtend und überzeugend.

*V. 10. 11.* Durch die Weisheit wirkt Gott selbst erziehend auf uns. Und alle seine Mittel sind weise und recht. Erst durch solche Erziehung reifen wir zu einem Leben mit und für Gott. Darum ist sie mehr wert als alle Schätze der Welt. Der Weisheit gleicht nichts, was den Menschen sonst wert ist. „Erkenntnis ist nach dem allgemein üblichen hebräischen Sprachgebrauch sich äußernde Hingabe an das Erkannte" (Kraus 25). „Wer Zucht und Erkenntnis hinnimmt, der liefert sein Leben aus" (a.a.O.).

*V. 12.* Weisheit und Klugheit ist hier unterschieden. Die Weisheit ist das Umfassende. Sie ist die Haltung in der Ordnung Gottes, in der Gottesfurcht. Solche fromme Weisheit hat Klugheit bei sich. Damit ist das praktische Verständnis des Lebens gemeint. Die zweite Hälfte des Satzes wird verschieden übersetzt: „Ich verfüge über Erkenntnis und Umsicht" (Kraus). „Umsichtige Erkenntnis steht in meiner Macht" (Ringgren). „Das Erkennen rechter Überlegung" (Strack). Aber das Wort „Umsicht" kann im Grundtext auch einen bösen Beigeschmack haben im Sinne von „Ränke". Daher übersetzt die Miniaturbibel: „Ich vermag die pfiffigsten Ränke zu durchschauen." Die Weisheit Gottes ist der Schlauheit der Welt überlegen. Diese Übersetzung führt gut zum nächsten Gedanken.

*V. 13.* Ohne Furcht Gottes gibt es keine Weisheit (1, 7). Andererseits ist die Furcht Gottes auch eine Frucht der Weisheit (2, 5). Sie macht einen tiefen Schnitt gegenüber allem Bösen und Gottlosen. Dazu gehören vor allem der Hochmut und die Unwahrhaftigkeit.

*V. 14.* Die Weisheit entfaltet hier ihre Gaben fast mit den gleichen Ausdrücken, wie sie der Prophet Jesaja gebraucht, um die Geistesausrüstung des kommenden Messias, Christus, zu beschreiben. Vgl. Jes. 11, 2 mit unserem Verse! Rat für alle Ratlosen, Heilsames (so könnte statt „Umsicht" gesagt sein) oder Erfolg für den Erfolglosen. „Ich bin Einsicht", heißt es hier wörtlich. So kann die hebräische Sprache sagen, wenn sie besonders betonen will (vgl. Ps. 109, 4: „Ich bin Gebet"). Jedoch hat die Weisheit auch Stärke für die Schwachen.

*V. 15. 16.* Das letztere wird dadurch belegt, daß auch die Großen dieser Welt auf die Weisheit nicht verzichten können, wollen sie herrschen und das Recht zum Siege führen. Vgl. Gottes Gabe an Salomo (1. Kön. 3, 4–28; 5, 9–14)!

*V. 17.* Weil die Weisheit nicht hochmütig macht, neigt sie sich dem Menschen in Liebe zu. Schon hier wird deutlich, welch ein Werkzeug Gottes sie ist. Die Weisheit ist nicht nur Verkündigerin des Wortes Gottes, sie ist vielmehr eine Gestalt, in der Gott sich selbst vergegenwärtigt. In ihr kann Gott selbst gesucht, gefunden und geliebt werden. Hier sind wir auffallend nahe am Neuen Testament. Fast wörtlich sagt Jesus: „Wer mich liebt, der wird von meinem Vater geliebt werden, und ich werde ihn lieben" (Joh. 14, 21). Ähnlich bei den Propheten: Jes. 55, 6; Jer. 29, 13 f. Doch ist es bezeichnend, daß dort an die Stelle der Weisheit Gott selbst tritt.

*V. 18.* Die Weisheit – und übrigens das ganze Alte Testament – flieht nicht aus dem Alltag mit seinen harten Realitäten in eine ideale Gedanken= und Geisteswelt. Gottes Segen äußert sich auch im Äußeren. Man denke an Hiob! Vgl. auch V. 21! Selbst Jesus sagt, daß denen, die nach dem Reiche Gottes trachten, auch das Äußere zufallen wird (Matth. 6, 33). „Das Gute ist nicht nur für die Gottlosen da", sagte Joh. Chr. Blumhardt d. Ä. in seiner Nüchternheit. „Altangestammtes Vermögen" – Strack übersetzt: „altehrwürdige Habe", Kraus: „stattliches Gut".

*V. 19.* Die Furcht, das Resultat eines Lebens der Weisheit, ist freilich unendlich wertvoller als irdische Kleinode.

*V. 20.* Denn die Weisheit beschenkt vor allem mit einem neuen Wandel, einer neuen Lebenshaltung, der Gerechtigkeit. Beim Recht geht es um Gottes Ordnung und bei der Gerechtigkeit um die Einhaltung der= selben.

*V. 21.* Wer die Weisheit liebt, empfängt „Reichtum" (so Kraus). Aber der Ausdruck betont: „Reales, Tatsächliches". Es geht nicht nur um Gemütswerte und um unsichtbaren Besitz, sondern um Greifbares, was mit unsern Sinnen erkennbar ist. Das Alte Testament spricht über den Segen Gottes stets realistisch (vgl. V. 18).

Nachdem so die Weisheit ihre segensreiche Wirkung für die, die sie suchen und lieben, ausgesprochen hat, folgt nun ein Selbstzeugnis der Weisheit.

Das Verhältnis der Weisheit zu Jahve (V. 22–31).

*V. 22.* Wenn die Weisheit sich nun auf Jahve beruft, will sie damit beweisen, daß sie einen legitimen Anspruch an die Menschen hat. Sie ist die erste Schöpfung des Schöpfers „und damit die vornehmste und würdigste" (Bauer-Kayatz 86). Als Anfang und Erstlingswerk der Schöpfung steht sie in enger Beziehung zu allem, was Gott nach ihr schuf. Wir werden mit diesem Verse an den Anfang von 1. Mose 1, 1 geführt. Bei diesem und den nächsten Versen denkt der Leser unwillkürlich an den Anfang des Johannes-Evangeliums: „Im Anfang war das Wort". Wir werden auf diese Anklänge und Beziehungen noch näher eingehen müssen.

*V. 23.* Das soeben Gesagte wird nun aufs stärkste betont.

*V. 24–26.* In unerreichbarer, unerforschbarer Urzeit liegen der Weisheit Anfänge. Ehe die irdische Schöpfung entstand, vor den Urfluten mit ihren Urquellen, liegt der Anfang der Weisheit. „Ehe denn die Berge wurden und die Erde und die Welt geschaffen wurden ...", sagt Ps. 90. Der Psalm spricht von der Ewigkeit Gottes. Unsere Verse sprechen fast wörtlich ebenso von der Weisheit. Sie wird also ganz nahe an Gott, den Ewigen, gerückt. Sie ist von der Ewigkeit her und bleibt auch ewig. Die Schöpfung aber ist wandelbar. „Berge weichen, und Hügel fallen" (Jes. 54, 10), und auch das Meer mit seinen Fluten wird nicht ewig bleiben (Offb. 21, 1). Der erhöhte Jesus selbst nennt sich den „Anfang der Kreatur" (Offb. 3, 14). Er benutzt damit ein ähnliches Wort wie die Weisheit in V. 22.

*V. 27–29.* Bei der Erschaffung des Himmelsfirmaments und allen Grenzen, die der Wasserflut gesetzt wurden, war die Weisheit dabei. Bei Erschaffung aller Kreatur – ob Erde oder Himmel, Land oder Wolken und Meer – war die Weisheit Gottes gegenwärtig. Sie war „nicht nur Zuschauer bei dem Wirken Gottes", sondern „mitbeteiligt". „Sie ist die geheimnisvolle Mittlerin, die nachträglich, im Zuge ihrer offenbarenden Rede, die sinnvolle, gute und ordnende Kraft des Schöpfers erweist", sagt Kraus (39). Er erinnert an Kol. 1, 16 f., wo Paulus von Jesus Christus sagt: „Durch ihn ist alles geschaffen, was im Himmel und auf Erden ist ... er ist vor allem, und es besteht alles in ihm."

*V. 30.* Hier steht eine einzigartige Aussage der Weisheit. Die Weisheit bezeichnet sich als Werkmeisterin des Schöpfers, die bei seinem Werk an seiner Seite war. Diese Übersetzung des seltenen Ausdrucks ist allerdings unsicher. Kraus übersetzt: „Liebling". „Wohlgefallen und Freude hatte Gott an der Weisheit" (Kraus 42). Dahin weisen allerdings die nächsten Sätze. Die Weisheit selbst war Gottes Ergötzen — spielend wie ein Kind vor Gottes Angesicht. Doch vielleicht ist damit nur kräftig ausgedrückt, was wir in 1. Mose 1, 31 lesen: „Gott sah an alles, was er gemacht hatte; und siehe da, es war sehr gut." Gott hatte also Wohlgefallen und Freude an seinem Werk, das er in Weisheit und durch die Weisheit schuf. Auch Jeremia sagt: „Er hat die Erde durch seine Kraft gemacht und den Weltkreis bereitet durch seine Weisheit und den Himmel ausgebreitet durch seinen Verstand" (Jer. 10, 12). Vor dem ewig großen Gott war die Weisheit selbst wie ein spielendes Kind, an dem er sein Wohlgefallen hat. „Sie spielt: Damit wird auf die unbeschreibliche Leichtigkeit und Selbstverständlichkeit hingewiesen, die der Weisheit von Anfang eigen ist" (Kraus 42). Wir denken zu leicht bei menschlicher Weisheit an graue Köpfe und streng gefaltete Stirnen. Aber schon Jesu stellt uns das Kind als Vorbild dar (Matth. 18, 3; Mark. 10, 15; auch Matth. 11, 25). Vgl. auch 1. Kor. 1, 27; 2, 4—7!

*V. 31.* Nicht nur vor Gottes Angesicht, sondern auch in der ganzen Schöpfung ist die Weisheit „spielend". „In spielender Freundlichkeit hat sie die Menschen geleitet" (Kraus 43). Der Mensch in seinem Abfall macht Gott zu einem Problem und wagt in seiner Verblendung zu sagen: „Gott ist tot." Damit hat er seine eigene Weisheit als Torheit offenbart. Die Weisheit Gottes aber ist bei den Kindlichen und freut sich ihrer.

Eine abschließende Mahnung der Weisheit zum Gehorsam (V. 32—36).

*V. 32.* Nachdem die Weisheit zuerst ihren Wert und ihre segensvolle Bedeutung bezeugte und dann ihre zentrale Stellung in der Schöpfung von Anfang an bekundete, bekommt nun die Schlußmahnung ihr großes Gewicht. „Meine Söhne", das sind die Schüler der Weisheit. Sie werden es durch aufmerksames Hören. Und wer die Worte und Wege der Weisheit bewahrt, ist ein glückseliger Mensch. Vgl. Luk. 11. 28: „Selig sind, die Gottes Wort hören und bewahren."

*V. 33.* Wie in V. 10 daran erinnert wurde, daß die Weisheit nicht ohne Erziehung und Zucht zu erreichen ist, so auch hier. Es geht ja um den gefallenen Menschen, der taub geworden ist für Gottes Wort. Ohne Gericht und Buße öffnet sich unser Ohr nicht. Eine bloße Erklärung des Intellekts reicht nicht aus. Deshalb gilt es, sich der Zucht zu beugen und sie nicht verächtlich beiseite zu schieben.

*V. 34.* Wir haben hier nochmals eine Seligpreisung. Der Hörende ist auf dem Weg des Lebens. Der Vers braucht ein eigenartiges Bild. Der Mensch sollte an den Türen des Hauses der Weisheit förmlich auf der Lauer liegen. Ähnlich, wie der Beter in Ps. 84 sagt, daß er lieber Türhüter an Gottes Hause sein oder an seiner Schwelle liegen wolle, statt die schönste Wohnung bei den Gottlosen zu haben (Ps. 84, 11). Denn in der Nähe der Weisheit Gottes zu sein, ist soviel, als Gott selbst nahe zu sein.

*V. 35.* „Die Verheißungen der Weisheit finden im 35. Verse ihren unüberbietbaren Höhepunkt", sagt Kraus (46). Denn was hier von der Weisheit ausgesagt ist, das sagt die Bibel sonst nur von Gott und seinem eigenen Wort: 5. Mose 8, 3; 32, 47; Ps. 36, 10; 69, 33; 119, 144; Amos 5, 4; Joh. 1, 4; 14, 6 und öfter. Wir sollen hier nicht ein von Gott gelöstes Leben finden, sondern ein Leben unter Gottes Lob und Wohlgefallen (Eph. 1, 4; Phil. 2, 15; Kol. 1, 22; 1. Thess. 3, 13; 5, 23). Auf dieses Lob Gottes kommt es dem Glaubenden an.

*V. 36.* Die Weisheit aber verachten, heißt den Tod finden. Wer die Weisheit verwirft, schädigt sich selbst. Die Seele gilt als der Lebensträger im Menschen.

### c) Weisheit und Torheit laden ein (9, 1–18)

In einem eindrucksvollen Vergleich werden die Weisheit und die Torheit gegenübergestellt. Ringgren nennt dieses Kapitel „die Schlußvignette des ersten Teils des Spruchbuches". Wir werden vor die Wahl und Entscheidung gestellt.

Das Haus der Weisheit (V. 1–12).

*V. 1.* Schon in Kap. 1, 20 lasen wir, daß die Weisheit in aller Öffentlichkeit sich auf den Gassen hören läßt. Kap. 8, 1 wurde es wiederholt: Am Weg und auf den Straßen kann man sie vernehmen. Nun aber hören wir, daß die Weisheit ein eigenes stattliches Haus hat, in das sie uns Menschen einlädt. Die sieben Säulen umgeben wohl den Innenhof des Hauses und zeigen dadurch, daß es ein vornehmes, prächtiges Haus ist. (Daß die Zahl Sieben in der Bibel eine besondere Bedeutung als Ausdruck der Vollkommenheit hat, mag hier auch mitklingen.)

*V. 2.* In diesem Hause rüstet die Weisheit ein großes Festmahl zu. Die Speisen und Getränke sind gerüstet, der Tisch ist gedeckt und wartet auf die Gäste.

*V. 3.* Die Mägde der Weisheit gehen einladend durch die Stadt. Das Haus auf der Anhöhe ist allen sichtbar und mithin leicht zu erreichen. Wir werden an ein Wort im Buch des Jesaja erinnert (25, 6 ff.), das von einem reichen Mahl berichtet, das Jahve allen Völkern bereitet. Auch dort wird vom Berge geredet, wo Gott „die Decke" – vielleicht einen Schleier der Todestrauer – von den Völkern nehmen werde; alle Tränen werden getrocknet und der Tod vernichtet werden. Das Mahl ist ein Siegesfest=mahl und ein Zeichen des erfüllten Heils. Vgl. Matth. 22, 1 ff.; Luk. 14, 16 ff.; auch 22, 16. 30; Matth. 19, 28; Offb. 19, 7. 9! Aus allen diesen Stellen ist sichtbar, daß das Festmahl ein Bild göttlicher Verheißungen ist. Wer der Einladung folgt, hat teil an seines Gottes reichen Gaben.

*V. 4–6.* Nun folgt wörtlich der einladende Ruf der Weisheit. Zuerst werden die Einfältigen, die Unreifen eingeladen. Sie sind sich ihrer man=gelnden Erfahrung meist bewußt. Ihnen kann geholfen werden. Sie haben sich nicht zum Haufen der Spötter und Frevler geschlagen. Doch sind sie gefährdet durch den Lockruf der Torheit (V. 13 ff.). Die Einladung lautet zuerst: Weichet hierher aus! Bei der Weisheit ist Schutz vor der Verfüh=rung. Mangelnder Verstand und Erfahrung ist kein Hindernis – „ich werde mit ihm reden." Diese Rede ist voll Licht und Leben. „Kommt nur und eßt und trinkt!" Man hört es wie die Stimme aus Jesu Gleichnis: „Kommt, denn es ist alles bereit" (Luk. 14, 17). Die Einfalt und Unreife wird überwunden, wenn man die Gaben der Weisheit annimmt. Das aber schafft Leben (3, 2. 16. 22; 4, 4. 10. 13. 23; 8, 35). Darum gilt es, voran=zuschreiten mit sicheren Schritten auf dem Weg der Einsicht, der ein Weg des Lebens ist: 2, 19; 5, 6.

*V. 7–10.* Diese vier Verse könnten ein Einschub sein, eine Unter=brechung der Rede der Weisheit. Die Rede geht ja nicht an die Spötter, sondern an die Einfältigen. Denn die Spötter lassen sich nichts sagen (dagegen Jak. 3, 17). Bei ihnen holt man sich bloß Spott und Schande. Strack übersetzt: „Wer den Frevler rühmt, dem gereicht's zum Schimpf." Die Miniaturbibel: „der kriegt sein Teil ab."

*V. 8.* Wer den Spötter schilt, muß mit seinem Haß rechnen. Der Weise dagegen ist für alle Zucht dankbar und vergilt deine Mühe mit Liebe.

*V. 9.* Darum lohnt es sich, dem Weisen Weisheit zuzulegen. Er wird sie sich recht aneignen und zu nutzen wissen. Der Gerechte – das ist der Weise – wird durch Belehrung an Erkenntnis und Lehre nur noch wachsen.

*V. 10.* Denn wo Gottesfurcht ist, das Herz sich unter Gottes Majestät beugt und den Heiligen heiligt, da hat die Weisheit ihre Geburtsstunde im Menschen erlebt. V. 1, 7; Hiob 28, 28; Ps. 111, 10 – das ist das ABC aller Weisheit.

*V. 11. 12* Nun fährt die Weisheit in ihrer einladenden Rede fort.

Wer ihrer Einladung folgt, findet das Leben (8, 35), und zwar ein langes, gesegnetes Leben. Wir wurden schon darauf hingewiesen, daß im Alten Testament ein langes Leben ein Zeichen des Gottessegens ist (2. Mose 20, 12; 5. Mose 5, 16; Ps. 21, 5; 34, 13; 61, 7; 91, 16; 133, 3 und öfter). Dem Weisen kommt seine Weisheit zugute; wer aber die Weisheit spottend verachtet, schadet sich selbst. Die Folgen muß er tragen.

Das Haus der Torheit (V. 13–18).

Der Frau Weisheit wird die Torheit als dunkle Folie gegenübergestellt. In wenigen Versen wird das Gegenbild der Weisheit trefflich charakterisiert.

*V. 13.* „Frau Torheit" – das ist die Macht der Verführung, das Gegenstück der göttlichen Weisheit. Ist diese voll überlegener Ruhe und göttlicher Harmonie, so ist jene, die Torheit, voll leidenschaftlicher Unruhe. Sie ist voll Unverstand, ja wörtlich: Sie ist selbst Unverstand. Sie hat keine Einsicht und keine klaren Begriffe. Weil die Gottlosigkeit bar aller Weisheit ist, ist sie voller Verwirrung.

*V. 14.* Auch sie hat ihr Haus auf einer Höhe vor der Stadt. Auch sie ist allen sichtbar. Den Versucher braucht man nicht lange zu suchen. „Gleich einer Königin" – so sagt die Berleburger Bibel – thront sie vor ihrem Hause.

*V. 15.* Sie ruft die Vorübergehenden wie eine Dirne an. Sie wendet sich auch – ja gerade – an die, die den redlichen Weg gehen. Auch diese, die sich der Weisheit verschrieben, stehen in ihrer Angriffslinie und dürfen sich keiner Selbstsicherheit hingeben. Wer sich ihrem verführenden, verlockenden Ruf öffnet, kommt leicht auf den Weg des Verderbens.

*V. 16.* Nun wird auch hier die Rede der Frau Torheit wörtlich angeführt. Bezeichnenderweise lautet sie genauso wie die Worte der Weisheit, die sie durch die Mägde als Einladung hinausgibt. Der Teufel ist „Gottes Affe", sagt ein altes Wort. Er weiß ihn nachzuahmen. Gerade der Ungefestigte, der Einfältige ist in Gefahr. Der Unwissende meint gar, hier die nötige Erfahrung zu sammeln. Hat nicht schon im Paradiese der Versucher den Menschen damit verlockt, daß er ihm Klugheit, ja Gottgleichheit in Aussicht stellte: 1. Mose 3, 5 f.

*V. 17.* Ob dieses Wort noch zur Rede der Torheit gehört (so Strack) oder als bekanntes Sprichwort eingeschoben ist (so Ringgren), ist nicht zu entscheiden, wohl auch nicht wichtig. In Kap. 20, 17 lesen wir ein ähnliches Wort. Hatte die Weisheit (5, 15) vor dem „fremden Quell" der Fremden gewarnt, so heißt es hier: Gerade das Fremde, das durch Unrecht und

Diebstahl Erworbene ist süß. Das Heimliche, das die Öffentlichkeit scheut und mit bösem Gewissen getan wird, hat seine dämonische Anziehungskraft. Es ist der Reiz des Geheimnisvollen. Gegenüber dem reichen Mahl der Frau Weisheit sind hier bei Frau Torheit nur Wasser und Brot zu finden. Von diesen letzteren sagt Kap. 20, 17, es werde im Munde hernach zu harten, unverdaulichen Kieselsteinen.

*V. 18.* Der letzte Vers bringt ein warnendes Wort: Dort im Hause der Torheit und Sünde hausen die Schattengeister, Geister der Toten. Wer ihrem Ruf folgt, sinkt in die Scheol, ins Totenreich. Die Weisheit schafft Leben (V. 11), die Torheit dagegen den Tod (Röm. 6, 23).

## II. Erste Salomonische Spruchsammlung (Kap. 10–22, 16)

Die Überschrift (10, 1) zeigt an, daß erst hier die eigentliche Sammlung der „Sprüche Salomos" beginnt. Kap. 22, 17 aber setzt mit den Worten ein: „Neig dein Ohr und höre die Worte der Weisen!" Damit beginnt ein weiterer Teil der Sammlung, der nicht mehr Salomo zugesprochen wird.

Wir haben es in diesem ersten Hauptteil offenbar mit der ältesten Sammlung des Buches zu tun. Das läßt sich aus der Art und dem Inhalt der Sprüche schließen. Sie bringen die schlichte Erfahrungsweisheit aufgrund von Lebensbeobachtungen, die jeder nachprüfen kann. Es sind also noch keine sogenannten „didaktischen Sprüche" in dieser Sammlung. Die Bezeichnung „didaktisch", das heißt: lehrhaft, geht auf Professor von Rad zurück. Die ältesten Sprüche enthalten weithin Lebensbeobachtungen ohne sittliches Werturteil. Diese Sprüche dürfen nicht „normativ" verstanden werden. Sie stellen also keine Norm oder Regel auf, nach der wir handeln sollen, sondern sie konstatieren beobachtete Tatsachen, ohne sie nach ihrem sittlichen Wert oder Unwert zu beurteilen (z. B. 10, 15; 17, 8; 20, 14 und viele andere). Allerdings ist das die Minderheit. Die meisten von ihnen loben die Weisheit, die Gerechtigkeit, die Gottesfurcht und die sich aus ihnen ergebende Haltung. Sie tadeln dagegen die Narrheit, den Frevel, die Gottlosigkeit mit all ihren Folgen.

In der Form hebt sich dieser Hauptteil dadurch von den folgenden Sammlungen ab, daß die Sprüche sämtlich Zweizeiler sind. (Die einzige Ausnahme – 19, 7 – wird vielleicht nach der Septuaginta zu korrigieren sein und bekommt dann auch die kürzere Form.) In den späteren Sammlungen finden sich nur wenig Zweizeiler, sondern Vierzeiler, auch Fünf-,

Sechs= und gar Achtzeiler. Der Leser kann bald merken, daß sie kunst=voller sind und sich weithin als literarische Produkte erweisen, die nicht unmittelbar der Volksweisheit im Alltag entnommen sind. Die Sprüche der ersten Sammlung enthalten mehr Naivität im besten Sinne. Im übrigen sind die einzelnen Sprüche nicht etwa logisch oder nach einem Thema geordnet. Nur hie und da gelingt es, bei einigen Versen einen Zusammen=hang festzustellen. Die Sammlung mag ganz allmählich entstanden und vielleicht mit der Zeit erweitert sein. Jeder Vers der Sammlung ist ein selbständiger Spruch. In den ersten Kapiteln dieses Hauptteils überwiegt die sogenannte „antithetische" Form. Es wird nämlich eine Wahrheit durch einen Gegensatz (Antithese) bekräftigt, z. B.: „Haß weckt Streit, aber die Liebe deckt alle Verfehlungen" (10, 12). Oder: „Das Harren der Gerechten ist Freude; aber die Hoffnung der Gottlosen wird zunichte" (10, 28). Doch finden sich auch Sätze ohne Antithese. Dann wird in der zweiten Zeile ein ähnlicher Gedanke zur Bekräftigung hinzugefügt, z. B.: „Wer den Haß verbirgt, dessen Lippen lügen, und wer Verleumdung erfindet, der ist ein Narr" (10, 18). Oder: „Eine Seele, die segnet, wird übersatt, und wer reichlich gibt, der wird auch selbst erquickt" (11, 25).

Durch die Spruchsammlungen geht, wie schon in den Einleitungsreden zu erkennen war, der Gegensatz von gerecht, fromm, gottesfürchtig, weise einerseits — und ungerecht, lügnerisch, gottlos und töricht andererseits. Die Weisheit sieht also den großen Gegensatz, der im Neuen Testament unter dem Begriff von Glaube und Unglaube neu erkannt und ausgespro=chen wird. Dieser Gegensatz wird in reichen, oft erstaunlichen Bildern aus dem Leben gezeigt. Die Sätze sind oft so schlicht und eindeutig, daß sie kaum einer ausführlichen Erklärung bedürfen.

Eine Unterteilung ist für diesen Hauptteil nicht möglich. Wir bespre=chen Kapitel um Kapitel und suchen die einzelnen Verse zu verstehen unter Hinzuziehung vieler Parallelstellen.

## Kap. 10

*(1) Ein weiser Sohn erfreut den Vater, aber ein törichter Sohn be=trübt seine Mutter. (2) Unrecht erworbene Schätze bringen keinen Nutzen, aber die Gerechtigkeit rettet vom Tode. (3) Jahve läßt die Seele des Gerechten nicht hungern, aber die Gier der Gottlosen stößt er zurück. (4) Arm wird, wer mit lässiger Hand arbeitet; die Hand des Fleißigen aber macht reich. (5) Wer im Sommer sammelt, ist ein kluger Sohn; wer zur Erntezeit schläft, ist ein schandbarer Sohn. (6) Segnungen liegen auf dem Haupt des Gerechten, aber der*

*Mund der Gottlosen verschweigt Gewalttat. (7) Das Andenken an einen Gerechten bleibt im Segen, aber der Name der Gottlosen verwest. (8) Wer weisen Herzens ist, nimmt Gebote an; aber wer törichter Lippen ist, kommt zu Fall. (9) Wer in Frömmigkeit wandelt, wandelt sicher; wer aber krumme Wege geht, wird erkannt. (10) Wer mit dem Auge zwinkert, tut weh; wer aber freimütig rügt, schafft Frieden (?). (11) Der Mund eines Gerechten ist ein Lebensquell, aber der Mund Gottloser verschweigt Gewalttat. (12) Haß weckt Streit, aber Liebe deckt alle Verfehlungen zu. (13) Auf den Lippen des Einsichtigen findet sich Weisheit, aber die Rute gehört auf den Rücken des Unverständigen. (14) Weise bewahren Erkenntnis, aber der Mund des Narren ist drohendes Verderben. (15) Der Besitz eines Reichen ist seine feste Stadt; die Armut aber ist das Verderben der Bedürftigen. (16) Der Erwerb des Gerechten dient zum Leben, das Einkommen des Gottlosen aber zur Sünde. (17) Ein Weg zum Leben ist es, Zurechtweisung zu bewahren; wer aber die Züchtigung vergißt, führt in die Irre. (18) Wer den Haß verbirgt, des Lippen lügen, und wer Verleumdung erfindet, ist ein Narr. (19) Bei der Menge der Worte fehlt es nicht an Sünde; wer aber seinen Mund hält, ist klug. (20) Erlesenes Silber ist die Zunge eines Weisen, aber der Verstand der Gottlosen ist wenig wert. (21) Die Lippen eines Gerechten geben vielen Anleitung, aber die Narren sterben durch Mangel an Verstand. (22) Die Segnung Jahves macht reich, und Mühe fügt dem nichts hinzu. (23) Dem Narren macht es Spaß, Schandtaten zu vollbringen, dem verständigen Mann dagegen Weisheit. (24) Wovor der Gottlose erschrickt, das trifft ihn, aber der Wunsch der Gerechten wird erfüllt. (25) Ist der Sturm vorbei, so ist der Gottlose nicht mehr da, aber der Gerechte ist für ewig gegründet. (26) Wie Essig für den Zahn und Rauch für die Augen, so ist der Faule für den, der ihn sendet. (27) Die Furcht Jahves vermehrt die Tage, aber die Jahre der Gottlosen werden verkürzt. (28) Das Harren der Gerechten ist Freude, aber die Hoffnung der Gottlosen wird zunichte. (29) Dem Frommen ist der Weg Jahves eine Zuflucht, aber denen, die Böses tun, ein Ruin. (30) Ein Gerechter wird ewig nicht wanken, aber die Gottlosen werden das Land nicht bewohnen. (31) Im Munde eines Gerechten gedeiht Weisheit, aber die Zunge der Falschheit wird ausgerottet. (32) Die Lippen eines Gerechten sprechen aus, was wohlgefällig ist, der Mund aber der Gottlosen — Falschheit.*

*V. 1.* Die Familie ist die Zelle des Volkes. Ehe und Kinderzucht werden in den Sprüchen oft erwähnt (z. B. 13, 1. 24; 14, 26; 15, 5; 19, 13. 18. 26; 20, 11. 20; 22, 6. 15 und öfter). Oft finden sich Parallelen (zu V. 1 lies 15, 20; 17, 25!). Auch das ist ein Zeichen dafür, daß die Sammlung langsam wuchs. Die Weisheit des Sohnes ist seine Gottesfurcht – also mehr ein gehorsames Herz als ein übersättigter Intellekt. Torheit ist Gottlosigkeit.

*V. 2.* Nicht der Mammon, an dem so viel Unrecht klebt, sondern die Gerechtigkeit, das Wohlgefallen Gottes, ist Heil und Rettung. Vgl. Matth. 6, 33!

*V. 3.* Wir werden an Ps. 37, 25 erinnert. Auch dieser Psalm ist ein Stück der Weisheitsliteratur. Das Sprichwort stellt eine Regel auf, doch weiß die Weisheit von schmerzlichen Ausnahmen (Hiob). Es gilt von allen Sprichwörtern, daß sie nicht in gesetzlichem Sinn verstanden werden dürfen. Sie erwachsen aus der Beobachtung, und diese braucht immer wieder die Ergänzung oder auch die Korrektur.

*V. 4. 5.* Vielfach wird in den Sprüchen die Trägheit gestraft und der Fleiß empfohlen (V. 26; 6, 6–11; 12, 24. 27; 13, 4; 15, 19; 17, 2; 18, 9; 19, 15. 24; 20, 4. 13; 21, 5; 22, 13). Solche Aufzählungen sind nie vollständig. Es ist ein Verdienst der Väter des alten Pietismus, daß sie aufs neue den Glaubenden den Fleiß um Gottes willen empfahlen. Faulheit ist Sünde.

*V. 6.* Gerechtigkeit vor Gott erhält Gottes Zustimmung. Die Miniaturbibel übersetzt hier in Form des Wunsches: „Gesegnet sei das Haupt des Gerechten!" Das ist grammatikalisch möglich. Der Gerechte hat nichts zu verschweigen, aber der Frevler versteckt sein Unrecht – und findet dennoch den Fluch.

*V. 7.* Dieser Vers ergänzt den vorhergehenden. Lies Ps. 72, 17! Der Name des Gottlosen schwindet. Seiner wird nicht mehr gedacht. Vgl. Ps. 1, 4 ff.; 37, 35 f.!

*V. 8.* Lies Jak. 3, 17: „Die Weisheit von oben läßt sich sagen." Der Gottlose nimmt keine Warnung an. Er kommt sich unfehlbar vor und geht daran zugrunde.

*V. 9.* Frömmigkeit ist soviel wie Lauterkeit oder Unsträflichkeit. Wer schlicht im Gehorsam Gottes lebt, ist geborgen. Er braucht das Erkanntsein durch Gott nicht zu fürchten. Anders ist es beim Unredlichen. Doch auch er wird von Gott durchschaut.

*V. 10.* Vgl. 6, 13; das Augenzwinkern ist ein Zeichen der Unaufrichtigkeit und Doppelzüngigkeit. Die zweite Hälfte des Verses scheint irrtümlich aus V. 8 hier hereingekommen zu sein. Ringgren liest daher: „Wer freimütig rügt, stiftet Frieden." Wer offen handelt, findet Vertrauen.

*V. 11.* „Quelle des Lebens" ist ein in den Sprüchen gern benutztes Bild (z. B. 13, 14; 14, 27; 16, 22). Im wasserarmen Lande ist eine Quelle ein Gottesgeschenk und rettet vor dem Dursttod. Das Alte Testament spricht oft davon (z. B. Ps. 23, 2; 36, 10; Jes. 44, 3; Sach. 13, 1). So kann ein geistgesalbtes Wort Leben wecken und erhalten. Zur zweiten Zeile vgl. V. 6!

*V. 12.* Wie oberflächlich denken jene, die aus Unkenntnis die Liebe nur dem Neuen Testament und nicht auch dem Alten Testament zuschreiben! Vgl. 3. Mose 19, 18; 5. Mose 6, 5; Ps. 109, 4 und sehr oft, wovon der Bibelleser beim Gebrauch einer Konkordanz sich überzeugen kann! Unser Wort ist zitiert in 1. Petr. 4, 8. Vgl. 1. Kor. 13, 7; Gal. 5, 13 ff.!

*V. 13.* Weil der Einsichtige „weise", das heißt in der Furcht Gottes, redet, bedarf er der züchtigenden Strafe nicht. Der Unverständige ist der Frevler, der Gottes Weisheit ablehnt und deshalb in immer neue Verfehlungen fällt. Die uns ungewohnte Prügelstrafe war der alten Welt noch Selbstverständlichkeit. Vgl. 19, 29; 26, 3; aber auch 13, 24; 23, 13 f.; 29, 15! Daß wir in der Pädagogik bessere Wege fanden, danken wir der Jesusbotschaft. Doch kann sich nicht jede Weichheit auf sie berufen.

*V. 14.* Der Weise hütet seine Weisheit als reiche Gottesgabe und läßt sie nicht durch Schwatzhaftigkeit bagatellisieren. Ein Zeichen des Narren ist, daß er seine Meinung als Weisheit ausplaudert und dadurch Schaden anrichtet.

*V. 15.* Der Wohlstand wird in den Sprüchen in der Regel als Segen Gottes betrachtet (10, 22; 11, 18. 24–26; 12, 11; 13, 22), die Armut dagegen als Folge der Trägheit oder gar als Gottesgericht (vgl. 14, 20; 18, 11; 19, 4. 7; 22, 7). Hier aber geht es nicht um eine sittliche Wertung, sondern um objektive Beobachtung von Tatsachen. Daß Reichtum auch Gefahr sein kann, sagt 11, 28.

*V. 16.* Der Vers spricht ausdrücklich zuerst von dem durch Arbeit erworbenen Besitz, der zum Leben bestimmt ist (1. Tim. 6, 8). Beim Gottlosen heißt es dagegen „Einkommen", wobei offen bleibt, woher dieses stammt. Der Besitz wird also nach seiner Herkunft unterschieden und zugleich daran erinnert, daß er recht gebraucht werden soll und nicht mißbraucht werden darf.

*V. 17.* Die rechte Erziehung dient uns zum Leben. Wer sie mißachtet, schadet sich selbst und anderen.

*V. 18.* Ein Heuchler verbirgt seinen Haß hinter der freundlichen Maske. Der Verleumder mag offener handeln, doch bleibt er ein Narr. Denn Sünde ist immer Dummheit.

*V. 19–21.* Drei Verse, die vom rechten Gebrauch der Zunge sprechen. V. 19 sollten sich die lebhaften Leute merken. Der Schweigsame hat eher Aussicht, schuldlos zu bleiben, als der Redselige. Der Jakobusbrief – die neutestamentliche Parallele zu unserem Spruchbuch – spricht mit großem Ernst über die Zungensünden (1, 26; 3, 2–12). Unter unsern Sprüchen kommt dieses Thema immer wieder vor: V. 31. 32; 11, 9. 13; 12, 13. 17 ff. 22; 13, 2 f.; 14, 5. 25; 15, 1 f. 4. 28; 16, 26. 30; 17, 4; 18, 8. 20; 19, 5. 9. 28; 21, 23. 28 und öfter. Die Sprüche betonen den Segen freundlicher Worte und den Fluch der Verleumdung und des falschen Zeugnisses. Doch trifft der Lügner letztlich sich selbst.

*V. 22.* Gott beschenkt die Seinen in seiner Gnade. Das mühevolle Sorgen gewinnt auch nicht mehr, als Gott uns zugedacht hat.

*V. 23.* Der Gottlose hat Freude an seinem Frevel. Aber der Gerechte hat ungleich mehr Freude an der Weisheit, die Gott ihm schenkt.

*V. 24.* Der eine hat Angst vor dem Kommenden und kann ihm doch nicht ausweichen. Aber wer Gott vertraut und sich nach Gottes Gaben ausstreckt, wird von ihm beschenkt. Vgl. 11, 27!

*V. 25.* Stürme brechen nur die trocknen Äste ab. Die frischen dagegen werden im Sturm nur stärker.

*V. 26.* Vgl. das zu V. 4 und 5 Gesagte! Der saure Essig macht die Zähne stumpf. Rauch brennt in den Augen. So bringt ein träger Bote lauter Verdruß, weil er den Auftrag nicht recht ausführt.

*V. 27.* Ein langes Leben gilt im Alten Testament als Zeichen des Gottessegens. Vgl. Ps. 92, 15, auch das zu 3, 2 Gesagte!

*V. 28.* Die Hoffnung der Gottlosen sind lauter Wunschträume. Für sie gilt: Hoffen und Harren macht manchen zum Narren. Aber der Gerechte hält sich an Gottes Verheißung und darf auf das Erbe warten. Vgl. Röm. 8, 17!

*V. 29.* Die einen zerbrechen an Jahves Führung – die andern wissen sich geborgen. Glaube und Unglaube entscheiden über den Wert des Geschicks.

*V. 30–32.* Die letzten Verse stellen das Geschick des Gerechten dem des Gottlosen gegenüber. Nicht wankend, voll Weisheit und hilfreicher Rede die einen; enterbt, um ihrer Falschheit willen ausgerottet die andern.

## Kap. 11

*(1) Eine falsche Waage ist für Jahve ein Greuel, aber volles Gewicht hat sein Wohlgefallen. (2) Aus Frechheit folgt Schande, aber Weisheit ist bei den Bescheidenen. (3) Die Frömmigkeit der Aufrichtigen leitet sie, aber die Verkehrtheit der Treulosen richtet sie zugrunde. (4) Am Tage des Zorns nutzt Besitz nichts, aber Gerechtigkeit rettet vom Tode. (5) Die Gerechtigkeit des Frommen ebnet ihm den Weg, aber der Gottlose kommt durch seine Gottlosigkeit zu Fall. (6) Die Gerechtigkeit der Aufrichtigen rettet sie, aber die Treulosen werden von ihrer Gier gefangen. (7) Mit dem Tode des gottlosen Menschen geht seine Hoffnung unter, und die trügerische Erwartung ist dahin. (8) Ein Gerechter wird aus der Drangsal befreit, aber an seine Stelle tritt der Gottlose. (9) Mit dem Munde richtet der Ruchlose seinen Nächsten zugrunde, aber durch Erkenntnis werden die Gerechten gerettet. (10) Beim Wohlergehen der Gerechten freut sich die Stadt, und beim Untergang der Gottlosen jubelt sie. (11) Durch den Segen der Aufrichtigen kommt eine Stadt hoch, aber durch den Mund der Gottlosen wird sie niedergerissen. (12) Wem der Verstand mangelt, der verachtet seinen Nächsten; aber der verständige Mann schweigt. (13) Wer als Verleumder einhergeht, deckt ein Geheimnis auf; aber wer zuverlässig ist, der deckt die Sache zu. (14) Wo keine Regierung ist, kommt ein Volk zu Fall; aber Heil kommt durch viele Ratgeber. (15) Sehr schlecht geht es dem, der sich für einen Fremden verbürgt; sicher aber geht der, der den Handschlag haßt. (16) Eine anmutige Frau erlangt Ehre, aber die Gewaltigen erlangen Reichtum. (17) Der gütige Mann tut der (eigenen) Seele wohl, aber die Grausamen schädigen ihr (eigenes) Fleisch. (18) Der Gottlose erwirbt trügerischen Besitz; wer aber Gerechtigkeit sät – zuverlässigen Lohn. (19) Fest gegründete Gerechtigkeit gereicht zum Leben; wer aber dem Bösen nachjagt, dem gereicht's zum Tode. (20) Leute verkehrten Herzens sind Jahve ein Greuel, aber sein Wohlgefallen ist bei denen, die auf lauteren Wegen gehen. (21) Die Hand darauf: Das Böse bleibt nicht unbestraft – aber der Same der Gerechten wird gerettet. (22) Ein goldener Ring im Rüssel des Schweins ist eine schöne Frau ohne Anstand. (23) Das Begehren der Gerechten ist nur Gutes, die Hoffnung aber der Gottlosen – Zorn. (24) Mancher teilt reichlich aus und bekommt immer mehr; wer aber mehr zurückhält, als sich gebührt, dem*

*wird es mangeln. (25) Eine Seele, die segnet, wird übersatt, und wer reichlich gibt, der wird auch selbst erquickt. (26) Wer Korn zurückhält, dem flucht das Volk; aber Segen (kommt auf den), der Getreide verkauft. (27) Wer nach dem Guten strebt, sucht Wohlgefälliges; wer aber das Böse sucht, den wird es selbst treffen. (28) Wer auf seinen Reichtum vertraut, der wird zu Fall kommen, aber die Gerechten sprießen wie Laub. (29) Wer seinen Haushalt zerstört, wird Wind erben, und der Narr wird Knecht sein bei dem, der weisen Herzens ist. (30) Die Frucht des Gerechten ist ein Baum des Lebens, und wer Seelen gewinnt, der ist weise. (31) Wenn schon dem Gerechten auf Erden vergolten wird, wieviel mehr dem Gottlosen und Sünder!*

*V. 1.* Die Ehrlichkeit im Handel forderte das Gesetz nachdrücklich (3. Mose 19, 35 f.; 5. Mose 25, 13; auch Amos 8, 5; Micha 6, 11). Auch in den Sprüchen wird mehrmals darauf hingewiesen: 16, 11; 20, 10. 23; 11, 1.

*V. 2.* Echte Weisheit macht bescheiden. Frechheit „siegt" keineswegs, wie die Redensart leider heißt. Sie endet meist mit einer Blamage. Der Prahler ist bald in seiner Hohlheit erkannt (8, 13).

*V. 3.* Der hebräische Ausdruck für Frömmigkeit ist vieldeutig. Man übersetzt auch: Lauterkeit, Unsträflichkeit, Unschuld. Die Grundbedeutung ist: Geschlossenheit, Ganzsein. Ein solches Leben ganz für Gott hat auch eine göttliche Leitung. Man könnte sagen: Solche Leute haben das rechte Fingerspitzengefühl. Die unlauteren Charaktere dagegen scheitern früher oder später.

*V. 4.* Im Gericht Gottes bietet unser Reichtum keine Zuflucht (Luk. 12, 16—21; 16, 22—31). Aber Gerechtsein vor Gott ist die beste Empfehlung: Röm. 5, 1.

*V. 5. 6.* Gewiß ist in diesen Versen das gerechte Verhalten gemeint. Aber dieses ist nicht zu trennen von der Gerechtigkeit, die Gott um Christi willen anrechnet. Denn diese entbindet uns nicht von einem Leben im Gehorsam. Es lohnt sich, sich nach Gottes Gerechtigkeit auszustrecken (Matth. 6, 33).

*V. 7.* Das ist die Trostlosigkeit eines Lebens ohne Gott: Alle Hoffnung und Erwartung erweist sich als trügerisch (Eph. 2, 12). Strack fügt zu diesem Vers hinzu: „Der Satz lautet so absolut, daß der Gedanke eines ewigen Lebens der Gerechten als eine (wenn auch damals noch nicht gezogene, so doch notwendige) Konsequenz bezeichnet werden kann; vgl.

4, 18; 5, 6." Es gibt Einzelerkenntnisse im Alten Testament, die in die gleiche Richtung weisen: Ps. 49, 16; 73, 24; Hiob 19, 25 f.; Jes. 25, 8; 26, 19; Dan. 12, 2 f.

*V. 8.* Auch der Gerechte kennt die schrecklichen Engpässe und Täler der Todesschatten, aber er kann dann sagen: „Du bist bei mir" (Ps. 23, 4). Der Gottlose aber bleibt in der Angst stecken.

*V. 9.* Zwar kann der Ruchlose mit seinen Reden großes Unheil anrichten, doch die Gerechten durchschauen seine Absichten und Lügen und können sich ihrer daher erwehren.

*V. 10.* Weil „Gerechtigkeit ein Volk erhöht" (14, 34), darum nimmt eine Stadt, in der noch gesunde Maßstäbe herrschen, am Wohlergehen der Gerechten und an der Beseitigung der Gottlosen zustimmend teil.

*V. 11.* Der Vers gehört noch zu den vorhergehenden. Auch Sodom hätte gerettet werden können, wenn außer Lot noch mehr „Aufrichtige" in der Stadt gewesen wären. Als Friedrich Wilhelm I. von Preußen das durch Krieg und Pest entvölkerte Ostpreußen besiedelte, rief er Salzburger, Hugenotten und Böhmische Brüder ins Land und sagte dabei in seinem barocken Deutsch: „Wenn ich das Land baue und mache keine Christen, so hilft es mir nichts." Wer die zweihundertjährige Geschichte Ostpreußens kennt, weiß, wie sein Wort Bestätigung fand.

*V. 12.* Daß Schweigen das Klügere ist, sollten wir alle wissen. Vgl. auch 17, 28!

*V. 13.* Vgl. V. 9! Hierher gehört auch 10, 19 ff. und das dort Gesagte.

*V. 14.* Ein Schiff ohne Steuermann scheitert. Das Gebet für die Regierung hat Paulus daher den Gemeinden befohlen (1. Tim. 2, 2).

*V. 15.* Mit dem Handschlag wurde eine Bürgschaft bekräftigt. Vgl. im übrigen 6, 1–5! Siehe auch 20, 16; 22, 26; 27, 13! Für unser Ohr klingen solche Ratschläge lieblos. Offenbar ging es um einen verbreiteten Mißbrauch in jener Zeit.

*V. 16.* Vom guten und bösen Einfluß der Frau sprechen die Sprüche oft, so von der Macht der Versucherin (2, 16 ff.; 5, 3 ff.; 6, 24 ff.; 7, 1 ff.). Doch lesen wir zuletzt das Hohelied der tüchtigen Hausfrau (31, 10 ff.). Lies dazu noch V. 22; 12, 4; 14, 1; 18, 22; 19, 14; 21, 9–12; 25, 24! Hier heißt es: Anmut ist besser als Gewalt, Ehre höher als Reichtum. Die Septuaginta liest an Stelle unseres Verses zwei Verse: „Eine anmutige Frau erlangt Ehre; aber ein Thron der Schande ist eine Frau, die Redlichkeit haßt. Den Faulen fehlt das Vermögen, aber die Fleißigen erlangen Reichtum" (Ringgren 48 und 51); doch scheint hier eine spätere Korrektur vorzuliegen.

*V. 17.* Die Güte trägt ihren Lohn in sich selbst. Der Grausame oder Unbarmherzige verdirbt sich selbst. Wir ernten weithin schon in diesem Leben (Gal. 6, 8).

*V. 18.* Dieser Vers bestätigt konkret den allgemeinen Satz des vorigen Verses.

*V. 19.* Ringgren übersetzt: „Wer fest steht in Gerechtigkeit", Strack: „echte Gerechtigkeit". Der Schein kann oft trügen, aber Gott sieht das Herz an (1. Sam. 16, 7). Das eigentliche Leben wird nur in der Gemeinschaft mit Gott gefunden.

*V. 20.* Paulus nennt die Ungläubigen ein verdrehtes Geschlecht (Phil. 2, 15). Ähnlich hier: Die Herzen sind krumm und verbogen wie die Irrwege. Gott aber schätzt die Lauteren und Einfältigen.

*V. 21.* Wie im Deutschen benutzt die hebräische Sprache den Ausdruck „Hand darauf" zum Ausdruck einer starken Gewißheit. Der Segen der Eltern liegt auch auf ihren Nachkommen. Das ist biblische Gewißheit (z. B. 1. Mose 13, 16; 15, 5; 2. Mose 20, 6; Ps. 25, 13; Jes. 44, 3 und oft).

*V. 22.* Schönheit ohne Herzensbildung ist so wertlos wie Juwelen für ein Tier. Statt Anstand übersetzt Strack „Takt", Ringgren „Zartgefühl". Es geht um Empfindung, Verständnis, auch Geschmack. Eine solche Eigenschaft sollte jede Frau haben, die bewußt vor Gott steht und wandelt.

*V. 23.* Der Gerechte läßt sich seine Wünsche von Gott ausrichten. Sie haben an ihm ihr Maß. Die Gottlosen hoffen auch auf Erfüllung ihrer Wünsche, aber sie entgehen Gottes Zorngericht nicht.

*V. 24.* Luthers knappe Übersetzung ist nicht zu übertreffen. Der Grundtext spricht es umständlicher aus. Mancher ist freigebig und dadurch reicher, weil Gott ihm seine Opfer vergilt. Der andere spart am falschen Ort aus Lieblosigkeit und gerät in Mangel, weil Gottes Segen ausbleibt.

*V. 25.* Nun wird das eben Gesagte positiv ergänzt. Segen heißt hier das Geschenk, das gegeben wird. Es lohnt sich, Opfer und Dienst in echter Liebe zu leisten.

*V. 26.* Auch dieser Vers steht im Zusammenhang mit dem vorhergehenden. Jede Spekulation mit wichtigen Lebensmitteln ist verwerflich und weckt den Haß der Geschädigten. Wer aber ohne Rücksicht auf etwaige Verluste das Korn hergibt, wird von Gott gesegnet.

*V. 27.* Auch hier ist das sittliche Gesetz unseres Handelns gemeint. Wer tut, was Gott wohlgefällt, erntet, was ihm selbst gefällt. Jedoch umgekehrt: Das Böse rächt sich selbst.

*V. 28.* Gewiß kann Wohlstand ein Zeichen des Segens Gottes sein (z. B. 10, 22; 13, 22; 18, 11). Aber etwas anderes ist es, sein Vertrauen auf Reichtum zu setzen (Matth. 6, 21. 24). Wer aber auf Gott vertraut und in Gott seinen Reichtum sucht, empfängt, was er braucht (Ps. 1, 3; Jer. 17, 7. 8; Matth. 6, 33).

*V. 29.* Narren sind solche, die Gottes Weisheit verachten. Sie vernachlässigen ihre eigene Familie, verlieren schließlich ihr Haus und werden zuletzt abhängige Knechte von denen, die in Gottes Weisheit wandeln.

*V. 30.* Der Gerechte gleicht selbst einem Baum des Lebens. Ist er nach Jesu Wort eine Rebe am wahren Weinstock, so gewinnt er auch andere für seinen Gott.

*V. 31.* Das Schlußwort zieht das Fazit aus dem Thema des Kapitels: Es gibt eine sittliche Weltordnung Gottes.

## Kap. 12

*(1) Wer Zurechtweisung liebt, liebt Erkenntnis; wer aber die Lüge haßt, ist dumm. (2) Der Gute erlangt Jahves Wohlgefallen, aber einen Ränkevollen verurteilt er. (3) Ein frevelhafter Mensch hat keinen Bestand, aber die Wurzel der Gerechten wird nicht wanken. (4) Eine tüchtige Frau ist ihres Mannes Krone, aber eine schändliche ist wie Fäulnis in den Knochen. (5) Die Gedanken der Gerechten sind recht, die Anschläge der Gottlosen sind Lüge. (6) Die Reden der Gottlosen stiften Blutvergießen, aber der Mund der Aufrichtigen rettet sie. (7) Die Frevler stürzen — und sind nicht mehr da. Aber das Haus des Gerechten steht fest. (8) Gemäß seiner Einsicht wird ein Mann gelobt; wer aber verschrobener Gesinnung ist, den trifft Verachtung. (9) Besser gering geachtet, aber der eigene Knecht* [Septuaginta: „der sich selbst dient"], *als geehrt sein und kein Brot haben. (10) Der Gerechte kennt die Seele seines Viehs* [d. h. er weiß, wie seinem Vieh zumute ist], *aber das Innere der Gottlosen ist grausam. (11) Wer seinen Acker bearbeitet, wird vom Brote satt; wer aber Nichtigem nachjagt, dem fehlt der Verstand. (12) Das Begehren des Gottlosen ist die Beute der Bösen, aber die Wurzel der Gerechten treibt. (13) In der Sünde der Lippen steckt eine böse Schlinge, aber der Gerechte entgeht der Bedrängnis. (14) Von der Frucht seines Mundes wird der Mann mit Gutem gesättigt, das Werk seiner Hände wird ihm wiedervergolten. (15) Der Weg des Narren ist in seinen Augen recht; aber weise ist, wer auf einen Rat hört. (16) Der Narr — sein Ärger wird gleich kund. Aber*

*klug ist, wer die Schande verbirgt. (17) Wer ohne Scheu die Wahrheit ausspricht, tut kund, was recht ist; aber eine falsche Zunge lügt. (18) Mancher redet gleich durchbohrenden Schwertstichen, aber die Zunge der Weisen heilt. (19) Eine wahrhaftige Lippe besteht für immer, aber die Lügenzunge nur für einen Nu. (20) Lüge ist im Herzen derer, die Böses vorbereiten; aber die zum Frieden raten, haben Freude. (21) Dem Gerechten begegnet kein Unheil, aber die Gottlosen sind voll Unglücks. (22) Trügerische Lippen sind Jahve ein Greuel; aber wer die Wahrheit tut, hat sein Wohlgefallen. (23) Ein kluger Mann verbirgt seine Erkenntnis, aber das Herz des Narren schreit seine Narrheit hinaus. (24) Die Hand der Fleißigen wird herrschen, aber Trägheit wird fronpflichtig. (25) Die Sorge im Herzen des Mannes beugt es nieder, aber ein gutes Wort erfreut es. (26) Der Gerechte hat es besser als sein Nächster (?), aber der Weg der Gottlosen geht irre. (27) Der Träge erjagt sein Wild nicht, doch fleißig sein ist ein köstliches Gut der Menschen. (28) Auf dem Wege der Gerechtigkeit ist Leben, aber der Seitenweg (?) führt zum Tode.*

*V. 1.* Diese Dummheit ist weitverbreitet; denn wer will sich gern tadeln oder auch nur raten lassen? Aber „die Weisheit von oben läßt sich sagen" (Jak. 3, 17) und hat darum großen Gewinn.

*V. 2. 3.* Weil Gott der Gute ist, hat er auch nur am Guten Gefallen. Der Intrigant ist um sein Mittel nicht verlegen, aber er ist ohne festes Fundament und darum wurzellos. Zum Gerechten aber vgl. Ps. 1, 3; Jer. 17, 8!

*V. 4.* Siehe 11, 16 und die dort genannten Parallelen! Die Sprüche achten die Frau hoch, die ihre Würde und Pflicht wahrt. Aber eine Frau, die ehrlos ist, gleicht einem Übel oder Gift, das bis in das Innere wirkt. Siehe 11, 22! Der Schutz der Ehe und Familie gehört zu Gottes Ordnung.

*V. 5–7.* Die immer neue Gegenüberstellung von gerecht und gottlos, weise und töricht, aufrichtig und lügnerisch soll dem Schüler die sittliche Entscheidung immer neu wichtig machen. Moderne Psychologie sucht das alles zu vereinfachen und Übergänge zu schaffen. Aber auch Johannes hat in seinem ersten Brief nur in großen Gegensätzen geschrieben. Hier geht es um keine Zwischenstufen und Schattierungen — es geht um gottwohlgefällig oder verworfen. Gottes Gericht kennt nur ein Ja und ein Nein.

*V. 8.* Auch Menschen werden den Einsichtigen dem Verschrobenen vorziehen. Wörtlich: „ein verkehrtes Herz". Doch verstehen die Sprüche unter „Herz" oft die geistige Haltung überhaupt, sittlich wie intellektuell.

*V. 9.* Der Spruch ist nicht ganz eindeutig. Strack übersetzt: „Besser daran, wer gering geschätzt ist und (dabei doch) einen Diener hat, als wer sich brüstet und des Brotes mangelt.“

*V. 10.* Luthers uns vertraute Übersetzung ist frei und nicht wörtlich. Wer weiß, wie dem Vieh zumute ist, geht mit ihm gewiß nicht grausam um. Wer das Tier liebt, wird es nicht roh behandeln.

*V. 11.* Dieser Spruch gehört in die Reihe derer, die vor Faulheit warnen und die treue Arbeit empfehlen. Vgl. 10, 4 f.; 10, 26 und die dort angezeigten Stellen!

*V. 12.* Nur der Gerechte hat festen Stand. Der Frevler strebt nach Bösem und daher nach dem, was keinen Halt gibt.

*V. 13.* Die Weisheit warnt oft vor allen Zungensünden, denn sie weiß von der Macht des Wortes. Vgl. 10, 18 und Parallelen, auch den Jakobusbrief! Wer seine Zunge nicht zu zähmen weiß, fällt in Fallstricke, aus denen er sich schwer befreien kann.

*V. 14.* Wo aber Wort und Tat im Dienste Gottes und in seiner Zucht stehen, sind wir nicht nur selbst gesegnet, sondern auch die andern.

*V. 15.* Die Selbstzufriedenheit dessen, der sich selbst Maßstab ist und sich darum jede Kritik verbittet, zeigt, daß er Gott entlief. Der wahrhaft Weise ist dankbar für guten Rat.

*V. 16.* Auch darin zeigt sich der Narr, daß er im Ärger schnell explodiert. Der Weise aber versteht, in solch einem Augenblick an sich zu halten. Wieviel Scherben könnten wir uns ersparen!

*V. 17.* Ein verlogener Zeuge richtet immer Unheil an. Freimütig die Wahrheit zu sagen, ist immer das Klügste, weil die Wahrheit der Gerechtigkeit dient.

*V. 18.* Der Zuchtlose verletzt leicht. Seine Worte können stechen wie Messer. Eine gesegnete Zunge heilt Wunden.

*V. 19.* Die Wahrheit bedarf keiner Korrektur. Sie bleibt immer bestehen. Aber die Lüge hat kurze Beine.

*V. 20.* Wer zum Guten und zum Frieden spricht, hat selbst Freude daran. Aber wie sollten die froh bleiben, die Böses planen? Lüge macht immer Angst.

*V. 21. 22.* Daß Gott, der selbst die Wahrheit ist, sich zum wahrredenden Gerechten hält, die Lüge aber richtet, sollte uns stets gewiß sein.

*V. 23.* Das ähnliche lateinische Sprichwort sagt: „Wenn du geschwiegen hättest, hätte man dich für einen Philosophen halten können.“ Der Kluge hält bescheiden mit seiner Klugheit zurück. Aber der Narr hält nicht den Mund und drängt sich förmlich zur Blamage.

*V. 24.* Wieder ein Lob des Fleißes und eine Warnung vor Trägheit. Vgl. 10, 4 f. und die dort genannten Parallelen!

*V. 25.* Wie oft war ein redliches, gutes Wort stark genug, ein in Sorge gebeugtes Herz aufzurichten!

*V. 26.* Hier scheint der Text wieder fehlerhaft zu sein. Ringgren übersetzt: „Der Gerechte wendet sich vom Bösen ab." Strack: „Es erspäht sich seine Weide der Gerechte." Man könnte aber ohne Korrektur lesen: „Der Gerechte hat es besser als sein Nächster", weil eben des Gottlosen Weg ein Irrweg ist.

*V. 27.* Hier steht ein sog. „hapax legomenon", das heißt ein nur ein einziges Mal in der Bibel vorkommendes Wort. Deshalb ist die Übersetzung nicht gewiß. Das Zeitwort in der ersten Hälfte des Verses, das wir mit „erjagt" übersetzen, deutet Ringgren als „erreicht". Der Sinn ist wohl, daß der Faule selbst auf der Jagd nicht zum Schuß kommt. Der Fleiß aber ist etwas Kostbares. Siehe V. 24!

*V. 28.* Das wirkliche Leben aus Gott ist ohne Gerechtigkeit nicht zu erlangen. In der zweiten Zeile könnte ein Wort ausgefallen sein. Wir halten uns an die Korrektur von Strack. Ringgren dagegen liest: „Der Pfad der Abtrünnigen führt zum Tode." Jedoch erwähnt er in der Fußnote eine durch den Engländer Dahood vorgeschlagene und grammatisch mögliche Übersetzung: „Auf ihrem Pfad ist Unsterblichkeit." Bei dieser Übersetzung wäre die zweite Zeile eine Fortführung des Gedankens der ersten Zeile. Freilich ist sowohl der Ausdruck als auch der Gedanke in den Sprüchen sonst nicht zu finden.

## Kap. 13

*(1) Ein weiser Sohn kommt aus des Vaters Zucht, aber der Spötter hört nicht auf das Schelten. (2) Von der Frucht des Mundes genießt man Gutes, aber die Gier der Treulosen ist Gewalttat. (3) Wer seinen Mund hütet, der bewahrt seine Seele; wer aber seinen Mund aufreißt, der bringt sich ins Verderben. (4) Des Faulen Seele wünscht sich (allerhand) und hat nichts; die Seele des Fleißigen wird gestärkt. (5) Der Gerechte haßt die Lüge; der Gottlose aber handelt schimpflich und schandbar* [oder: verursacht Schande und Spott]. *(6) Gerechtigkeit bewahrt untadeligen Wandel; Gottlosigkeit führt die Sünder in die Irre. (7) Mancher stellt sich reich und hat nichts, und mancher hält sich für arm und hat großen Reichtum. (8) Lösegeld für sein Leben ist dem Manne sein Reichtum, aber der Arme hört keine Drohung. (9) Das Licht des Gerechten*

*erfreut, aber die Leuchte der Gottlosen verlischt. (10) Durch Übermut gibt's nur Streit, aber Weisheit ist bei denen, die sich raten lassen. (11) Besitz ohne Mühe schmilzt dahin; wer aber mit der Hand sammelt, der mehrt. (12) Langwährendes Warten macht das Herz krank; aber ein erfüllter Wunsch ist wie ein Baum des Lebens. (13) Wer das Wort verachtet, der schädigt sich selbst; wer aber das Gebot fürchtet, dem wird vergolten. (14) Die Weisung der Weisen ist eine Lebensquelle, um die Fallstricke des Todes zu meiden. (15) Gute Bildung vermittelt Gunst, aber der Treulosen Weg ist hart (?). (16) Der Kluge macht alles nach seiner Einsicht, aber der Narr offenbart seine Dummheit. (17) Ein gottloser Bote stürzt ins Unheil, aber ein treuer Gesandter bringt Heilung. (18) Wer die Zucht verläßt, über den kommt Armut und Schande; wer aber die Zurechtweisung achtet, der wird geehrt. (19) Ein erfüllter Wunsch ist der Seele angenehm, aber den Narren ist das Weichen vom Bösen ein Greuel. (20) Wer mit Weisen umgeht, wird selbst weise; wer aber an Narren Gefallen hat, dem wird's schlecht gehen. (21) Die Sünder verfolgt das Unglück, aber den Gerechten wird vergolten. (22) Der Gute vererbt auf Kindeskind, aber der Besitz des Sünders wird für den Gerechten aufbewahrt. (23) Der Neubruch des Armen trägt viel Nahrung, aber ohne Recht wird's zuweilen weggenommen. (24) Wer die Rute zurückhält, haßt seinen Sohn; aber wer ihn liebt, züchtigt ihn schon früh. (25) Ein Gerechter kann essen, bis seine Seele satt ist, aber der Bauch der Gottlosen leidet Mangel.*

*V. 1.* Weisheit hängt mit der Erziehung zusammen, weil diese zur Gottesfurcht führt. Dem Spötter gegenüber versagt die Zucht.

*V. 2.* Ein gutes Wort bewirkt auch Gutes, aber die unbeherrschte Begierde jener, die vor Gott fliehen, bewirkt nur Unrecht oder Terror.

*V. 3.* Wieviel Leid bringt unbesonnenes Reden! Manch einer hätte buchstäblich sein Leben gerettet, wenn er gelernt hätte zu schweigen. Aber dazu gehört mehr Kraft als zum Hinauspoltern.

*V. 4.* Vgl. 10, 4 und die dort genannten Stellen!

*V. 5.* Die Weisheit betont oft den Gegensatz zwischen Gerechtigkeit und Lüge (10, 18; 12, 17. 19; 14, 5; 19, 5. 9; 21, 28 und öfter). Die Lüge schändet den Lügner.

*V. 6.* Eine Lebensführung in Gottesfurcht ist der beste Schutz gegen Irrweg und Fall.

*V. 7.* Wer großen Besitz vorheuchelt, hofft auf Kredit und wirtschaftliches Vertrauen. Ein anderer stellt sich arm um Geizes willen – aus Furcht, um Hilfe angegangen zu werden. Das gilt nicht als sittlicher Rat, sondern als nüchterne Beobachtung des Lebens. Doch kann der Vers auch im Sinne von Luthers Übersetzung verstanden werden: Mancher Reiche ist durch seinen Unglauben ein armer Schlucker, der den Armen um seines geistlichen Reichtums schon beneiden könnte. Wie oft lesen wir in der Zeitung von Erpressung von Reichen – nicht nur nach sardinischem Räubermuster! Davor braucht sich der Arme nicht zu fürchten.

*V. 9.* Jesus selber befahl seinen Jüngern, ihr Licht zum Segen anderer leuchten zu lassen. Vgl. 4, 18 f.; auch Hiob 22, 28; 29, 3; Ps. 18, 29; 97, 11; 112, 4; Jes. 58, 8! Es ist hier wohl nicht an das Lebenslicht zu denken, sondern an das Licht, das Gott den Seinen scheinen läßt. Seinen Feinden verlöscht das Licht, und sie tappen im Dunkeln. Siehe 4, 19; 20, 20; 24, 20; Hiob 18, 5 f.; 21, 17!

*V. 10.* Der Übermut zeigt das Selbstvertrauen und insofern die Eitelkeit, die sich nicht raten läßt. Solche wollen immer recht haben, und dann gibt's Streit. Die Weisheit weiß, daß sie wenig weiß (1. Kor. 2, 2). Sie macht bescheiden.

*V. 11.* Auch dieser Spruch gehört in die Reihe der Empfehlung des Fleißes und der Warnungen vor Trägheit (siehe 10, 4 f.). Das Wort reicht noch weiter: Reich werden ohne Mühe – sei es durch Erbschaft, sei es durch Lotteriespiel – ist voller Gefahren, und wenige sind es, die daran nicht scheitern. Immer hat die fleißige Hand die größere Verheißung.

*V. 12.* Hier geht es um eine feine psychologische Beobachtung. Wer weiß nicht, daß langes Warten qualvoll sein kann! Zum Baum des Lebens vgl. 3, 18; 11, 30; 15, 4! Das Bild wird aus 1. Mose 2, 9 und 3, 22 stammen, ist aber hier im übertragenen Sinn zu verstehen.

*V. 13.* „Das Wort" ist Gottes Wort. Gewiß kann auch ein menschliches Wort als Rat oder Mahnung zu uns kommen, aber es muß ein von Gott beglaubigtes Wort sein: 5. Mose 5, 19; 8, 3; 32, 47; Ps. 119, 105; Jes. 55, 11; Jer. 15, 16 und sehr oft. Wörtlich kann man auch sagen: Ein Verächter des Wortes wird „verpfändet", weil er schuldig bleibt und seine Schuld eines Tages wird bezahlen müssen. Wohl dem, der Gottes Wort hört und bewahrt! Lies Luk. 11, 28; auch Ps. 119, 2!

*V. 14.* Es geht hier um Leben und Tod. Weil das Wort eine Rettung vor dem Tode bringt, ist es eine Lebensquelle. Vgl. 10, 11; 14, 27; auch Ps. 36, 10!

*V. 15.* Der Verständige, der über eine gründliche Bildung verfügt, wird immer vor den Schwätzern einen Vorsprung haben. Daß es hier nicht um bloßes Wissen geht, sondern um das, was wir Herzensbildung nennen, sollte uns immer vor Augen stehen. Der Gegensatz ist Treulosigkeit und in der Folge Mangel an Charakter.

*V. 16.* Der Narr, das ist der Gottlose, zeigt seine Torheit und Haltlosigkeit bald. Der Weise dagegen hat Einsicht und Urteilskraft.

*V. 17.* Um Bote zu sein, muß man gewissenhaft sein. Das ist Heil oder Beruhigung (so übersetzt Strack) für den, der ihn sendet. Er weiß seine Sache in guten Händen.

*V. 18.* Hier geht es wieder um die sittliche Weltordnung, nach der die Zucht der Gottesfurcht Segen und Erfolg bringt, ihre Ablehnung aber Mißerfolg.

*V. 19.* Der Spruch gehört zu dem vorhergehenden. Der Narr könnte ja auch weise werden und dann erfüllte Wünsche erfahren. Weil er aber nicht vom Bösen lassen will, erntet er, was er sät.

*V. 20.* Ein antikes Sprichwort sagt: „Sage mir, mit wem du umgehst, und ich werde dir sagen, wer du bist." Der Verkehr mit Weisen macht weise. Aber wer mit Gottlosen Freundschaft schließt, färbt von ihnen ab. Die nächsten Verse bestätigen diese Beobachtung.

*V. 21. 22.* Nicht nur der Gerechte selbst wird gesegnet, er kann auch den Segen auf seine Kinder vererben. Aber was der Gottlose sammelt, verfällt nach seinem Untergang auch noch dem Gerechten. Mögen solche Aussagen, die als Grundregel gelten, in der Praxis oft keine Bestätigung finden, sie ziehen aber die Folgerung aus der sittlichen Weltanschauung und dem Glauben an den endlichen Sieg der Gerechtigkeit.

*V. 23.* Daß es auf Erden nicht immer nach Gottes Gerechtigkeit geht, sagt dieses Wort eindeutig. Der Arme hat Neuland bestellt, das reichliche Ernte verspricht. Aber gegen alles Recht wird es ihm nicht selten genommen. Vgl. 1. Kön. 21, 1–16!

*V. 24.* Vgl. V. 1; 19, 18; 20, 30! Mag eine neuzeitliche Pädagogik andere Zuchtmittel empfehlen als jene Zeit, so bleibt die Erfahrung bestehen: Echte Elternliebe erzieht in frühester Jugend und macht dadurch die weitere Erziehung leicht. Sie hilft dadurch dem jungen Menschen. Wer nicht als Kind erzogen wurde, muß als Erwachsener vieles lernen, was ihm dann viel saurer wird.

*V. 25.* Ps. 37, 25 drückt Ähnliches in gläubigem Optimismus aus. Solche Worte sollten wir im Lichte von Matth. 6, 25 zu verstehen suchen.

## Kap. 14

*(1) Die Weisheit baut ihr Haus, aber die Narrheit reißt es mit ihren Händen nieder. (2) In Redlichkeit wandelt, wer Jahve fürchtet; wer*

*ihn aber verachtet, geht krumme Wege. (3) Im Munde des Narren ist eine Rute des Hochmuts* [oder: für seinen Rücken], *aber die Lippen der Weisen werden sie bewahren. (4) Wo Rinder fehlen, ist die Krippe rein; aber durch des Stieres Kraft gibt es große Einnahme. (5) Ein ehrlicher Zeuge lügt nicht, aber ein falscher atmet Lügen. (6) Der Spötter sucht Weisheit und findet sie nicht, aber für den Verständigen (findet sich) Erkenntnis leicht. (7) Meide einen närrischen Menschen, da du auf seinen Lippen keine Erkenntnis bemerken wirst! (8) Die Weisheit des Klugen läßt ihn seinen Weg erkennen, aber die Dummheit der Narren ist Täuschung. (9) Die Toren verspotten das Schuldopfer, aber zwischen Redlichen ist Harmonie. (10) Ein Herz kennt den eigenen Kummer, und ein Fremder kann sich in seine Freude nicht hineinmengen. (11) Das Haus der Gottlosen wird vertilgt, aber das Zelt der Redlichen wird aufblühen. (12) Manch einem scheint der Weg in seinen Augen gerade zu sein, aber hinterher sind es Wege des Todes. (13) Auch im Lachen kann das Herz sich grämen, aber das Ende der Freude ist Kummer. (14) Ein abtrünniges Herz wird von seinen Wegen satt, aber ein guter Mensch von seinen Taten. (15) Der Einfältige vertraut einem jeden Wort, aber der Kluge achtet auf seinen Schritt. (16) Ein Weiser fürchtet sich und weiß vom Bösen, aber ein Narr ist übermütig und leichtsinnig. (17) Der Jähzornige begeht Törichtes, und der Intrigant wird gehaßt. (18) Einfältige erben Torheit, aber Kluge umfassen Erkenntnis. (19) Die Bösen müssen sich vor den Guten beugen und die Gottlosen vor den Toren des Gerechten. (20) Der Arme wird sogar von seinem Nächsten gehaßt, aber zahlreich sind die Freunde des Reichen. (21) Wer seinen Nächsten verachtet, ist ein Sünder; aber selig sind, die sich der Elenden erbarmen. (22) Gehen nicht in die Irre, die (heimlich) Böses sinnen? Aber Gnade und Treue ist bei denen, die Gutes planen. (23) Bei jeder Mühe gibt es einen Ertrag, aber das Geplapper der Lippen führt bloß zum Mangel. (24) Den Weisen ist ihr Reichtum* [Klugheit?] *ihre Krone, aber die Narrheit der Narren bleibt Narrheit. (25) Ein wahrhaftiger Zeuge ist ein Lebensretter; aber wer Lügen atmet, ist (lauter) Trug. (26) In der Furcht Jahves ist eine starke Sicherheit; auch seinen Söhnen wird er eine Zuflucht sein. (27) Die Furcht Jahves ist ein Lebensquell, um den Fallstricken des Todes zu entfliehen. (28) Eines Königs Herrlichkeit besteht in der Menge des Volkes, aber im Hinschwinden der Leute — der Untergang eines*

*Fürsten. (29) Langmut hat viel Verstand, aber der Jähzorn vermehrt die Torheit. (30) Ein gelassenes Herz ist Leben des Leibes, aber Leidenschaft ist Fäulnis in den Gebeinen. (31) Wer den Armen bedrückt, schmäht seinen Schöpfer; aber es ehrt den, der sich des Armen erbarmt. (32) Der Gottlose wird durch seine Bosheit gestürzt; der Gerechte aber vertraut noch im Tode. (33) Weisheit ruht in einem verständigen Herzen, aber im Innern des Narren wird sie unterdrückt (?). (34) Gerechtigkeit führt ein Volk zur Höhe; die Sünde aber ist der Leute Schmach. (35) Eines Königs Wohlgefallen wendet sich zum verständigen Diener, aber den Schandbaren trifft sein Zorn.*

*V. 1.* Die praktische Tüchtigkeit ist der Segen Gottes für die in der Gottesfurcht gewonnene Weisheit. Wer aber in seiner Narrheit Gott verachtet, dem schwindet der Segen Gottes.

*V. 2.* Der Vers erklärt, worin die Weisheit sich beweist.

*V. 3.* Narrheit und Weisheit lassen sich oft an der Rede erkennen. Wörtlich steht hier: „Stab der Überhebung". Dann hieße es: Der Hochmütige tut mit seiner Rede andern weh, als ob er ihn mit einem Stecken schlage (15, 4; auch 10, 19 f. 32; 11, 9; 12, 18; 15, 28). Durch eine kleine Korrektur lesen wir (mit Ringgren): „Rute des Hochmuts". Der Weise bleibt durch sein behutsames Reden nicht nur selbst bewahrt, sondern hilft auch anderen. Vgl. 12, 6. 18!

*V. 4.* Weil der Arme kein Vieh hat, braucht er auch kein Futter. Aber ein gesunder Stier bringt Gewinn und Einnahme. Vgl. 10, 15; aber auch 10, 22!

*V. 5.* Falsche Zeugen scheinen eine besonders große Not gewesen zu sein. Dieser soll hier gesteuert werden. Lies V. 25; 12, 17; 19, 5. 9. 28; 21, 28! Vgl. auch Ps. 27, 12; Matth. 26, 59 ff.!

*V. 6.* Weil der Spötter unaufrichtig ist, hat er kein Organ für die Weisheit Gottes.

*V. 7.* Vgl. 13, 22 und das dort Gesagte!

*V. 8.* Der Kluge überlegt Mittel und Wege und kennt sein Ziel. Der Narr handelt aus dem Augenblick, aus Laune und Begierde heraus und täuscht sich selbst über seine Mittel.

*V. 9.* Während sonst der Kultus des Alten Testaments in den Sprüchen nicht erwähnt wird, scheint hier vom Schuldopfer die Rede zu sein (3. Mose 5, 15; 7, 1 ff.). Das Wort kann allerdings auch „Schuld" heißen. Der Leichtfertige macht sich daraus nicht viel. Die Aufrichtigen aber suchen Schuld zu vermeiden und leben daher in Frieden mit den andern.

*V. 10.* In der Tiefe des Leides und der Freude bleibt der Mensch einsam. Keine menschliche Gemeinschaft ersetzt daher die Gemeinschaft mit Gott, der bis in unser Innerstes wirkt.

*V. 11.* Vgl. 10, 3. 6 f. 24. 27 f.; 12, 14; 13, 21; 15, 6. 29; 16, 26 f.; 17, 11. 13; auch Gal. 6, 7 f.!

*V. 12.* Falscher Optimismus in der Selbsteinschätzung führt zur Katastrophe.

*V. 13.* Für diesen Vers ist keine Parallele im Alten Testament zu finden. Es geht hier um eine feine psychologische Beobachtung – ähnlich wie in V. 10. Den heimlichen Kummer und die Sorge verbirgt der Mensch oft hinter einer fröhlichen Miene. Der echte Trost kann nicht erzwungen werden und ist auch keine Frucht des Temperaments. Nur Gott ist ein Gott alles Trostes. Vgl. 2. Kor. 1, 3 ff.; auch Jes. 66, 13!

*V. 14.* Der Gedanke ist der, daß der Abtrünnige durch eigene Wege seinem Ziel entgegengeführt wird, nämlich dem Gericht. Aber wer Gott wohlgefällig ist, wird seinen Lohn ernten.

*V. 15.* Auch hier muß der Einfältige vom Narren unterschieden werden. Letzterer hat sich gegen Gott gewandt; der Einfältige dagegen ist unreif. Ihm mangelt die Erfahrung. Deshalb ist er Verführungskünsten offen. Er versteht noch nicht, die Folgen seiner Schritte zu ermessen, wie der Weise es tut. Vgl. V. 18; 1, 4. 22. 32!

*V. 16.* Während der Unreife aus Unwissenheit falsche Schritte tut, ist der Narr leichtsinnig, weil er die Furcht Gottes nicht will, die den Weisen schützt.

*V. 17.* Der Intrigant oder Ränkeschmied wird gehaßt. Der Jähzornige dagegen, der zwar zuchtlos ist, aber nicht boshaft zu sein braucht, macht sich lächerlich.

*V. 18.* Wer in der Unreife steckenbleibt, wird in der Torheit enden (V. 15). „Den Klugen krönt man mit Erkenntnis", übersetzt Ringgren.

*V. 19.* Zuletzt werden die „Gerechten" mitherrschen (2. Tim. 2. 12; auch 1. Kor. 6, 2). Die Brüder Josephs wollten das nicht glauben, und wie sie werden sich die Gottfernen immer entrüsten über solch einen Gedanken. Vgl. 1. Mose 37, 6 ff.!

*V. 20.* Wir haben hier wieder eine schlichte Beobachtung aus dem Leben. Reichtum macht Freunde, aber in der Not sind sie leichter als ein Lot. Hiob erfuhr es: 16, 2; 19, 14. Armut macht in der Welt einsam.

*V. 21.* Unter Gottes Volk aber sollte es anders sein. Vgl. Jak. 2, 2 ff.; auch Matth. 11, 5; Luk. 14, 13; 16, 19 ff. und öfter!

*V. 22.* Bosheit führt immer in die Katastrophe. Gnade und Treue stehen öfters beieinander: 2. Mose 34, 6; Ps. 40, 11 f.; 85, 11.

*V. 23.* Daß die Arbeit ihren Ertrag gibt, ist – trotz 1. Mose 3, 18 – ein Gesetz Gottes in seiner Schöpfung (5. Mose 24, 14 f.; 1. Kor. 9, 7. 10; 1. Tim. 5, 18; Jak. 5, 4). Wo aber leeres Stroh gedroschen wird, finden sich keine Körner.

*V. 24.* Der Weise weiß auch seinen Besitz in Weisheit zu verwalten und wird darin seine Würde finden. Nur dem Narren, das heißt dem Gottlosen, wird sein Besitz zum Mammon: Matth. 6, 19 f. 24; Luk. 12, 16–21; 16, 19–31 und öfter.

*V. 25.* Die Wahrheit macht immer frei (Joh. 8, 32). Sie dient auch den anderen. Über die falschen Zeugen siehe V. 5! „Lügen atmen" – das weist auf volle Verlogenheit.

*V. 26.* Die Furcht Gottes birgt sich in Gott. Sicherheit gilt als das Kennzeichen der Heilszeit: 5. Mose 12, 10; 33, 28; Jes. 32, 18; Jer. 23, 6; 33, 16; Hes. 28, 26; Sach. 14, 11. Israel hat in seiner Geschichte die Not der Unsicherheit im nationalen wie im privaten Leben reichlich ausgekostet. Der Segen des Vaters bleibt den Kindern.

*V. 27.* Noch ein Wort von der Gottesfurcht (vgl. 13, 14). Der Gottesfürchtige lebt in den Bahnen des Willens Gottes. Dieser ist die Quelle des Lebens (Ps. 36, 10). Wo anders sollten wir die Todesmächte überwinden als beim Schöpfer des Lebens!

*V. 28.* Auch hier ist wieder eine nüchterne Beobachtung wiedergegeben. Die Volkszahl entscheidet über die Menge des Fußvolks, aber auch über die Größe der Einnahmen des Königs. Schwindet das Volk, so schwindet mit ihm die Königsmacht.

*V. 29.* Die Geduld gilt als wesentliche Eigenschaft des Weisen: 15, 18; 16, 32; 19, 11; 25, 15. Die Geduld gehört auch zu Gottes Art: 2. Mose 34, 6; Neh. 9, 17; Ps. 103, 8; Jona 4, 2.

*V. 30.* Die Gelassenheit haben die pietistischen Väter als das sonderliche Kennzeichen des zum Frieden Gekommenen angesehen. Aus ihr wächst die Geduld (V. 29). Mit ihr würde auch der moderne Mensch viel Kräfte der Gesundheit sparen. Die Unbeherrschtheit aber ist wie ein Wurm, der an der Lebenswurzel frißt.

*V. 31.* Über den Unterschied von Armen und Reichen sprechen die Sprüche oft, doch meist nur mit einer objektiven Feststellung: V. 4. 20; 10, 15; 13, 7. 8. 11. 23; 18, 11. 16. 23; 19, 4. 7; 22, 2. 7. Doch gibt es auch eine Reihe Sprüche, die die Verantwortung des Besitzenden betonen, wie hier. Vgl. 11, 24 ff.; 12, 11; 15, 16; 17, 5; 19, 1. 17; 21, 13 und öfter!

Gott selbst ist der Schirm des Armen (Ps. 9, 10; 22, 25; 69, 34; 82, 3). Er wird geehrt durch den Opfersinn des Besitzenden: Matth. 25, 35–40; Luk. 4, 18; 6, 20.

*V. 32.* Daß die Bosheit sich selber rächt, ist die grundlegende Erkenntnis der Spruchweisheit. Ihr Untergang wird einerseits ihr selbst zugeschrieben, andererseits der göttlichen Vergeltung. Daß der Gerechte noch im Tode vertraut, ist für das Alte Testament überraschend. Darum versuchen die Ausleger hier eine Korrektur. Wir halten es aber für unrichtig, die Erkenntnis der Frommen im Alten Testament zu normieren, und für wahrscheinlich, daß je und dann eine höhere Erkenntnis durchblitzt. Vgl. etwa Ps. 49, 16; 73, 24; in den Sprüchen 4, 18; 11, 7; 12, 28; 15, 24! Dazu auch Hiobs Wort: 19, 25–27. Es wäre nicht gerecht, alle diese Aussagen wegzuexegesieren, so wenig man daraus ein System der Ewigkeitshoffnung konstruieren dürfte.

*V. 33.* Vgl. 10, 14; 13, 16; 15, 2! Im Sinne dieser Verse wird auch der vorliegende zu verstehen sein. Der Weise bewahrt seine Weisheit, ohne sie überall an den Mann zu bringen. Aber was der Narr an sogenannter Weisheit hat, das sprudelt er heraus.

*V. 34.* Vgl. 11, 11; unser Wort war das Lieblingswort Adolf Stoekkers und die Parole der christlich-sozialen Bewegung. Sünde ist keine Privatangelegenheit, sondern eine Schande für alle. Dagegen kommt eine gerechte Haltung dem ganzen Volk zugute. Deshalb hat ein Volk zu kämpfen um Gerechtigkeit im öffentlichen Leben.

*V. 35.* Vgl. V. 28 und auch Ps. 101, 4. 6!

## Kap. 15

*(1) Eine zarte Antwort wendet den Groll; ein bitteres Wort aber weckt den Zorn. (2) Die Zunge der Weisen bessert die Erkenntnis; der Mund aber der Narren sprudelt Narrheit hervor. (3) Die Augen Jahves sind an jedem Ort, sie beobachten die Bösen und die Guten. (4) Lindigkeit der Zunge ist ein Baum des Lebens; ihre Verdrehtheit aber ist eine Zerstörung im Geist. (5) Ein Dummkopf verachtet die Zucht seines Vaters; wer aber die Zurechtweisung beachtet, beweist seine Klugheit. (6) Das Haus eines Gerechten ist ein großer Schatz, aber im Gewinn des Gottlosen steckt Zerrüttung. (7) Die Lippen der Gerechten säen Erkenntnis; das Herz aber der Toren steht falsch. (8) Das Opfer Gottloser ist für Jahve ein Greuel; das Gebet Redlicher aber gefällt ihm wohl. (9) Der Weg eines Gottlosen ist für Jahve ein Greuel; er liebt aber den, der der Gerechtigkeit nach-*

*jagt. (10) Wer den rechten Pfad verläßt, den trifft arge Züchtigung; wer die Zurechtweisung haßt, der stürzt. (11) Totenreich und Unterwelt liegen vor Jahve — wieviel mehr die Herzen der Menschenkinder! (12) Der Spötter liebt es nicht, zurechtgewiesen zu werden; darum geht er nicht zu den Weisen. (13) Ein fröhliches Herz macht ein freundliches Gesicht; bei betrübtem Herzen aber ist der Geist bekümmert. (14) Das Herz eines Verständigen sucht Erkenntnis, aber der Mund der Toren liebt Narrheit. (15) Alle Tage der Elenden sind böse, aber ein wohlgemutes Herz hat alle Tage Festmahl. (16) Besser ein wenig in der Furcht Gottes als großer Reichtum, in dem Unruhe ist. (17) Besser eine Portion Gemüse, in dem Liebe ist, als ein gemästeter Ochse — und es ist Haß dabei. (18) Ein jähzorniger Mann erregt Streit, aber Langmut stillt den Streit. (19) Der Weg eines Faulen gleicht einer Dornenhecke; der Pfad Redlicher aber ist gebahnt. (20) Ein weiser Sohn erfreut den Vater; ein törichter Mann aber verachtet seine Mutter. (21) Für den, der keinen Verstand hat, ist Dummheit Freude; ein einsichtiger Mann aber geht den geraden Weg. (22) Ohne Beratung scheitern Pläne; aber wenn viele Ratgeber da sind, kommen sie zustande. (23) Es ist einem Manne eine Freude, eine rechte Antwort zu geben — denn wie gut ist ein Wort zur rechten Zeit! (24) Für den Verständigen geht der Lebenspfad aufwärts, um dem Totenreich in der Tiefe fernzubleiben. (25) Das Haus der Stolzen wird Jahve einreißen, aber die Grenze der Witwe setzt er fest. (26) Die Anschläge der Bosheit sind für Jahve ein Greuel, aber freundliche Reden sind rein. (27) Wer unrechten Gewinn erwirbt, bringt sein Haus ins Unglück; wer aber Bestechung haßt, wird leben. (28) Das Herz eines Gerechten sinnt nach, um zu antworten; aber der Mund Gottloser sprudelt Bosheit hinaus. (29) Jahve ist den Gottlosen ferne; ein Gebet der Gerechten aber hört er gern. (30) Ein leuchtender Blick erfreut das Herz, und eine gute Nachricht stärkt das Gebein. (31) Ein Ohr, das Zurechtweisung hört, die zum Leben führt, wird inmitten der Weisen weilen. (32) Wer die Zucht verwirft, verachtet sich selbst; wer aber auf eine Zurechtweisung hört, erwirbt Verstand. (33) Die Furcht Jahves ist Zucht zur Weisheit, und ehe man geehrt wird, wird man gedemütigt.*

*V. 1.* Die Weisheit weiß von der Macht des Wortes im Guten wie im Bösen.

*V. 2.* Das Wort bestätigt den vorhergehenden Vers.

*V. 3.* Vgl. 2. Chron. 16, 9; Ps. 139, 1 ff.; Hebr. 4, 13! Meist reden die Sprüche über den Alltag und das Verhalten des Menschen in ihm. Die Aussagen über Gottes Verhalten und Handeln sind verhältnismäßig selten. Doch weiß die Weisheit, daß hinter allem Gott selber steht, der die Quelle aller Weisheit ist. Das wird in Kapitel 1—9 deutlich. Im übrigen aber „predigen" die Sprüche nicht, sondern beobachten das Leben mit gottesfürchtigen Augen. Wenige Sentenzen gehen darüber hinaus wie etwa dieser Vers. Vgl. aber auch 11, 1; 16, 1—9. 33; 17, 3. 15; 18, 10; 20, 22. 24; 21, 2; 22, 2. 14. 19; 25, 2. 22; 28, 5. 25; 29, 13. 25 f.! Doch auch diese Worte bleiben in einer alltäglichen, etwas hausbackenen Frömmigkeit. Gottvertrauen, Scheu vor seinem Gericht, das Wissen um seine Bewahrung und Leitung — es liegt den Sprüchen nicht an der Verkündigung einer Heilsbotschaft, sondern an der Empfehlung eines Lebens unter Gottes Augen und in seiner Furcht.

*V. 4.* Der Vers sagt mit andern Worten das gleiche wie V. 1. Zum Bilde vom Baum des Lebens vgl. 3, 18; 11, 30; 13, 12; 15, 5!

*V. 5.* Daß die Narren jede Zucht zur Weisheit verachten, sagten schon die einleitenden Kapitel. Rechte Weisheit läßt sich zurechtweisen und erziehen: Jak. 3, 17; auch Spr. 10, 8; 12, 1; 13, 1; 16, 16 und öfter.

*V. 6.* Wo das Heil und der Segen Gottes fehlt, da fehlt das Beste. Vgl. Luk. 19, 9!

*V. 7.* Wer Gerechtigkeit kennt und selbst durch sie weise wurde, dessen Reden sind wie eine gute Aussaat. Wer sich aber der göttlichen Weisheit verschließt, hat nicht die rechte Lebensrichtung. Wie sollte er rechte Erkenntnis verbreiten? Vgl. Matth. 15, 14; Röm. 2, 19—24!

*V. 8.* Man könnte an Kain und Abel erinnern (1. Mose 4, 4; Hebr. 11, 4). Lies aber auch Matth. 5, 23 f.!

*V. 9.* Vgl. Ps. 1, 6; Matth. 6, 33!

*V. 10.* Der Spruch will eine Erfahrungstatsache aussprechen, die nicht dogmatisiert werden darf. Ähnlich Ps. 37, 35 f.

*V. 11.* Wenn Jahve das verborgene Reich des Todes und der Schatten sieht (Ps. 139, 8), wieviel mehr die Gedanken und Ratschläge des Menschenherzens: 5. Mose 31, 21; 1. Sam. 16, 7; Ps. 94, 11; 139, 2; Jes. 66, 18!

*V. 12.* Der Spötter ist der Lästerer und insofern die böseste Form des Narren (1, 22; 13, 1. 15; 14, 6; 19, 25. 29; 21, 24; 22, 10; auch Ps. 1, 1; 2. Petr. 3, 3). Wer keine Zurechtweisung und keine Weisheit sucht, der zeigt, daß sein kindischer Stolz oder seine Selbstgerechtigkeit ihm den Weg zu einem Leben mit Gott versperrt.

*V. 13.* Auch dieser Vers zeigt eine gewisse psychologische Beobachtung.

*V. 14.* Vgl. V. 12 und Parallelen!

*V. 15.* Der Elende ist hier der Arme und Notleidende. Wird ihm die Not genommen, so wird das Herz fröhlich, und jeder Tag scheint ein Festtag zu sein. Meist lernen wir dieses erst, wenn uns jenes widerfuhr.

*V. 16.* Wer aus Gott lebt, ist genügsam und mit wenigem zufrieden. Der Besitz des Reichen aber treibt ihn mehr in Unruhe als den, der wenig zu verlieren hat.

*V. 17.* Ein Beispiel, das den vorherigen Vers bestätigt. Die Liebe, mit der wir bewirtet werden, läßt auch ein karges Mahl wohlschmeckend sein. Aber ein großartiges Mahl, hinter dem Mißgunst und Lieblosigkeit stekken, ist wenig bekömmlich.

*V. 18.* Vgl. 14, 17. 29 und das dort Gesagte, auch 16, 32 und 19, 11! Jakobus (1, 20) weiß, daß menschlicher Zorn nie tut, was Gott gefällt.

*V. 19.* Über die Faulheit reden die Sprüche oft (6, 6–10; 10, 4 f. 26; 12, 24. 27; 13, 4 und öfter). Der Faule macht sich das Leben selbst sauer.

*V. 20.* Wo die Kinder in Gottesfurcht wandeln, wird das ganze Familienleben gesegnet. Ehrfurcht vor den Eltern war schon vom Gesetz geboten: 2. Mose 20, 12; 21, 15. 17; 5. Mose 27, 16; auch Matth. 15, 5 f.; Eph. 6, 1 ff. Darüber sprechen auch die Sprüche viel: 1, 8; 10, 1; 17, 6. 25; 19, 13. 26; 20, 20; 23, 25 und öfter.

*V. 21.* Die Dummheit paßt zum Sünder. Letztlich ist jede Sünde dumm. Wer sie als solche nicht erkennt, hat Lust an ihr. Er geht krumme Wege. Wer aber von Gott Einsicht bekam, wird alles vermeiden, was gegen das Gewissen ist.

*V. 22.* Die rechte Weisheit läßt sich raten und sucht die Gemeinschaft der Urteilsfähigen. Eitelkeit, Wichtigtuerei und Trotz verhindern nur zu oft diesen Weg. Pharao und Nebukadnezar taten recht, Josephs und Daniels Ratschläge ernst zu nehmen. Vgl. auch Ps. 119, 24!

*V. 23.* Der Vers gehört dem Sinne nach zum vorhergehenden. Es ist nicht nur wichtig, sich Rat zu holen, sondern auch eine Freude, guten Rat zu geben. Man lese dazu die Briefe des Paulus an die Gemeinden! Sie sind voll rechter Worte zur rechten Zeit.

*V. 24.* Das Wort spricht offenbar vom langen Leben, das dem Weisen verheißen ist: 10, 27; 11, 19; 12, 28 und öfter. Im Neuen Testament geht die Hoffnung über das irdische Leben hinaus, z. B. 1. Petr. 1, 3 ff.

*V. 25.* Der Hochmut scheitert an Gottes Widerstand: Matth. 23, 12;

1. Petr. 5, 5; Jak. 4, 6 und öfter. Man lese auch in unsern Sprüchen: 11, 2; 12, 9; 13, 10; 16, 5; 17, 19; 18, 12 und öfter.

*V. 26.* Böse Anschläge sind das Gegenteil von der Güte, die freundlich redet.

*V. 27.* Gottes Langmut ist zwar groß, aber er verzichtet nicht auf das Gericht. Vgl. 10, 2. 25. 30; 11, 3 f.; 12, 2 f.; 13, 5 f. 9. 21; 14, 22; 16, 26; 17, 11 und öfter!

*V. 28.* Wahre Weisheit macht bescheiden und gründlich, Gottesferne aber selbstsicher und dadurch vorschnell. Vgl. auch 10, 19 ff.; 12, 14. 18; 13, 3; 14, 23; 15, 1 f.; 16, 23 f. und öfter!

*V. 29.* Vgl. das zu V. 3 Gesagte! Das erhörliche Gebet hat die rechte Stellung zu Gott zur Voraussetzung. Wie oft vergessen wir das!

*V. 30.* Vgl. 25, 25 und auch 16, 15! Es braucht nicht viel, um dem Nächsten wohlzutun. Daß die Freude auch leiblich stärkt, weiß die moderne Medizin. Vgl. 3, 8 und 4, 22!

*V. 31.* Zuhören ist eine Kunst, die wenige lernen.

*V. 32.* Zum Zuhören gehört auch, daß wir uns die Zurechtweisung gefallen lassen. Das ist ein Hauptsatz der Weisheit. Vgl. V. 10!

*V. 33.* Ehe wir nicht vor Gott gedemütigt sind, können wir weder die Weisheit fassen noch Ehre vertragen.

## Kap. 16

*(1) Zum Menschen gehört die Ordnung des Herzens* [oder: des Denkens]; *von Jahve aber kommt die Antwort der Zunge. (2) Die Wege eines Menschen sind in seinen eigenen Augen rein, aber Jahve wägt die Geister. (3) Wälze deine Werke auf Jahve, so werden deine Pläne erfüllt werden. (4) Alles Werk Jahves hat seinen Zweck – sogar der Gottlose für den Tag des Unheils. (5) Jeder Hochmütige ist für Jahve ein Greuel. Die Hand darauf, daß er nicht ungestraft bleibt! (6) Durch Güte und Treue wird Schuld gesühnt, und durch die Furcht Jahves entgeht man dem Unheil. (7) Wenn Jahve an den Wegen eines Mannes Gefallen hat, so macht er, daß auch seine Feinde Frieden halten mit ihm. (8) Besser ein wenig in Gerechtigkeit als viel Gewinn mit Unrecht. (9) Der Menschenverstand plant seinen Weg, aber Jahve richtet seinen Schritt aus. (10) Die Entscheidung ist auf den Lippen des Königs, beim Rechtsspruch trügt sein Mund nicht. (11) Rechte Waage und Waagschalen kommen von Jahve, sein Werk sind die Gewichte des Beutels. (12)*

*Gottlose Werke sind den Königen ein Greuel, denn ein Thron steht fest durch Gerechtigkeit. (13) Lippen der Gerechtigkeit gefallen den Königen, und sie lieben den, der Redliches aussagt. (14) Der Zorn des Königs ist ein Todesbote, aber ein weiser Mann versöhnt ihn. (15) Im leuchtenden Antlitz des Königs ist Leben, und sein Wohlgefallen ist gleich einer Wolke des Spätregens. (16) Um wieviel besser ist der Erwerb von Weisheit als der von Gold und der Erwerb von Erkenntnis wertvoller als Silber! (17) Der Weg der Redlichen ist, das Böse zu meiden; wer auf seinen Weg achtet, bewahrt seine Seele. (18) Vor dem Zusammenbruch ist Stolz und vor dem Sturz — Hochmut. (19) Besser mit den Elenden niedrigen Geistes sein als mit den Stolzen Anteil an der Beute haben. (20) Wer auf das Wort (Gottes) achthat, wird das Gute finden, und selig ist, wer auf Jahve vertraut. (21) Wer weisen Herzens ist, wird ein Verständiger genannt. Aber Anmut der Rede mehrt (noch) die Erkenntnis. (22) Der Verstand ist seinem Besitzer ein Lebensquell, aber die Züchtigung der Narren ist Narrheit. (23) Der Verstand des Weisen macht seinen Mund klug und mehrt die Belehrung auf seinen Lippen. (24) Freundliche Worte gleichen dem Honigseim — süß der Seele und heilsam dem Gebein. (25) Manch ein Weg scheint dem Manne gerade, aber hernach sind es Todeswege. (26) Der Hunger des Arbeiters arbeitet für ihn, denn sein Mund treibt ihn (zur Arbeit) an. (27) Ein boshafter Mann gräbt Unheil, und auf seinen Lippen ist sengendes Feuer. (28) Ein ränkevoller Mann erregt Streit, und ein Ohrenbläser zertrennt Freunde. (29) Ein gewalttätiger Mann verführt seinen Nächsten und läßt ihn ungute Wege gehen. (30) Wer die Augen zukneift, um Ränke zu ersinnen, wer die Lippen zusammenpreßt, hat (schon) Böses vollbracht. (31) Graues Haar ist eine schöne Krone; man findet sie auf dem Weg der Gerechtigkeit. (32) Der Langmütige ist besser als ein Starker, und wer seinen Geist beherrscht — als ein steter Eroberer. (33) Man schüttelt das Los im Bausch (des Gewandes), aber seine Entscheidung kommt von Jahve.*

*V. 1.* Hier steht ein „hapax legomenon“, ein Wort, das nur einmal in der Bibel zu lesen ist. Strack übersetzt: „Entwürfe“, Ringgren: „Überlegungen“. Der Gedanke ist von Luther frei, aber entsprechend wiedergegeben. Menschliche Vorsätze sind noch nicht reif, ausgesprochen zu werden. Wohl uns, wenn unsere Rede unter Gottes Einfluß steht!

*V. 2.* Der Mensch ist nicht „autonom“, das heißt: Er kann sich selbst nicht Maßstab und Gesetz sein, denn er steht unter dem richtenden Urteil Gottes.

*V. 3.* Vgl. Ps. 37, 5! Der Grundtext drückt es plastischer aus als unsere übliche Übersetzung: Wälze dein Werk wie eine Last auf Jahve! Es liegt an Gott, ob unsere Pläne verworfen werden oder gelingen. Sind wir geübt, nach Gottes Willen zu fragen, so werden unsere Anschläge mit seinen Absichten übereinstimmen.

*V. 4.* Gottes Handeln ist nie ziellos oder zufällig. Auch der, der ihm widerspricht, wird – ohne daß er's weiß – ein Werkzeug in Gottes Hand. Vgl. Jes. 10, 5 ff.! Auch Josephs Brüder mußten in all ihrem Haß zur Ausführung von Gottes Heilsplänen mithelfen (1. Mose 50, 20). Die Bibel ist voll von solchen Beispielen – bis hin zu Jesu Passion. Doch ist der Gottlose dadurch nicht entlastet.

*V. 5.* Vgl. 15, 25! „Ihr werdet sein wie Gott" lautete der Lockruf des Versuchers (1. Mose 3, 5). Jeder Hoffärtige ist auf diese Verlockung hineingefallen.

*V. 6.* Das gilt vom Verhältnis von Mensch zu Mensch. Der schuldig Gewordene soll durch Güte und Treue den Schaden gutzumachen suchen. Wer aber in der Furcht Gottes wandelt, bleibt vor Verschuldung eher bewahrt als der Gottlose.

*V. 7.* Eine wichtige Erfahrung: In der Weisheit Gottes werden seine Leute zu Friedensstiftern. Vgl. Matth. 5, 9; Röm. 12, 18; Hebr. 12, 14. Gott öffnet uns viele Möglichkeiten zum Frieden mit den andern.

*V. 8.* Vgl. 15, 16; Ps. 37, 16! Im Neuen Testament ist diese Haltung noch vertieft: 2. Kor. 6, 10.

*V. 9.* Das Wort ergänzt V. 2 und 3. Der Führungsglaube hat nur da sein volles Recht, wo der Mensch mit Gott versöhnt ist und nicht mehr mit ihm hadert.

Diese neun Verse unseres Kapitels stehen im deutlichen Zusammenhang. Das ist sonst im Spruchbuch selten der Fall. – In den folgenden Versen dagegen herrschen die Aussagen über den König vor. Dabei muß bedacht werden, daß der König in Israel der von Gott zugelassene Vertreter Gottes ist (1. Sam. 8, 7 ff. 22; 9, 19 ff.; 10, 1–16). Geschah Sauls Wahl durch Gottes Zulassung, so war es anders bei David (1. Sam. 13, 14; 16, 1–13). Von David an entsteht am Königtum in Zion die Hoffnung auf den messianischen König, in dem Jahves Theokratie (Gottesherrschaft) seine Erfüllung finden wird. So werden alle Aussagen über den König doppelsinnig. Sie sprechen zur Zeitgeschichte und weisen zugleich über sie hinaus. Man lese z. B. 2. Sam. 7, 12; Ps. 2; 72; 110 und manch eine prophetische Weissagung! Der König nahm eine Mittlerstellung zwischen Gott und dem Volk ein. Einerseits war er der Wahrer des göttlichen Rechts (1. Sam. 8, 20; 1. Kön. 3, 9), andererseits steht das Heil des Volkes im Heil des Königs. Daher wird in den Psalmen so oft des Königs oder des Gesalbten fürbittend gedacht (Ps. 18, 51; 20, 10; 21, 8; 61, 7; 84, 10). Darum gilt das Wort: Was der König sagt, ist Gottes Wille (das gilt natürlich nicht von den sogenannten schlechten Königen, die als solche in den Geschichtsbüchern bezeichnet sind). Des Volkes Schicksal hängt an seines Königs Geschick.

*V. 10.* „Entscheidung" – hier steht ein Audsruck, der in 5. Mose 18, 10 für heidnische Wahrsagerei gebraucht ist (ebenso Jer. 14, 14; Hes. 13, 6). Ringgren übersetzt: „Gottesurteil", Strack: „Orakelspruch". Auf jeden Fall ist eine autoritäre Entscheidung oder Aussage gemeint. Auch der Richterspruch des Königs ist endgültig – die höchste irdische Instanz. Vgl. dazu 2. Sam. 14, 17. 20; auch 23, 2!

*V. 11.* Der Spruch nennt zwar den König nicht, steht aber in deutlicher Beziehung zu ihm, da der König Gottes Recht als irdischer Richter verwaltet. Siehe auch 29, 4!

*V. 12.* Der König selbst ist an die Gerechtigkeit gebunden. Ohne sie wird seine Macht fraglich. Das vergaß ein autonomer Diktator. Nur durch Gerechtigkeit wird des Königs Thron erhalten. Könige, die das vergessen, fallen selbst unter das Gericht (Apg. 12, 22).

*V. 13.* Des Königs Gericht ist nicht nur die Abwehr des Bösen, sondern auch die Stärkung des Guten. Vgl. 20, 28; Ps. 10, 16!

*V. 14.* Wo Redlichkeit und Gerechtigkeit verletzt werden, wirkt des Königs Zorn. Auch darin gilt Jahves Vorbild. Weisheit ist Gottesfurcht. Sie stillt den Zorn.

*V. 15.* Der freundliche Blick des Königs zeigt seine Huld. Sie ist so wohltuend wie der Spätregen, von dem die Ernte abhängt. Christian Gregor, der Liederdichter der Brüdergemeine, singt: „Dein Gnadenanblick macht uns so selig."

*V. 16.* Nun beginnt eine Reihe von Aussagen über die Weisheit. Ihr Wert wird in den Sprüchen immer neu betont: 8, 10f.; auch 3, 14; vgl. Hiob 28, 15–19!

*V. 17.* Die biblische Weisheit darf nie intellektualistisch verstanden werden. Sie ist stets sittlich zu verstehen.

*V. 18.* Hochmut kommt vor dem Fall (V. 5; 11, 2; 15, 25; 17, 19; 18, 12; 29, 23). Der Hochmut ist stets ein Griff nach Gottes Ehre und gehört zur Ursünde des Menschen.

*V. 19.* Darum schreibt auch Paulus: „Haltet euch herunter zu den Niedrigen!" (Röm. 12, 16.) Vgl. auch Matth. 5, 5; bes. 11, 29!

*V. 20.* Es ist nicht wichtig, ob hier das geschriebene Wort gemeint ist (2. Mose 24, 4. 7; Ps. 40, 8; Jes. 34, 16) oder die gesprochene Rede der Weisheitslehrer (Dan. 12, 3), die ihnen von Gott auf die Lippen gelegt ist. Vgl. Luk. 11, 28; Röm. 10, 17; auch Ps. 2, 12; 34, 9; 84, 13; Jes. 30, 18!

*V. 21.* Die Weisheit ist als solche schon begehrenswert, doch sollte sie in der rechten Form weitergesagt werden. „Es kommt nicht nur auf das Was, sondern auch auf das Wie an", schreibt Strack (353).

*V. 22.* Auch dieser Vers preist den Vorzug der Einsicht oder des Verstandes. Der Weise ist besser dran als der Narr, dessen Narrheit eine Strafe ist.

*V. 23.* Ähnlich wie V. 21 betont dieser Vers, daß die rechte Weisheit auch das Reden und die Aussagen der Weisen formt.

*V. 24.* Solche Worte, die nach Inhalt und Form weise sind, tun der Seele und dem Leibe wohl. Zum letzteren vgl. 15, 30!

*V. 25.* Vgl. 14, 12!

*V. 26.* Der Ausdruck „Seele" wird oft auch für Gier, Verlangen, hier: Hunger gebraucht. Der Hunger „arbeitet" für den Arbeiter (so wörtlich). Weil sein Mund nach Brot verlangt, ist der Hunger das Motiv der Arbeit.

*V. 27.* Dieses nicht ganz durchsichtige Bild könnte im Sinne von 26, 27 verstanden werden. Dann handelt es sich um eine Fanggrube, eigentlich eine Falle für den Tierfang (vgl. etwa Ps. 7, 16; Jer. 18, 22). Strack versteht das Graben im Sinne von Pflügen. Dann erinnert das Wort an die böse Saat aus Matth. 13, 25. Der Frevler wird hier Belial genannt (vgl. 2. Kor. 6, 15), ein Ausdruck für einen bösen Geist. Daß Lügen oder Haßworte Feuer entzünden, weiß auch Jakobus: 3, 5 f.

*V. 28.* Der Vers bringt Beispiele für die Richtigkeit des Vorhergehenden.

*V. 29.* Man denke an 1, 10–19! Der mit Gewalt und Terror Drohende hat Verführungskraft für viele, die sich von ihm imponieren lassen.

*V. 30.* Ob mit Gewalt oder mit Tücke – die Wirkung ist die gleiche. Wer sich auf den Gesichtsausdruck versteht, wird sich vor solchen Leuten hüten.

Die Verse 27–30 haben demnach wieder ein gemeinsames Thema: die Warnung vor den frevelhaften Leuten.

*V. 31.* Vgl. 20, 29! Strack übersetzt: „Ein herrliches Diadem ist Greisenhaar." Im Alten Testament gilt ein langes Leben als besonderes Gottesgeschenk. Vgl. 3, 2; 10, 27; 11, 19; 13, 14; 28, 16; auch 4, 4; 8, 35;

12, 28! Das graue Haar ist ein Zeichen solchen Segens Gottes. Auch sonst sind die grauen Haare in der Bibel Ausdruck für hohes Alter (1. Mose 42, 38; 44, 29; 3. Mose 19, 32; Ps. 71, 18).

*V. 32.* Das ist das klassische biblische Lob für die Geduld. Vgl. 14, 17. 29; 15, 18; 19, 11; 25, 15! Im Neuen Testament: Luk. 8, 15; 21, 19; Röm. 2, 7; 5, 3; 8, 25; 12, 12; 15, 4; 2. Kor. 1, 6; 6, 4; Gal. 5, 22; Eph. 4, 2; Kol. 1, 11; 3, 12; 1. Thess. 1, 3; 5, 14; 2. Thess. 3, 5; 1. Tim. 6, 11; 2. Petr. 1, 6; Hebr. 6, 12; 10, 36; 12, 1; Jak. 1, 3 f.; 5, 7. 10; Offb. 2, 2; 3, 10; 13, 10; 14, 12. Diese lange Reihe ist nicht verwunderlich, wenn wir daran denken, daß Geduld und Langmut in das Grundbekenntnis zu Jahve gehören: 2. Mose 34, 6; Neh. 9, 17; Ps. 86, 15; 103, 8; 145, 8; Joel 2, 13; Jona 4, 2. Geduld aber braucht Kraft und Mut und erreicht mehr als diese beiden Eigenschaften ohne sie.

*V. 33.* Das Los wurde in Israel oft als Gottesorakel gebraucht, vor allem bei der Verteilung des Landes (4. Mose 26, 55; 33, 54; Jos. 14, 2), aber auch im Opferkult (3. Mose 16, 8 ff.). Ps. 16, 6 zeigt unter dem Bild des Loses das von Gott bereitete Geschick. Im Neuen Testament ist außer Matth. 27, 35, wo die heidnischen Legionäre das Los werfen, dies nur in Apg. 1, 26 berichtet. Nach der Ausgießung des Geistes bedurfte die Gemeinde des Loses nicht mehr. In den Bausch des faltigen Obergewandes wurden die Lose geworfen und in ihm geschüttelt. Vgl. auch 18, 18!

## Kap. 17

*(1) Besser ein trockener Bissen und dabei Sorglosigkeit – als ein Haus voll Opferfleisch mit Streit. (2) Ein kluger Knecht wird über einen schändlichen Sohn herrschen und inmitten der Brüder am Erbe teilhaben. (3) Für das Silber der Tiegel und für das Gold der Schmelzofen – aber die Herzen prüft Jahve. (4) Der Frevler achtet auf böswillige Lippen, und die Lüge horcht auf die verderbliche Zunge. (5) Wer den Armen verspottet, schmäht seinen Schöpfer; wer sich des Unglücks freut, bleibt nicht unbestraft. (6) Eine Krone der Alten sind Kindeskinder, und der Schmuck für die Söhne sind ihre Väter. (7) Einem Narren geziemt keine anspruchsvolle Rede – viel weniger einem Fürsten eine trügerische Lippe. (8) Ein Bestechungsgeschenk ist im Auge des Empfängers ein Edelstein; wohin er sich wendet, da gelingt es ihm. (9) Wer nach Liebe trachtet, deckt Unrecht zu; wer es aber ausbreitet, der trennt Freunde. (10) Scheltrede macht dem Einsichtigen mehr Eindruck als hundert Schläge dem Narren. (11) Nur nach Auflehnung trachtet der Böse-*

*wicht, aber es wird ihm ein grausamer Bote entgegengesandt. (12) Lieber einer Bärin begegnen, der man die Kinder raubte, als einem Narren in seiner Dummheit. (13) Wer Gutes mit Bösem vergilt, von dessen Hause wird das Unheil nicht weichen. (14) Wie man Wasser überlaufen läßt, so ist der Anfang des Streits. Darum höre auf, ehe sich der Zank ereifert! (15) Wer den Gottlosen gerechtspricht und den Gerechten für gottlos erklärt — das ist beides ein Greuel für Jahve. (16) Warum denn einen Kaufpreis in die Hand des Narren, um dort Weisheit zu kaufen, wo kein Verstand ist? (17) Der Freund liebt allezeit, und ein Bruder wird für die Not geboren. (18) Ein unverständiger Mensch ist, wer Handschlag gibt, wer Bürgschaft übernimmt bei seinem Nächsten. (19) Unrecht liebt, wer Zank liebt; wer seine Tür hoch baut, sucht den Einsturz. (20) Ein verkehrtes Herz findet kein Glück, und wer sich mit seiner Zunge windet, fällt ins Unheil. (21) Wer einen Toren zeugt, dem wird er zum Gram, und keine Freude hat der Vater des Narren. (22) Ein fröhliches Herz hilft zur Genesung, aber ein niedergeschlagener Geist dörrt das Gebein aus. (23) Der Gottlose nimmt die Bestechungsgabe aus dem Busen an, um die Pfade des Rechts zu beugen. (24) Der Verständige hat Weisheit im Auge, aber die Augen des Narren schweifen bis ans Ende der Erde. (25) Ein Narr ist für seinen Vater ein Kummer und Bitterkeit für seine Mutter. (26) Dem Gerechten ist schon eine Geldstrafe aufzulegen nicht recht; Edle mit Schlägen zu strafen, ist (auch) nicht recht. (27) Wer seine Worte spart, ist kenntnisreich, und ein einsichtiger Mensch ist kühlen Geistes. (28) Auch ein Narr kann weise scheinen, wenn er schweigt; wer seine Lippen verschließt, ist klug.*

Im Kapitel 17 fehlen die antithetischen Sprichwörter.

*V. 1.* Bei den Dankopfern schloß sich ein Festmahl im Hause an (vgl. 7, 14). Dabei kam es leicht zu Streitigkeiten (20, 1; 23, 9. 35; 31, 4 f.; Jes. 5, 11. 22). Deshalb ist ein trockenes Stück Brot wertvoller als ein reiches Mahl, wenn damit der Friede im Hause erhalten bleibt.

*V. 2.* Wir wissen von Beispielen aus dem Alten Testament, daß der unfreie Knecht durch das Vertrauen seines Herrn eine führende Stellung im Hause gewinnen konnte, z. B. Elieser (1. Mose 15, 2; 24, 2 ff.), auch Joseph in Potiphars Haus (1. Mose 39, 2–6). Ebenso gewann der unfreie Ziba das Vertrauen Davids (2. Sam. 9, 2 ff.). Wo der leibliche Sohn versagt ist, wird der Freigelassene zum Erben. Das hat Israel, Jahves „erstgeborener Sohn", nach der Kreuzigung Jesu erfahren müssen: Sein geistliches Erbe wurde den Fremden zuteil: Jer. 31, 9; Matth. 21, 41; 2. Kor. 6, 18.

*V. 3.* Der Vergleich der Prüfung der Herzen mit dem Schmelzprozeß im Tiegel wird im Alten Testament oft ausgesprochen: Ps. 66, 10; Jes. 1, 22; 48, 10; Jer. 6, 27; 9, 6; Hes. 22, 18 ff.; Sach. 13, 9; Mal. 3, 3; auch 1. Petr. 1, 7. Gott liegt es an einer geheiligten Gemeinde. Daher läutert und prüft er sie strenger als ein Goldschmied das Edelmetall.

*V. 4.* Zungensünden werden von der Weisheit besonders ernst gerügt. Lieblosigkeit und Lüge sind der absolute Gegensatz zur Liebe und Wahrheit Gottes, z. B. 6, 19; 11, 11; 12, 5; 20, 19; 21, 6; auch 5, 7; Ps. 119, 69. 163. Boshafte Reden, Verleumdung und Lüge stecken meist beieinander. Siehe auch 26, 20!

*V. 5.* Mag der Arme wenig Einfluß in der Welt haben, so hat er doch seinen Schutz bei Gott: 10, 15; 13, 7 f. 23; 14, 4. 20; 15, 16; 18, 11. 23; 19, 1. 4. 7. 17. 22; 21, 13.

*V. 6.* Vgl. Ps. 45, 17; 127, 3 ff.; 128, 3! Kindersegen war in Israel hoch geschätzt, zugleich aber auch die Ehrfurcht vor den Eltern durch Gottes Gebot befohlen: 2. Mose 20, 12; 21, 15. 17; 5. Mose 27, 16.

*V. 7.* Der Narr muß gewarnt werden, weil er geneigt ist, viel zu reden. Meist verbindet sich damit ein anspruchsvolles Wesen (12, 23; 13, 16; 15, 2; 29, 11). Von einem angesehenen Manne kann man wahrhaftige Rede verlangen.

*V. 8.* Wieder ein Beispiel dafür, daß die Sprüche oft eine Tatsache aus dem Leben konstatieren, ohne sittliche Maßstäbe anzulegen. Man meint, mit der Bestechung alles zu erreichen, als wäre sie ein Zauberstein oder Amulett. In V. 23 wird die Bestechung als gottlos und frevelhaft gebrandmarkt. Siehe dagegen 21, 14!

*V. 9.* Vgl. 10, 12; 1. Petr. 4, 8! Luther sagt bei der Erklärung des 8. Gebots, wir sollten alles zum Besten kehren. Das ist Dienst der Liebe am Nächsten. Das Klatschmaul zerbricht die Gemeinschaft, die vergebende Liebe schafft und befestigt sie. Vgl. auch 11, 17; 14, 21. 30; 16, 24! Die Liebe hat viele Wege.

*V. 10.* Der Einsichtige läßt sich gern strafen, der Narr dagegen wird sich wider alles sträuben. Vgl. auch 13, 1; 15, 5. 31 ff.!

*V. 11.* Der Narr und Frevler, der nur an Widerstand denkt, wird dem Gericht nicht entgehen. Mag hier an die irdische Gerechtigkeit gedacht sein – zutiefst ist es Gottes Gericht, dem er verfällt. Vgl. 10, 17–24; 13, 21; 14, 11. 14; 15, 26. 29; 16, 27 und öfter!

*V. 12.* Zum Bilde lies Hos. 13, 8! Die reißenden Tiere: Bär, Wolf,

Löwe waren in Palästina nicht unbekannt. Um so eindrucksvoller ist der Vergleich. Gottloses Wesen gefährdet nicht nur den Leib, sondern auch die Seele.

*V. 13.* Undankbarkeit gilt als schwere Verschuldung. Sie wird von Paulus unter die Eigenschaften des antichristlichen Abfalls neben Lästerung, Unkeuschheit und Verrat aufgezählt (2. Tim. 3, 2). Auch Jesus stellt die Undankbaren neben die Bösen: Luk. 6, 35.

*V. 14.* Streit weitet sich leicht aus wie eine Überschwemmung. Strack übersetzt: „wie wenn jemand Wasserfluten entfesselt." Es fängt oft unbedeutend an, hat aber unabsehbare Folgen. Darum gilt hier: Widerstehe den Anfängen!

*V. 15.* Aller Gottesdienst ist sittlich bedingt. Wer die göttlichen Maßstäbe auf den Kopf stellt, macht sich Gott zum Gegner (Jes. 5, 20). Heutzutage scheint diese Versuchung besonders groß.

*V. 16.* Man kann ohnehin Weisheit nicht für Geld kaufen (Jes. 55, 1 f.). Der Bock kann nicht Gärtner sein, und vom Ochsen kann man nur Rindfleisch verlangen. Darum spare Kraft und Zeit und suche die Weisheit nicht dort, wo sie nicht zu finden ist!

*V. 17.* In der Not bewährt sich echte Freundschaft. Vgl. 1. Sam. 18, 1 ff.! Strack übersetzt den zweiten Satz: „als Bruder wird er (der Freund) für die Drangsal geboren."

*V. 18.* Über leichtsinnige Bürgschaft lies 6, 1–5; 11, 15 und das dort Gesagte, auch 20, 16!

*V. 19.* Vgl. 29, 22 und Jak. 1, 20! Jesus preist die Friedensstifter selig (Matth. 5, 9). Der Streitsüchtige und der Hochmütige gehören zusammen. Die hohen Türen zeigen, daß der Mann hoch hinaus will.

*V. 20.* Es gibt eine Verkehrtheit oder eine Verdrehtheit, die aus dem unversöhnten, mit Gott hadernden Herzen stammt (Röm. 1, 28; Phil. 2, 15). Wer sich nicht zu Gott kehrt (Jes. 55, 7; Joel 2, 12; Hes. 33, 11), der ist verkehrt. Er wird den Schaden, den er erleidet, selbst verschulden.

*V. 21.* Der Schmerz der Eltern um Söhne, die sich von Gott abwenden, wird in den Sprüchen oft erwähnt: 13, 1; 15, 5; 19, 13. 26; 20, 20 und öfter.

*V. 22.* Die Freude in Gott ist ein Faktor der Gesundung. Vgl. 3, 8; 4, 23; 15, 13. 30; auch Ps. 103, 3; 1. Tim. 4, 8!

*V. 23.* Siehe V. 8!

*V. 24.* Wer das Nächstliegende nicht sieht, kann das Fernliegende nicht beurteilen. Der Vielschwätzer kennt keine Konzentration.

*V. 25.* Vgl. V. 21!

*V. 26.* Wer gerecht ist, bedarf keiner Strafe (wörtlich Geldstrafe!). Einen solchen zu strafen oder gar zu schlagen, ist höchste Ungerechtigkeit. Vgl. Jer. 20, 12 f.; Matth. 26, 67; 27, 27 ff.; Apg. 5, 40; 14, 19; 16, 22 f.; 22, 24 f.!

*V. 27.* Der Weise scheut die Vielrederei. Er kann sein Urteil zurück=halten und in Diskussionen schweigen.

*V. 28.* Auch der Narr könnte wenigstens den Eindruck der Weisheit erwecken, wenn er den Mund hielte. Vgl. 10, 19 ff. 31 f.; 12, 13 f. 18; 13, 3. 16; 15, 1 f. 23. 28; 16, 23 f.; 18, 7. 20; 20, 15; 21, 23! Diese Aus=wahl zeigt, wieviel Gewicht die Weisheit auf den rechten Gebrauch der Rede legt.

## Kap. 18

*(1) Wer die Absonderung sucht, geht seiner Laune nach und er=eifert sich gegen alle Einsicht. (2) Der Narr hat kein Gefallen an Erkenntnis, sondern daran, sein Herz zu offenbaren. (3) Wo Bos=heit kommt, kommt auch Verachtung, und mit der Schande die Schmach. (4) Die Worte aus dem Munde eines (rechten) Mannes sind tiefe Wasser; ein sprudelnder Quell ist der Brunnen der Weis=heit. (5) Es ist nicht gut, die Person des Frevlers zu berücksichtigen, um den Gerechten im Gericht wegzustoßen. (6) Die Lippen des Narren führen zum Streit, und sein Mund ruft nach Schlägen. (7) Der Mund des Toren richtet ihn zugrunde, und seine Lippen sind ein Fallstrick für sein Leben. (8) Die Worte des Verleumders sind wie Leckerbissen, und sie dringen bis ins Innere des Leibes. (9) Schon wer nachlässig in seinem Geschäft ist, ist ein Bruder der Meister des Verderbens. (10) Der Name Jahves ist ein starker Turm; der Gerechte läuft ihm zu und ist bewahrt. (11) Der Besitz des Reichen ist seine feste Stadt und in seiner Einbildung wie eine hohe Mauer. (12) Vor dem Zusammenbruch erhebt sich der Sinn des Menschen; vor der Ehre (aber) ist Demut* [wörtlich: Niedrig=keit]. *(13) Wer antwortet, ehe er gehört hat, dem wird das zur Torheit und Schande angerechnet. (14) Der Mut eines Mannes erträgt seine Krankheit, aber ein bedrücktes Gemüt – wer kann es ertragen? (15) Ein verständiges Herz erwirbt Erkenntnis, und das Ohr der Weisen trachtet nach Erkenntnis. (16) Ein Geschenk eines Menschen schafft ihm Raum und führt ihn vor die Großen. (17) Der Erste in einem Rechtsstreit hat (immer) recht; es kommt aber der andere und durchforscht ihn. (18) Das Los bringt Streit=*

*sachen zur Ruhe und entscheidet zwischen Starken. (19) Ein Bruder, dem Unrecht getan ist, widersteht mehr als eine feste Stadt, und Streitigkeiten sind stärker als Riegel eines Schlosses. (20) Von der Frucht des Mundes wird der Leib eines Mannes gesättigt; vom Ertrag seiner Lippen wird er satt. (21) Tod und Leben ist in der Macht der Zunge, und wer sie liebt, wird ihre Frucht verzehren. (22) Wer ein Weib fand, fand etwas Gutes, und er hat Wohlgefallen von Jahve erlangt. (23) Der Arme spricht flehentliche Bitten aus; der Reiche aber antwortet hart. (24) Ein Mann kann von seinen Freunden zerschlagen werden, aber manch ein Freund ist anhänglicher als ein Bruder.*

*V. 1.* Der Satz ist frei übersetzt. Ringgren liest: „Nach einem Vorwand sucht, wer sich absondert." Doch wird dabei die Vokabel nicht wörtlich übersetzt, die „Wunsch, Gewünschtes, Laune" zum Ausdruck bringt. Die Einsicht ist mithin keine bloße Privatsache. Der Weise steht in der Gemeinschaft anderer. Individualismus entspringt dem Trotz oder der Laune. Auch in der Gemeinde Jesu wird der Einspänner leicht zum wunderlichen Heiligen.

*V. 2.* Der Vers paßt zum vorhergehenden. Der Narr fügt sich nicht der Erkenntnis der Gemeinschaft. Dabei zeigt er aber nur zu leicht, wes Geistes Kind er ist.

*V. 3.* Bosheit wird auf die Dauer nicht bestehen. Man verliert Würde und Ehre und steht schließlich blamiert da.

*V. 4.* Wieder ein Wort vom Wert der rechten Rede (vgl. dazu das zu 17, 27 f. Gesagte!). Das Wort eines reifen Mannes sollte nicht oberflächlich gehört werden. Im wasserarmen Lande weiß man den Wert eines sprudelnden Baches zu schätzen.

*V. 5.* Der gerechte Richter kennt kein Ansehen der Person. Siehe Röm. 2, 11; Apg. 10, 34; 28, 21; 1. Petr. 1, 17!

*V. 6.* Wer im Streit lebt, stiftet auch Streit. Auch davon sprechen die Sprüche oft, z. B. 12, 6. 12. 20; 15, 18; 16, 28; 17, 9. 11. 14. 19; 22, 10.

*V. 7.* Zuletzt schadet der Frevler sich selbst. Vgl. 11, 6; 12, 13; 13, 5; 14, 32 und öfter!

*V. 8.* Die Welt hört Klatsch und Verleumdungen gern und schluckt sie wie Leckerbissen. Solche Sachen werden nicht leicht vergessen, sie dringen eben tief in unser Bewußtsein.

*V. 9.* Nicht nur die Faulheit, schon die Nachlässigkeit und Untreue in der Arbeit hat verderbliche Wirkung. „Herr" (= Baal) des Verderbens heißt es wörtlich. Es ist der große Durcheinanderbringer — „diabolos", der Teufel. So ernst wird die Untreue im Alltag genommen. Ähnlich: 6, 6 ff.; 10, 4 f.; 12, 24. 27; 13, 4; 15, 19; 17, 2 und öfter.

*V. 10.* Eins der seltenen Bekenntnisworte zu Jahve im Buch der Sprüche. Der Gottesname ist nicht nur eine Bezeichnung, sondern eine Offenbarung des Unerforschlichen. Wer zu diesem Namen seine Zuflucht nimmt, der ist geborgen. Man lese im Neuen Testament Apg. 4, 12; Phil. 2, 9–11!

*V. 11.* Während der vorherige Vers den echten Schutz zeigt, wird hier der falsche bezeichnet. Sachlich beobachtet gilt: Der Reiche meint sich durch seinen Besitz gesichert. Doch dieser Besitz wird ihm dadurch zum Mammon, einem Ersatzgott. Man lese: Luk. 12, 16–21; 1. Tim. 6, 9 f. 17!

*V. 12.* Noch kurz, ehe er zugrunde geht, überhebt sich der Mensch (16, 18). Sein Hochmut ist ein Vorzeichen seines Untergangs. Wer sich aber demütigt, den erhebt Gott: 29, 23; Matth. 23, 12; Luk. 14, 11; 18, 14; 1. Petr. 5, 5; auch Hiob 22, 29; Hes. 21, 31.

*V. 13.* Das Hören ist allemal wichtiger als das Reden. Aber wer lernt das? Lies Matth. 13, 9; Offb. 2, 7 und oft!

*V. 14.* Der Mut – wörtlich: der Geist – eines Mannes wird eher mit leiblichen Krankheitsnöten fertig als mit psychischen Depressionen. Davon weiß die Gegenwart viel zu sagen.

*V. 15.* Schon das Verlangen nach Weisheit ist ein Stück Weisheit. Der wahrhaft Weise ist nie am Ziel.

*V. 16.* „Kleine Geschenke erhalten die Freundschaft." Es braucht hier nicht an Bestechung gedacht zu sein. Wer freigebig ist, dem öffnen sich sonst verschlossene Türen.

*V. 17.* „Eines Mannes Rede ist keines Mannes Rede. Man soll sie hören alle beede" steht im alten Rathaus der Hansestadt Lübeck. Mag der erste sein Recht behaupten – der zweite stellt alles in Frage.

*V. 18.* Über das Loswerfen in Israel siehe 16, 33!

*V. 19.* Wieder eine Beobachtung aus dem Leben. Haben wir Unrecht getan, so haben wir mit erbittertem Widerstand zu rechnen, der schwer zu brechen ist.

*V. 20.* Ähnlich 12, 14. Wer Gutes redet, wird selbst den Segen davon erfahren.

*V. 21.* Hier ist das Vorhergehende bestätigt, doch noch stärker ausgedrückt. Worte können tödlich verletzen. Wer viel redet, wird die Folgen selbst tragen – je nachdem, was er redet.

*V. 22.* Das Geschenk einer von Gott gesegneten Ehe preisen die

Sprüche oft: 11, 16; 12, 4; 14, 1; 19, 14; 31, 10–31. Dagegen 11, 22; 21, 9. 19; 25, 24.

*V. 23.* Eine sachliche Feststellung ohne sittliches Urteil. Jakobus spricht deutlicher: 2, 2–6; 5, 1–6.

*V. 24.* Der Satz hat einen umständlichen Stil. Ringgren korrigiert und liest: „Manche Freunde zerschlagen einander." Strack liest wörtlich: „Ein Mann der Freunde geht in die Brüche" — was wenig Sinn ergibt. Der Sinn ist wohl: Nicht jede Freundschaft hält, sie kann in Feindschaft umschlagen. Aber manche Freundschaft ist stärker als Blutsverwandtschaft: 17, 17; 1. Sam. 18, 1–3.

## Kap. 19

*(1) Besser ein Armer, der unsträflich wandelt, als einer mit verkehrten Lippen und ein Narr dazu. (2) Ohne Erkenntnis ist auch Eifer nicht gut, und es irrt* [wörtlich: sündigt], *wer mit den Füßen eilt. (3) Die Dummheit des Menschen macht seinen Weg verkehrt, aber sein Herz macht Jahve Vorwürfe. (4) Reichtum mehrt die Zahl der Freunde, aber ein Armer wird von seinen Freunden verlassen. (5) Ein lügnerischer Zeuge bleibt nicht ungestraft, und wer Lügen ausspricht, wird nicht entfliehen. (6) Viele umschmeicheln den Angesehenen, und alle sind Freund dessen, der freigebig ist. (7) Alle Brüder des Armen hassen ihn — um wieviel mehr entfernen sich seine Freunde von ihm! (8) Wer Verstand erwirbt, liebt sein Leben; wer Einsicht bewahrt, findet das Gut. (9) Ein lügnerischer Zeuge bleibt nicht ungestraft, und wer Lügen ausspricht, wird untergehen. (10) Wohlleben ziemt sich nicht dem Narren — wieviel weniger dem Knecht, über Fürsten zu herrschen! (11) Die Klugheit eines Menschen macht ihn langmütig, und sein Ruhm ist, Verfehlung zu übergehen. (12) Gleich des jungen Löwen Knurren ist der Zorn des Königs, aber wie Tau auf dem Gras sein Wohlgefallen. (13) Ein Unglück für seinen Vater ist ein törichter Sohn, und wie eine träufelnde Dachrinne sind die Zänkereien des Weibes. (14) Haus und Besitz sind Vatererbe, aber eine kluge Ehefrau kommt von Jahve. (15) Faulheit versenkt in einen tiefen Schlaf, und eine nachlässige Seele wird hungern. (16) Wer die Gebote bewahrt, bewahrt sein Leben; wer aber auf seine Wege nicht achtgibt, der wird sterben. (17) Wer sich des Armen erbarmt, der leiht Jahve, und er vergilt ihm seine Wohltat. (18) Züchtige deinen Sohn, solange noch Hoffnung ist, aber deine Leidenschaft gehe nicht so weit, daß du ihn*

*tötest! (19) Wer lodernd im Zorn ist, wird die Strafe tragen; suchst du ihn zu besänftigen, so steigerst du ihn nur. (20) Höre auf Rat und nimm Zurechtweisung an, damit du hernach weise werdest! (21) Viele Pläne sind im Menschenherzen, aber der Rat Jahves wird bestehen. (22) Der Mensch hat Lust an seiner Wohltat, aber lieber arm sein als ein Schwindler. (23) Die Furcht Jahves gereicht zum Leben, und man ruht gesättigt aus, unbedroht vom Unheil. (24) Ein Fauler steckt seine Hand in die Schüssel und bringt sie nicht mehr zum Munde zurück. (25) Schlage den Spötter, so wird der Einfältige klug, und züchtige den Einsichtigen, so gewinnt er Erkenntnis. (26) Wer den Vater mißhandelt und die Mutter verjagt, der ist ein schändlicher, schmählicher Sohn. (27) Mein Sohn, hörst du auf, auf die Zucht zu hören, so wirst du von der Erkenntnis abirren. (28) Ein frevelhafter Zeuge verspottet das Recht, und der Mund der Gottlosen verschlingt das Unrecht. (29) Strafgerichte sind für Spötter gesetzt und Schläge für den Rücken der Narren.*

*V. 1.* Vgl. 28, 6! Während in den Sprüchen oft die Armut in ihrer Hilflosigkeit geschildert wird (z. B. 4, 7; 10, 15; 13, 8. 23; 14, 20; 18, 11. 23; 22, 7 und öfter), wird hier die Armut der Frommen höher geachtet als der Reichtum des Gottlosen. Vgl. auch 13, 7; 15, 16!

*V. 2.* Wir übersetzen nach Ringgren „Seele" mit Eifer. Der Sinn ist also: Blinder Eifer schadet nur. Unbesonnenes Handeln führt leicht zum Unrecht.

*V. 3.* Oft hadern wir mit Gott und sollten eher mit unserer Torheit hadern. Das Wort ergänzt den vorhergehenden Spruch.

*V. 4.* Auch hier ist der Tatbestand nicht sittlich gewertet. Vgl. V. 1!

*V. 5.* Vgl. V. 9; 6, 19; 12, 17. 19; 14, 5. 25; 21, 28; 25, 18! Wahrhaftigkeit und Vorsicht im Reden gehören zur echten Gottesweisheit. Wörtlich heißt es hier sogar: „Wer Lügen atmet". Jeder Atemzug eine Lüge!

*V. 6.* Auch hier wird nicht der sittliche Maßstab angelegt, sondern die Zustände im Leben werden beschrieben.

*V. 7.* (Wir streichen mit andern Auslegern die dritte Zeile, die versehentlich und ohne Sinn hinzukam; auch die Septuaginta läßt sie weg.) „Freunde in der Not gehen tausend auf ein Lot." Das Verlassensein durch Verwandte und Freunde wird auch in den Psalmen als schmerzliche Verschärfung eigener Not beklagt. Siehe Ps. 27, 10; 31, 12; 35, 12. 15; 38, 12; 41, 10; 69, 9; 88, 19; auch Hiob 19, 14!

*V. 8.* Ähnlich 15, 32. Weisheit mehrt die Lebenskraft und macht glücklich. Vgl. 10, 9. 27; 11, 19. 30; 12, 28; 13, 9. 14; 14, 27; 15, 4. 24!

*V. 9.* Vgl. V. 5!

*V. 10.* Das Wohlleben bekommt dem gottlosen Frevler nicht. Es bestärkt ihn auf seinem verderblichen Wege. Es ist ihm so wenig gut, wie wenn eine Knechtsseele herrschen will.

*V. 11.* Geduld ist Frucht der Klugheit. Vgl. 10, 12; 14, 17. 29; 15, 18; 16, 32; 17, 19!

*V. 12.* Viele Sentenzen in unserem Buch weisen auf die Königszeit in Israel. Vgl. V. 6; 14, 28. 35; 16, 10–15; 20, 2. 8. 26. 28; 21, 1; 22, 11. 29; 24, 21! Wieder muß erinnert werden, daß der rechte König in Israel im Namen des ewigen Königs Jahve regierte. Das gibt den Königssprüchen ihre Tiefe. Zorn und Wohlgefallen Gottes bringt sein Christus, der Gesalbte.

*V. 13.* Vgl. 10, 1; 17, 21. 25! Zur zweiten Zeile lies 11, 22; 12, 4; 14, 1; 21, 9. 19; 25, 24!

*V. 14.* Dieser Vers ist das Gegenstück zum vorhergehenden. Auch 11, 16; 12, 4; 14, 1; 18, 22 und vor allem das Hohelied der tüchtigen Hausfrau 31, 10–31. Die Ehe ist nach der Bibel vor dem Fall des ersten Menschenpaares gestiftet. Nach dem Johannes-Evangelium tat Jesus auf einer Hochzeit sein erstes Zeichen. Vielfach ist die Hochzeit in der Bibel ein Bild der göttlichen Heilszeit (Matth. 22, 2 ff.; 25, 1 ff.; Luk. 12, 36; Offb. 19, 7 und öfter). Je höher die Gabe Gottes, um so verwerflicher und verhängnisvoller ihr Mißbrauch. Für Ehebruch gilt die Todesstrafe (2. Mose 20, 14; 3. Mose 20, 10 und öfter). Darum sprechen die Sprüche auch vom Frevel an der Ehe: 2, 16 ff.; 6, 24 ff.; 7, 6 ff. Auch Unfriede, Lieblosigkeit, böse Worte, Streitsucht können eine Ehe zur Qual machen. Deshalb ist eine im Sinne der Weisheit kluge und fromme Ehefrau ein großes Geschenk Gottes. Es ist eine Schranke des Alten Testaments, daß hier nur von der zänkischen bzw. von der klugen Ehefrau, nicht aber vom rücksichtslosen und herrischen Ehemann die Rede ist. Erst im Neuen Testament steht das Wort: „Hier ist nicht Mann noch Weib, sondern allzumal einer in Christus" (Gal. 3, 28). Hier wird die Frau also dem Manne nicht mehr nachgeordnet.

*V. 15.* Faulheit ist Sünde und zieht Gottes Gericht nach sich. Siehe das zu 18, 9 Gesagte!

*V. 16.* Gottesgehorsam hat die Verheißung des Lebens. Der Tod aber ist der Lohn der Sünde (Röm. 6, 23). Das ist allgemeine biblische Auffassung.

*V. 17.* Daß Gott zu den Armen und Elenden steht, davon zeugen vor allem die Psalmen (9, 10ff.; 10, 8; 12, 6; 22, 25; 35, 10; 69, 34; 82, 3f.; 107, 41; 113, 7 und öfter). Dazu auch Jesu Worte: Matth. 11, 5; Luk. 6, 20f.; 16, 19ff.; auch Jak. 2, 1ff.; 5, 1ff. Im Gesetz lies: 2. Mose 23, 6. 11; 3. Mose 19, 10; 5. Mose 15, 4!

*V. 18.* Daß die körperliche Strafe damals allgemein zur Erziehung der Kinder gehörte, ist bekannt (13, 1. 24; 22, 15; 23, 13; 29, 17). Hier wird aber vor zu großer Strenge und leidenschaftlichem Zorn gewarnt. Ringgren dagegen liest: „Unternimm nichts, ihn zu verderben!" – nämlich durch zu laxe Erziehung. Vgl. 1. Sam. 2, 23ff.! Aber diese Übersetzung ist unwahrscheinlich.

*V. 19.* Wer weiß nicht, daß der menschliche Zorn Unheil anrichtet (Eph. 4, 26; Kol. 3, 8; Jak. 1, 19f.)! Nach der Bibel ist Gott allein zum Zorn berechtigt. Es ist darum bedenklich, beim Menschen vom „heiligen" Zorn zu reden, denn er ist sehr unheilig. Die Miniaturbibel liest allerdings: „Wer zum Zorn reizt." Die Ausdrucksweise ist mehrdeutig.

*V. 20.* Weisheit erwirbt nur der Hörende. Sie ist Frucht der Offenbarung, also keine Entfaltung einer schon vorhandenen Kenntnis des Menschen. Lies 4, 1. 7. 10; 15, 32; 23, 19; aber auch Ps. 40, 7; 95, 7; Jes. 50, 4; 55, 3; Jer. 7, 13; 22, 29; 26, 3), im Neuen Testament besonders Jesu wiederholtes Wort Matth. 13, 9; auch Gal. 3, 2–5; Röm. 10, 14–17!

*V. 21.* Vgl. 16, 1. 9 und das dort Gesagte! Der Führungsglaube ist ein wesentlicher Teil der Weisheit. Vgl. Ps. 37, 5! Doch unterscheidet sich dieser Glaube grundsätzlich vom Schicksalsglauben, denn er führt zur sittlichen Entscheidung (16, 3). Es gilt, die eigenen Pläne am Ratschluß Gottes zu messen.

*V. 22.* Die beiden Satzhälften scheinen sich nicht recht zu entsprechen. Daher liest Ringgren: „Die Begierde des Menschen geht auf Erwerb." Die Miniaturbibel liest: „Des Menschen Gier ist seine Schande." Der Sinn wird sein: Der Mensch wünscht sich bedenkenlos sein Glück und verachtet dabei auch nicht die Mittel des Betrugs; aber ehe wir zum Betrüger werden, wollen wir lieber arm sein.

*V. 23.* Aufs neue wird ausgesagt, daß rechte Gottesfurcht, die der Anfang der Weisheit ist (1, 7; 9, 10), auch zum irdischen Wohlsein beiträgt. Vgl. Matth. 6, 33; 1. Tim. 4, 8!

*V. 24.* Zur oft genannten Faulheit siehe V. 15! Ironisch wird gesagt, daß die Faulheit stärker sein kann als der Wille zum Leben. Man ist sogar zum Essen zu träge.

*V. 25.* Nach 13, 1 hilft beim Spötter, der sich gegen Gott entschieden hat, keine Zucht und Mahnung. Aber mancher, den wir für einen Spötter hielten, war bloß unreif und unerfahren. Ein solcher läßt sich helfen. Der Einsichtige ist für die Züchtigung dankbar.

*V. 26.* Vgl. V. 13. 18; 15, 5. 20; 17, 21. 25; 20, 20! Im Gesetz wird solche Schändlichkeit mit der schwersten Strafe bedroht (2. Mose 21, 17).

*V. 27.* Wer nicht hören kann und will, geht in die Irre. Vgl. V. 20!

*V. 28.* Vgl. 6, 19; 12, 17; 14, 5. 25; 21, 28!

*V. 29.* Vgl. 10, 13; 26, 3!

## Kap. 20

*(1) Ein Spötter ist der Wein und der Rauschtrank ein Radaubruder; nicht weise ist, wer davon wankt. (2) Der Schrecken, der vom König ausgeht, ist wie das Knurren eines Löwen. Wer seinen Zorn gegen sich erregt, verwirkt sein Leben. (3) Für einen Mann ist es ehrenvoll, dem Streit fernzubleiben, aber jeder Narr ereifert sich. (4) Der Faule pflügt nicht bei Herbstbeginn; in der Erntezeit sucht er vergeblich. (5) Tiefes Wasser ist der Ratschluß im Herzen eines Mannes, aber ein verständiger Mann schöpft es. (6) Viele Menschen versichern alle andern ihrer Güte — aber wer findet einen Mann der Treue? (7) Ein Gerechter wandelt in seiner Unsträflichkeit — selig sind seine Nachkommen! (8) Ein König, der auf seinem Richterstuhl sitzt, ermittelt mit seinen Augen alles Böse. (9) Wer mag sagen: „Ich habe mein Herz gereinigt, ich bin rein von Sünde"? (10) Zweierlei Gewicht, zweierlei Maß — beide sind für Jahve ein Greuel. (11) Auch ein Knabe wird an seinen Taten erkannt, je nachdem, ob seine Werke lauter und redlich sind. (12) Das hörende Ohr und das sehende Auge — beide hat Jahve geschaffen. (13) Liebe nicht den Schlaf, damit du nicht verarmst; halte deine Augen wach, so wirst du satt sein an Brot. (14) „Schlecht, schlecht", sagt der Käufer, aber im Weggehen rühmt er (die Ware). (15) Mag man Gold und viel Korallen haben — verständige Lippen sind ein kostbares Werkzeug. (16) Nimm (ihm) sein Kleid, denn für einen Fremden wurde er zum Bürgen, und um Fremder willen richte ihn zugrunde! (17) Dem Manne ist das Brot des Betrugs angenehm, aber hernach ist sein Mund voller Steine. (18) Pläne festigen sich durch Beratungen; darum führe die Kriege mit Überlegung! (19) Wer als Verleumder einhergeht, offenbart (auch) Geheimnisse; darum laß dich mit dem Schwätzer nicht ein! (20) Wer seinem Vater und seiner Mutter flucht, dessen Leuchte erlischt in dichtem*

*Dunkel. (21) Ein anfangs eilig errafftes Erbe — aber zuletzt ohne Segen! (22) Sage nicht: „Ich will das Böse vergelten"! Harre auf Jahve, so wird er dir helfen. (23) Zweierlei Gewicht ist ein Greuel vor Jahve, und trügerische Waage ist unrecht. (24) Eines Mannes Schritte werden von Jahve geleitet, aber der Mensch — wer versteht seinen Weg? (25) Es ist für den Menschen ein Fallstrick, unbedacht „heilig" (zu sagen) und (erst) hinterher ein Gelübde zu überlegen. (26) Ein weiser König ermittelt die Frevler und läßt sie über das Rad gehen. (27) Eine Leuchte Jahves ist des Menschen Geist, durchforschend alle Kammern des Leibes. (28) Güte und Treue bewachen den König, und durch Güte stützt er seinen Thron. (29) Der Ruhm der Jungmannen ist ihre Kraft, aber der Schmuck der Alten ist ihr graues Haar. (30) Blutige Wunden reinigen vom Bösen und Schläge die Kammern des Leibes.*

*V. 1.* Die Bibel kennt den Wein auch als Gottesgabe (Ps. 104, 13); aber jede Gabe Gottes, die mißbraucht wird, wird zum Fluch (23, 29—35; 31, 4—7; Jes. 5, 11. 22; 28, 7; Eph. 5, 18; Luk. 21, 34; 1. Tim. 3, 3; Tit. 1, 7). Ein Geschenk Gottes ohne Bindung an den, der uns beschenkt, erniedrigt uns.

*V. 2* Vgl. 19, 12!

*V. 3.* Gegen die Streitsucht sprachen bereits 3, 30; 15, 18; 16, 28; 17, 14. Hier wird betont, daß das Vermeiden des Zanks nur ehrenhaft ist. Leider meint die Welt meist das Gegenteil. Jeder will recht behalten und ist zu allen Konsequenzen bereit. In der Politik heißt das: das Prestige wahren.

*V. 4.* Über die Faulheit lies 6, 6 ff. und Parallelen! Darüber ist an den vorhergehenden Stellen ausführlich gesprochen. Der Faule schädigt sich selbst.

*V. 5.* Vgl. 18, 4! Die Weisheit gibt gesteigerte Erkenntnis auch der Gedanken des andern. Vgl. Matth. 9, 4; Mark. 2, 8; Luk. 5, 22; Joh. 2, 25!

*V. 6.* Strack versteht den Text anders: „Viele Menschen treffen jemanden, der ihnen Freundliches erweist." Die Miniaturbibel gar: „Viele Menschen werden gnädiger Herr genannt." Dagegen Menge: „Viele Menschen prahlen, ein jeder mit seinen Liebestaten." Ähnlich Ringgren. Dem letzteren glauben wir folgen zu müssen. Freundliche Worte und Formen sind billig, aber echte Treue ist um so rarer.

*V. 7.* Der Wandel des Gerechten (lies Ps. 1!) liegt als Segen auf seinen Nachfahren. Vgl. 1. Mose 12, 2; Ps. 37, 26; 72, 17; 115, 14 und öfter!

*V. 8.* Die Könige in Israel wie auch sonst im Orient waren stets die obersten Richter (1. Sam. 8, 6; 1. Kön. 3, 16–28). Zur Stellung und Bedeutung des Königs in Israel lies auch 19, 6. 12 und Parallelen!

*V. 9.* Ringgren sagt: Dieser Vers „spricht ein in den Sprüchen ganz seltenes Sündenbewußtsein aus" (82). Damit wird deutlich, daß alle sonst genannte „Unsträflichkeit" (siehe V. 7) nur relativ gemeint ist. Die Bibel weiß im Alten wie im Neuen Testament von der Grundverdorbenheit des Menschen (Hiob 14, 4; Ps, 14, 3; 143, 2; Röm. 3, 10 ff.; Gal. 2, 16; Eph. 2, 3 und öfter). Diese Tiefe der Sündenerkenntnis in Israel war ein wichtiger Teil der Vorbereitung auf den kommenden Retter.

*V. 10.* Vgl. 11, 1 und das dort Gesagte; auch V. 23!

*V. 11.* Schon am Kinde ist der Grundcharakter zu erkennen. Danach wird sich die Hilfe der Erziehung zu richten haben. Gott schafft Originale. Das dürfen weder Eltern noch Lehrer vergessen.

*V. 12.* Auge und Ohr sind deshalb so wichtige Organe, weil wir durch sie die Offenbarung Gottes aufnehmen sollen und können. In der Schule der Weisheit wird begreiflicherweise viel vom Hören geredet (1, 20; 4, 1. 7. 10; 8, 6. 33; 15, 32; 23, 19; 28, 6). Kein Prophet hat so oft zum Hören aufgerufen wie Jeremia, wovon sich jeder Bibelleser überzeugen kann. Auch das Sehen der Werke Gottes ist eine Glaubenshilfe, z. B. Ps. 8, 4; 34, 6. 9; 98, 3; 119, 18; 132, 2; Joh. 1, 14. 46; 1. Joh. 3, 1. Wer nicht „sehen" kann, ist vom Feind verblendet (2. Kor. 4, 4). Darum sollten wir das Sehen und Hören bei Kindern früh üben – zur Vorbereitung für den Glauben.

*V. 13.* Das Wort gehört zu den Warnungen vor Trägheit. Gott hat die Arbeit zum Mittel des Lebens gesetzt (1. Mose 3, 19). Wer meint, auf Arbeit verzichten zu sollen – sei es aus Trägheit, aus törichtem Stolz oder aus Schwärmerei –, zieht Gottes Gericht auf sich. Lies auch 2. Thess. 3, 10–12; Apg. 20, 35!

*V. 14.* Wieder eine Beobachtung aus dem Alltag. Es geht darum, daß der Käufer auf dem Markt und im Laden beim Einkauf die Ware schlecht macht, um den Preis zu drücken. Hernach triumphiert er, daß er günstig einkaufte. Die Kehrseite ist das unredliche Hinaufsetzen des Preises durch den Verkäufer, weil er seine Kunden schon kennt. So sucht einer den andern zu übervorteilen – eine Plage, die im Osten noch nicht geschwunden ist. Aber auch bei uns im Westen dürfen Vertreter meist einen Preisnachlaß geben. Insofern ist die Spruchweisheit auch hier wieder sehr aktuell.

*V. 15.* „Verständige Lippen" – es geht nicht um rhetorische Leistungen, sondern um echte Gottesweisheit. Der Spruch gehört zu 3, 14 f.; 8, 10. 19. Die Weisheit ist nicht käuflich und mehr wert als alle Schätze der Welt. Vgl. Hiob 28, 15–19; aber auch Matth. 16, 26!

*V. 16.* Vgl. 6, 1–5; 11, 15; 17, 18; 27, 13! Alle diese Stellen widersprechen dem Wort Jesu Matth. 5, 42. Offenbar handelt es sich um eine zeitgebundene Not, wo oft durch leichtsinnige Bürgschaft für Fremde Not über ganze Familien kam. Solche Unbesonnenheit meint auch Jesu Wort nicht. Hier aber heißt es: Löffle die Suppe aus, die du dir selbst eingebrockt hast!

*V. 17.* Vgl. 9, 17! Was durch Betrug gewonnen wurde, ist nur scheinbar ein Gewinn. Der bittere Nachgeschmack fehlt hernach nicht. Hier wird nicht von Bitternis, sondern von Unverdaulichem geredet. Vgl. dazu auch Hiob 20, 12–14!

*V. 18.* Auch 11, 14 und 15, 22 werden Ratgeber empfohlen. Wer sich nicht raten läßt, bringt sich und andere ins Unglück. Davon weiß die Weltgeschichte bis zur Gegenwart. Der Krieg als „ultima ratio", d. h. als letzte Möglichkeit, sollte vermieden werden können (Röm. 12, 18). Wo er aufgezwungen wird (Ps. 120, 7), bedarf es besonderer, verantwortungsbewußter Klugheit.

*V. 19.* Wieder ein Wort gegen die Zungensünden und eine Warnung vor den leichtfertigen Schwätzern. Der Klatschsüchtige darf kein Vertrauen finden, sonst wirst du mitschuldig an seiner Schwatzhaftigkeit. Vgl. 6, 17; 10, 18; 11, 13; 12, 19. 22; 13, 3 und öfter!

*V. 20.* Vgl. 2. Mose 21, 17; 3. Mose 20, 9; 5. Mose 27, 16! Siehe auch das zu 19, 26 Gesagte!

*V. 21.* Vgl. 28, 20–22! Fleißige Arbeit ist der Weg zum Wohlstand (V. 13). Was ohne Arbeit erstrebt wird, bleibt auch ohne Segen.

*V. 22.* Ein Wort gegen die Rachgier, das fast neutestamentlich klingt. Vgl. Röm. 12, 19; aber auch 3. Mose 19, 18; 5. Mose 32, 35! Das Harren auf Gottes Gerechtigkeit muß aber frei sein von Bosheit. Gott muß zu seinem Recht kommen. Wie er das tut, überläßt der Harrende ihm. Lies auch Ps. 37, 7!

*V. 23.* Siehe V. 10 und 11, 1!

*V. 24.* Mag 14, 8 ausgesprochen sein, daß der Gerechte Gut und Böse zu unterscheiden vermag, so liegt sein Geschick doch allein in Gottes Händen. Vgl. 16, 1. 9; 19, 21; Ps. 25, 4 f. 9 f.; Ps. 37, 5; Jer. 10, 23 und öfter!

*V. 25.* Das Wort „heilig" oder „geweiht" entspricht in diesem Vers dem aramäischen „korban" (siehe Mark. 7, 11; vgl. Matth. 15, 5). Gelübde sollen vor Gottes Angesicht und im Gebet überlegt und nicht in der Schrecksekunde während eines Gewitters abgelegt werden, wie es einst der Student Luther tat. Zur Sache vgl. 5, 3 f.; 4. Mose 30, 3!

*V. 26.* Vgl. V. 18! Wörtlich steht hier: „worfeln" (vgl. Matth. 3, 12; auch Hes. 27, 12; Jer. 51, 2). Der Richter scheidet die Schuldigen von den Unschuldigen (Matth. 25, 32). Das Urteil ist wohl hier nicht die grausame Hinrichtungsmethode durchs Rad – wie bei uns im Mittelalter –, sondern die ebenso fürchterliche Tötung durch den Dreschwagen (Amos 1, 3). Doch geht es hier nicht um das Maß der Strafe, die zeitbedingt ist, sondern darum, daß der gerechte Richter den Frevler herausfindet und nicht ungestraft läßt. Man denke auch an Joh. 5, 22; Röm. 14, 10; 2. Kor. 5, 10 und ähnliche Stellen im Neuen Testament!

*V. 27.* Es ist hier nicht der Heilige Geist gemeint, sondern der Odem Gottes, durch den er den Menschen schuf (1. Mose 2, 7; vgl. auch Ps. 104, 29; Hiob 10, 12; 20, 3; 27, 3; 32, 8). Paulus unterscheidet die Seele als Lebensträger vom Geist, der den Menschen zum Menschen macht, so daß er von Gott angeredet werden kann (1. Thess 5, 23).

*V. 28.* Vgl. 16, 12! Oft sind Güte (Gnade, Liebe) neben Treue (Wahrhaftigkeit, Glaube) gestellt. Vgl. 3, 3; 14, 23; Ps. 40, 11; 57, 4; 85, 11; vor allem Joh. 1, 17! Hier geht es um Eigenschaften des Königs, der auch darin ein Prototyp des Kommenden sein soll.

*V. 29.* Vgl. 16, 31! Man könnte auch an Jes. 40, 30 f. denken. Jedes Alter hat seinen Vorzug. Aber auch die Jungen werden einmal alt werden.

*V. 30.* Wieder wird von harter körperlicher Züchtigung gesprochen (vgl. 3, 12; 15, 5. 32 f.; 19, 18 und das dort Gesagte). Der Kampf gegen die Bosheit, die in uns allen steckt, darf nie aufgegeben werden, auch wenn wir heute andere Methoden der Erziehung haben.

## Kap. 21

*(1) Wie Wasserströme ist das Herz des Königs in Jahves Hand; er wendet es überallhin, wohin es ihm gefällt. (2) Alle Wege des Mannes sind in seinen Augen recht, aber Jahve prüft die Herzen. (3) Daß Recht und Gerechtigkeit gewirkt werde, ist Jahve lieber als Schlachtopfer. (4) Stolze Augen und aufgeblähte Herzen – die Leuchte der Gottlosen ist Sünde. (5) Das Trachten des Fleißigen führt zum Gewinn; aber wer hastet, hat nur Mangel. (6) Schätze, die durch trügerische Zungen erworben sind, gleichen verwehendem Hauch, suchen den Tod. (7) Die Gewalttat der Gottlosen reißt sie hinweg; denn sie weigern sich zu tun, was recht ist. (8)*

*Gewunden ist der Weg eines unehrlichen Mannes; aber wer rein ist, dessen Tun ist redlich. (9) Besser in einer Dachkammer wohnen als ein zänkisches Weib in einem gemeinsamen Haus. (10) Die Seele eines Gottlosen verlangt nach Bösem, sein Nächster findet in seinen Augen keine Gnade. (11) Muß der Spötter Strafe zahlen, so wird der Einfältige weise; belehrt man den Weisen, gewinnt er Einsicht. (12) Der Gerechte* [nämlich Gott] *achtet auf das Haus des Gottlosen; er stürzt die Gottlosen ins Unheil. (13) Wer sein Ohr vor dem Schreien des Armen verschließt, den wird niemand hören, wenn er schreien wird. (14) Ein Geschenk, das heimlich gegeben wird, beschwichtigt den Zorn und eine im Busen gebrachte Gabe den heftigen Groll. (15) Dem Gerechten ist es Freude, gerecht zu handeln; aber für den Übeltäter ist es schrecklich. (16) Ein Mensch, der vom Wege der Einsicht abirrt, wird in der Versammlung der Schatten ruhen. (17) Ein Mann, der das Vergnügen liebt, wird Mangel leiden; wer Wein und Öl hochschätzt, wird nicht reich werden. (18) Der Gottlose ist für den Gerechten ein Sühnopfer, der Treulose anstelle der Redlichen. (19) Lieber in der Wüste hausen als ein zänkisches Weib und Ärger. (20) Begehrenswerte Schätze und Öl sind in der Wohnung des Weisen, aber ein törichter Mensch verschwendet sie. (21) Wer der Gerechtigkeit und Güte nachjagt, wird Leben, Gerechtigkeit und Ehre erlangen. (22) Ein Weiser ersteigt eine Stadt der Helden und bringt das Bollwerk ihres Vertrauens zu Fall. (23) Wer seinen Mund und seine Zunge hütet, behütet seine Seele vor Drangsalen. (24) Ein übermütiger Frecher wird Spötter genannt; er handelt in maßloser Dreistigkeit. (25) Die Gelüste des Faulen werden ihn töten, denn seine Hände weigern sich zu arbeiten. (26) Den ganzen Tag begehrt man dringend; aber der Gerechte gibt, ohne zu geizen. (27) Das Opfer des Gottlosen ist ein Greuel, vollends wenn er es unaufrichtig darbringt. (28) Ein falscher Zeuge geht zugrunde; aber ein Mann, der zugehört hat, redet endgültig. (39) Der gottlose Mann zeigt ein freches Gesicht, aber der Redliche gibt seinen Wegen die rechte Richtung. (30) Gegenüber Jahve gibt es keine Weisheit, keine Einsicht und keinen Rat. (31) Das Pferd ist für den Tag der Schlacht gerüstet, aber von Jahve (allein) kommt der Sieg.*

*V. 1.* Daß die Sprüche aus der Königszeit stammen, zeigen sie an vielen Stellen. Vgl. 8, 15; 14, 28. 35; 16, 10–15; 19, 12 und öfter! Die Kanalbauten hatte Babel zu hoher Vollkommenheit gebracht. Durch sie wurde das heiße Land ein Fruchtgarten. Daher stammt das Bild von dem Wasser, das gelenkt werden kann.

*V. 2.* Was vom König gilt, gilt für jedermann (16, 2). Die meisten Übersetzungen lauten: „wägt die Herzen". Der Grundsinn des Wortes ist: „zurichten, festigen". Jahve hat Einfluß auf die Entschlüsse des Herzens, das dennoch unter seinem Urteil steht.

*V. 3.* Der Vers steht der prophetischen Predigt nahe: Jes. 1, 1–17; Jer. 6, 19 f.; Amos 5, 21–24; Hos. 6, 6; Micha 6, 6–8; auch 1. Sam. 15, 22 f.; Ps. 40, 7–9; 50, 8–15. Die beiden Ausdrücke „Recht" und „Gerechtigkeit" bedeuten: „heilsame Rechtsordnung" und „Gemeinschaftstreue" (Bauer-Kayatz 16). Wer Gottes heilige Rechtsordnung respektiert und in echter Gemeinschaftstreue handelt, ist Gott lieber als jener, der kultische Vorschriften einhält.

*V. 4.* Der Gottlose sieht in seinem Stolz, seiner Anmaßung und Aufblähung seine Leuchte, d. h. sein Glück. Etwa nach dem törichten Satz: „Wer angibt, hat mehr vom Leben!" Aber Gottes Wort sagt es anders: Es ist Sünde! Vgl. 6, 17; 11, 2; 19, 9; 13, 10; 16, 5. 18 f.; 18, 12!

*V. 5.* Der Fleiß wird in den Sprüchen oft gerühmt und empfohlen (z. B. 10, 4; 12, 27; 13, 4). Denn Wohlstand ist ohne Fleiß nicht zu erreichen. Aber die gierige Hast und Vielgeschäftigkeit wird enttäuscht werden. Die Alten sprachen gern von einer gläubigen Gelassenheit, die die Treue in der Arbeit einschließt.

*V. 6.* Noch schlimmer als Faulheit und Hast ist der Betrug. Sein Besitz verweht im Winde, und der Schuldige verfällt dem Todesgericht.

*V. 7.* Solch Gericht erfahren alle, die nicht nach Gottes Recht fragen, sondern sich mit Gewalt Raum schaffen. Wer Gott den Gehorsam verweigert, bereitet sich den Untergang. Siehe 1, 18 f.!

*V. 8.* Hier steht ein „hapax legomenon", ein einmalig in der Bibel vorkommendes Wort. Man kann seinen Sinn nur erraten. Es muß den Gegensatz zu „redlich" ausdrücken, also etwa „unehrlich". Verdreht und gewunden ist der Weg dessen, der vor Gott und seinem Gewissen nicht lauter ist. Vgl. Röm. 1, 28; Phil. 2, 15; Tit. 3, 11; auch 2. Petr. 3, 16!

*V. 9.* Die Streitsucht der Frau wird mehrfach gestraft: V. 19; 11, 22; 12, 4; 14, 1; 25, 24! Wörtlich heißt es: „in der Ecke des Daches". Auf den flachen Dächern war oft ein Söllerzimmer gebaut (vgl. Apg. 1, 13; 9, 37; 10, 9; 20, 9). Bei Kälte und Wind war man dort wenig geschützt. Vielleicht ist auch die Einsamkeit gemeint wie in Ps. 102, 8.

*V. 10.* Die unheimliche Macht des Bösen über den, der sich ihr ergibt, kennt kein Erbarmen mit dem Nächsten. Von dieser Art redet schon Kap. 1, 11–19.

*V. 11.* Vgl. 19, 25! Es geht um das pädagogische Ziel der Strafe. Unter den Spöttern mag mancher Mitläufer aus Unerfahrenheit dabeisein. Einem solchen ist noch zu helfen. Beim Weisen genügt eine Belehrung, damit er zur Einsicht kommt.

*V. 12.* Mit Strack halten wir die Bezeichnung „der Gerechte" als Ausdruck für den gerechten Gott (1. Mose 9, 27; Ps. 11, 7; 116, 5; 119, 37; 129, 4; 145, 17; Hiob 34, 17 und oft). Er ist allein der oberste Richter und hat die Macht, zu vernichten.

*V. 13.* Man lese dazu Jak. 2, 13! Das Gegenstück ist Matth. 5, 7.

*V. 14.* Vgl. 17, 8; 18, 16; 19, 6! Die Beobachtung aus dem Leben wird erzählt ohne sittliches Urteil.

*V. 15.* Hierher gehört 1. Kor. 13, 6. Wie der Frevler nach Bösem Verlangen hat (V. 10), so ist ihm das Rechttun unerträglich. Siehe auch 15, 21!

*V. 16.* Das Reich oder die Versammlung der Schatten ist das Toten=reich. Dem Gerechten aber ist das Leben verheißen: 15, 24.

*V. 17.* Hier ist die Vergnügungssucht gemeint, die im Gegensatz zu Fleiß und treuer Arbeit steht. Der Genußsüchtige wird zum Verschwen=der. Darum steht die Armut vor der Tür: Luk. 15, 13–16.

*V. 18.* Manchem mag dieser Vers schwer eingehen. Er wird im Sinne von 11, 8 zu verstehen sein. Gewiß darf keiner sich seiner Schuldlosigkeit rühmen. Durch solches Selbstlob würde er selbst unter die Treulosen ge=raten. Vgl. etwa auch Jes. 43, 3! Dort lesen wir: „Ich habe Ägypten für dich als Lösegeld gegeben." Die Ägypter ließ Gott im Roten Meer unter=gehen; Israel aber rettete er. Dahinter steht das Rätsel der Gnadenwahl (5. Mose 7, 7 f.). In unserem Vers aber wird deutlich, daß die Gnaden=wahl keine Willkür ist, sondern sittlich begründet. Der in Gottes Augen Gerechte wird geborgen – der Gottlose geht unter, gleichsam wie ein Lösegeld für den Geretteten. Gewiß finden wir in Jes. 53, 4–6 und 10 f. die tiefere Auffassung, die dann im Wort Jesu (Mark. 10, 45) ihre Er=füllung findet. Man sollte diese Bibelstellen zu unserem Vers lesen, auch 2. Kor. 5, 21.

*V. 19.* Siehe V. 9!

*V. 20.* Vgl. 24, 4! Der Weise versteht hauszuhalten. Es wird also hier nicht die Weisheit als solche als der Schatz bezeichnet, sondern der äußere Segen Gottes, der dem Gerechten verheißen ist. Verschwendung ist Torheit. Vgl. V. 17!

*V. 21.* Es geht hier um das Gerecht= und Gütigsein gegen andere. Gal. 6, 7 f. bringt die neutestamentliche Vertiefung.

*V. 22.* „Weisheit ist stärker als Macht“ (Strack). Wo die rohe Kraft nicht durch Weisheit gebändigt wird, wird sie unterliegen. Das haben wir in unserem Volk erleben müssen.

*V. 23.* Wieder ein Wort von der Bedeutung des rechten Gebrauchs der Zunge. Vgl. 13, 3; auch 10, 19; 15, 4. 23; 18, 20; 20, 15; 29, 20 und öfter; auch Jak. 3, 2!

*V. 24.* Hochmut, Hoffart, Prahlerei — jede Art der Selbstüberhebung scheitert an Gottes Willen, der dem Hochmütigen widersteht (3, 24; Matth. 23, 12; 1. Petr. 5, 5 und öfter). Frechheit siegt also bei Gott nie.

*V. 25.* Vgl. 6, 6 ff. und Parallelen! Begehren und Trägheit führen zum Tode.

*V. 26.* Der Satz ist etwas schwerfällig. Wörtlich heißt es: „Den gan= zen Tag begehrt Begierde.“ Die Septuaginta liest: „Der Gottlose begehrt den ganzen Tag.“ Vielleicht ist diese Lesart richtig. Delitzsch sagt: Der Gerechte „gibt ebenso unablässig, als man unaufhörlich begehrt“. Das Wort erinnert an Matth. 5, 42.

*V. 27.* Vgl. 15, 8! Gott kann man nicht bestechen. Vgl. auch 1. Mose 4, 3; Hebr. 11, 4!

*V. 28.* Oft lasen wir schon über die falschen Zeugen (z. B. 6, 19; 12, 17; 14, 25; 19, 5. 28; auch Ps. 27, 12; 35, 11; Matth. 26, 16). Hier wird mehr als eine schmerzliche Zeiterscheinung gegeißelt. Gegenüber den falschen und leichtfertigen Zeugen steht hier der Mann, der lieber zuhört als redet. Vielleicht ist auch der Augenzeuge gemeint. Seine Aussage gilt und bleibt bestehen.

*V. 29.* Wie in V. 24 wird hier die Frechheit und Dreistigkeit des Gottlosen ausgesprochen. Ein solcher meint, mit gespielter Sicherheit Er= folg zu haben. Der Redliche, das ist der Weise, sucht dagegen durch die Geradheit seines Weges das Ziel zu erlangen. Vgl. Ps. 1!

*V. 30.* Vgl. 1. Kor. 1, 19 f.! „Auf Erden vermag Weisheit viel, aber Gott gegenüber richtet sie nichts aus“ (Ringgren 86). Man kann auch an Hiobs Antworten an seine Freunde denken. Diese wollten mit ihrer ver= meintlichen Weisheit Gott meistern.

*V. 31.* In Israel kannte man das Pferd vor allem als Schlachtroß (vgl. Hiob 39, 19—25). Salomo führte die Pferdezucht ein, die von den Frommen als widergöttlicher Luxus angesehen wurde (1. Kön. 10, 29 ff.; 5. Mose 17, 16). Ursprünglich hatten nur die Feinde Israels, vor allem Ägypten, Pferde (2. Mose 14, 9. 23; 15, 1; Jos. 11, 4). In den Psalmen wird von den Pferden meist abfällig gesprochen (Ps. 20, 8; 33, 17; 147, 10; auch Jes. 31, 1. 3; Hos. 1, 7; Micha 5, 9). Auch in unserem Vers klingt die Gewißheit durch: Alle Stärke einer gerüsteten Kavallerie ist für den Sieg nicht entscheidend. Diesen bestimmt Jahve allein. Vgl. Ps. 118, 15 f.; 144, 10!

## Kap. 22, 1–16

*(1) Ein guter Ruf ist wichtiger als viel Reichtum; Wohlwollen ist mehr als Silber und Gold. (2) Reichtum und Armut begegnen sich — der Schöpfer aller ist Jahve. (3) Ein Kluger sieht das Unheil kommen und versteckt sich; Einfältige aber gehen weiter und erleiden die Strafe. (4) Lohn der Demut ist Furcht Jahves, Reichtum, Ehre und Leben. (5) Dornenschlingen sind auf einem verkehrten Wege; wer sein Leben hütet, hält sich von ihnen fern. (6) Gewöhne den Knaben gemäß seinem (ihm bestimmten) Wege; selbst wenn er alt wird, wird er nicht von ihnen lassen. (7) Der Reiche herrscht über die Armen, und ein Knecht wird ein Schuldner dem, der ihm lieh. (8) Wer Unrecht sät, wird Unheil ernten, und der Stab seines Übermuts schwindet dahin. (9) Wer gütigen Auges ist, wird gesegnet; denn er gibt sein Brot dem Armen. (10) Treib den Spötter weg, so schwindet der Streit, und Prozeß und Schande hören auf. (11) Wer Reinheit des Herzens liebt, wer freundliche Lippen hat, dessen Freund ist der König. (12) Die Augen Jahves hüten die Erkenntnis, aber die Worte der Treulosen bringt er zu Fall. (13) Der Faule sagt: „Draußen ist ein Löwe, ich könnte mitten auf der Straße getötet werden." (14) Eine tiefe Grube ist der Mund der Ehebrecherinnen; wem Jahve zürnt, der fällt dahinein. (15) Ist Torheit an das Herz eines Knaben gebunden, so wird der Stock der Zucht sie aus ihm entfernen. (16) Wer den Armen bedrückt, verschafft ihm viel (d. h. Reichtum); wer den Reichen beschenkt, der verhilft ihm zum Mangel.*

*V. 1.* Vgl. Pred. 7, 1! Durch Klatsch und Verleumdung wird dem Ruf eines Menschen geschadet (2. Mose 20, 16; auch 23, 1). Zum guten Ruf gehört die Gunst und das Wohlwollen der Nächsten, denn wir sind zur Gemeinschaft mit den andern geschaffen. Daß Verleumdung zum Tode führen kann, zeigt 1. Kön. 10, 10–14; vgl. auch 1. Mose 39, 14–18!

*V. 2.* Siehe 29, 13! Das Nebeneinander von Wohlstand und Mangel wird durch dieses Wort konstatiert. Was an sittlicher Aufgabe daraus für den Besitzenden erwächst, steht 14, 31; 17, 5; auch Hiob 31, 16. Hierher gehört auch Luk. 16, 19 ff.; Jak. 5, 1–6. Beide – Reichtum und Armut – sind Gottes Geschöpfe und von ihm nebeneinandergestellt (1. Sam. 2, 7; Mark. 14, 7; 5. Mose 15, 1 ff.). Dieses Nebeneinander von Reichen und Armen, Starken und Schwachen, Gesunden und Kranken ist von Gott so geordnet, damit die Liebe eine reiche Frucht bringe (Matth. 25, 35–40; Gal. 6, 10 und öfter). Vgl. außerdem V. 7. 9. 16; 10, 15; 11, 24 ff.; 13, 7 f.; 14, 20; 15, 16 f.; 18, 11. 23 und öfter, auch das schöne Wort 30, 8 f.!

*V. 3.* Der Einfältige ist der Unerfahrene, Unreife. Es ist zu seinem eigenen Schaden, wenn er sich um die rechte Klugheit nicht bemüht.

*V. 4.* Gewöhnlich liest man den Text ein wenig verändert: „Der Lohn der Niedrigkeit und der Gottesfurcht ist ..." Gott läßt den nicht ohne spürbare Anerkennung, der sich vor ihm beugt (Matth. 5, 4. 6. 18).

*V. 5.* Verkehrte Wege tragen ihre Vergeltung in sich. Die Irrwege strafen sich selbst.

*V. 6.* „Jung gewohnt – alt getan!" Alle Erziehung muß Hilfe zum Leben sein.

*V. 7.* Vgl. V. 2! Reichtum schafft Einfluß. Der Schuldner aber kommt leicht in Schuldhaft. Siehe 18, 23; auch Matth. 18, 25–34!

*V. 8.* Siehe 21, 14; vor allem Gal. 6, 7 f.! Die Lehrer der Weisheit waren von dieser sittlichen Ordnung in Gottes Schöpfung überzeugt. Der ungewohnte Ausdruck „Stock seines Übermuts" wird von Ringgren anders übersetzt: „Der Stock macht seinem Übermut ein Ende."

*V. 9.* Vgl. 14, 21; 19, 17; 21, 26; Jes. 58, 7! Hierher gehört auch, was Paulus in 2. Kor. 9, 6–15 schreibt. Die Bibel ist voller Aufforderungen zu helfender, opferbereiter Liebe. Der gütige Blick ist eine Umschreibung der Gesinnung der Liebe. Das Widerspiel: 23, 6; 28, 22.

*V. 10.* Vgl. 26, 20! Der Spötter ist der grundsätzlich von Gott und seinem Anspruch gelöste Mensch. „Es liegt in der Natur des Spötters, Streit hervorzurufen" (Strack 365). Dazu auch 13, 15; 18, 3; 21, 24.

*V. 11.* Es muß daran erinnert werden, daß die Könige in Israel das Urbild des kommenden Gesalbten, des Christus, sind. Zur Reinheit des Herzens lies Matth. 5, 8! Die Berleburger Bibel sagt: „Wer Reinheit des Herzens liebt und alles das haßt und ausfegen läßt, was aus dem natürlichen Herzen als aus einer unreinen Quelle immer hervorkommt" (Matth. 15, 18 ff.). Die Lippen verraten, was im Herzen ist (10, 32; Ps. 51, 17; Matth. 12, 34). Die Lauterkeit der Gesinnung hat des Königs Lob (Ps. 101, 6 f.).

*V. 12.* Die Erkennenden, die Weisen, stehen als die Gottesfürchtigen unter Gottes bewahrendem Schutz. Ähnlich Ps. 101, 6.

*V. 13.* Wieder ein Wort gegen die Faulheit. Vgl. 21, 5 (auch 6, 6 ff.; 10, 4 f.; 12, 24; 13, 4 und öfter)! Der Faule weiß Ausreden, um sich von der Arbeit zu drücken. Die Löwen Kanaans hielten sich gewöhnlich im Dickicht am Jordan auf, nur in ältester Zeit auf den Straßen. Vgl. Richt. 14, 5; 1. Sam. 17, 34 ff.; 1. Kön. 13, 24; Ps. 10, 9; 104, 20 f.!

*V. 14.* Es handelt sich um die Fanggrube, mit der das Raubtier gefangen wird (auch 23, 27). Ein tief ausgehobenes Loch wird mit Zweigen und Reisig zugedeckt und dadurch getarnt. Das Tier bricht ein und kann sich aus der tiefen Grube nicht befreien, wo es durch die Geschosse des Jägers getötet wird. Vgl. Ps. 7, 16; 57, 7; 119, 85! Solch große Gefahr ist die „Fremde", wie es hier wörtlich heißt. Vgl. 2, 16; 5, 9; 6, 24; 7, 5! Wie sie zu überreden vermag, erzählt 5, 3; 6, 24; 7, 14 ff. Wem Gott zürnt, den bewahrt er nicht in der Stunde der Versuchung.

*V. 15.* Torheit ist auch hier nicht kindische Unart oder Unreife, sondern Sünde. Die körperliche Züchtigung bringt nach Ansicht der damaligen Erzieher geringeren Schmerz als der Ungehorsam gegen Gott und seine Folgen. Auch Gott benutzt schmerzhafte Mittel, um uns zu züchtigen und von der Sünde zurückzuhalten. Vgl. 13, 24; 23, 13 f.; 29, 15!

*V. 16.* Dieses paradoxe Wort (das zudem in ganz gedrungenem Stil geformt ist) kann zwiefach verstanden werden. Entweder: Gott wird den Ausgleich schaffen und dem Armen geben, was er hier entbehren mußte, dagegen den herzlosen Reichen richten (vgl. Luk. 16, 25). Oder: Der Druck auf den Armen wird ihn zu um so größerem Fleiß ermuntern; der Überfluß des Reichen aber wird diesen zu Leichtsinn und Verschwendung verführen.

## III. Worte der Weisen (Kap. 22, 17–24, 22)

Der aufmerksame Bibelleser bemerkt, daß mit dem 17. Vers im 22. Kapitel unseres Buches der Stil der Sprache sich ändert. Wir lasen in Kap. 10—22, 16 eine lange Reihe von meist zweizeiligen Sprichwörtern ohne thematische Anordnung. Als Überschrift stand in 10, 1: „Sprüche Salomos". Nun aber wird der Leser (ursprünglich wohl der Hörer) aufgefordert, Reden oder Worte Weiser anzuhören. Es folgt eine ziemlich zusammenhängende Ansprache, die im Stil an die Einleitungskapitel (1—9) erinnert. Wir werden demnach den folgenden Abschnitt als einen selbständigen Teil zu betrachten haben. Er ist nicht eine Sammlung von

Sprichwörtern, sondern eine Kette von Anweisungen zum rechten Wohl=verhalten. Über das Alter dieser kleinen Sammlung ist das letzte Wort noch nicht gesprochen. Vielleicht gehört auch dieser Teil in die vorexilische Zeit.

Während der vorhergehende Teil volkstümliche Beobachtungen spruch=artig fixierte, hören wir jetzt die Worte des Weisheitslehrers. Interessan=terweise hat man für einen Teil dieser Verse (22, 17—23, 14) ein ägyp=tische Parallele gefunden, das sogenannte Weisheitsbuch des Amenemope. Dadurch wird bestätigt, daß diese praktische Weisheitsliteratur einen internationalen, ja interkonfessionellen Charakter trug. Was Friedrich Oetinger den „sensus communis", das allgemeine Wahrheitsgefühl, nannte, ist keine Heilsoffenbarung im engeren Sinn. Es ist allgemein menschlich und enthält eine auf der Schöpfungsgrundlage liegende Er=kenntnis. Ähnliche Spruchsammlungen kennen wir auch aus Mesopota=mien. Es muß aber bemerkt werden, daß viele Sprüche des Amenemope in unserer Sammlung verändert sind. Es ist auch gar nicht ausgemacht, ob und wieweit ein literarischer Zusammenhang besteht und ob nicht beide Fassungen — die ägyptische wie die israelitische — auf eine ältere Quelle zurückgehen.

## 1. Sprüche, die mit ägyptischem Spruchgut verwandt sind (22, 17—23, 14)

*(17) Neige dein Ohr und höre die Reden der Weisen und richte dein Herz auf meine Erkenntnis! (18) Denn angenehm ist's, wenn du sie in deinem Innern bewahrst und sie allesamt auf deinen Lippen fest haften. (19) Damit dein Vertrauen auf Jahve gerichtet sei, unterrichte ich heute dich, ja dich! (20) Wahrlich, ich habe dir Kernsprüche aufgeschrieben mit Ratschlägen und Erkenntnis, (21) damit ich dir Richtiges und wahre Worte kundtue und du wahre Worte denen antwortest, die dich gesandt haben. (22) Beraube den Schwachen nicht, weil er schwach ist, und unterdrücke den Elenden nicht im Tor! (23) Denn Jahve führt ihren Streit und wird denen, die sie berauben, das Leben rauben. (24) Habe keine Gemeinschaft mit Zornigen und verkehre nicht mit einem Hitzkopf, (25) damit du dich nicht an seine Art gewöhnst und du einen Fallstrick für deine Seele erwirbst! (26) Sei nicht bei denen, die Handschlag geben, die Bürgschaft für Darlehen leisten! (27) Wenn du (dann*

*etwa) nicht hast, um zu bezahlen — warum soll man dir dein Bett unter dir wegnehmen? (28) Verrücke keine uralte Grenze, die deine Väter gesetzt haben! (29) Siehst du einen Mann, der flink ist in seinen Geschäften — er wird sich vor das Angesicht von Königen stellen; vor Unbekannte wird er sich nicht stellen.*

*(23, 1) Wenn du sitzt, um mit einem Herrscher zu speisen, gib recht acht, wen du vor dir hast! (2) Setze dein Messer nicht an die Kehle, wenn du hungrig bist! (3) Begehre nicht seine Leckerbissen, weil das trügerische Speise ist! (4) Bemühe dich nicht, reich zu werden, indem du deine Einsicht drangibst! (5) Kaum hast du dein Auge darauf gerichtet, so ist es nicht mehr da; denn es macht sich gewiß Flügel gleich einem Adler, der gen Himmel fliegt. (6) Iß nicht die Speise eines Mißgünstigen und begehre nicht seine Leckerbissen! (7) Denn wie er (heimlich) in seinem Innern berechnet, so ist er selbst. „Iß und trink!" sagt er zu dir, aber er ist nicht aufrichtig. (8) Den Bissen, den du ißt, mußt du ausspeien, und deine freundlichen Worte sind vergeudet. (9) Rede nicht ins Ohr des Narren; denn er wird die Klugheit deiner Worte geringschätzen. (10) Verrücke nicht eine uralte Grenze und tritt nicht auf den Acker der Waisen! (11) Denn stark ist ihr Erlöser; der wird den Streit gegen dich führen. (12) Führe dein Herz zur Zucht und deine Ohren zu Worten der Erkenntnis! (13) Halte die Zucht von dem Knaben nicht zurück; denn er wird nicht sterben, wenn du ihn mit der Rute schlägst. (14) Du schlägst ihn zwar mit der Rute, aber sein Leben rettest du vor dem Totenreich.*

*V. 17.* Bis zu V. 21 haben wir hier ein zusammenhängendes Mahnwort, die Worte der Weisen aufmerksam zu hören. Vg. 2, 2; 4, 20; 5, 1! Solch eine Aufforderung liebt der Weise zu Beginn des Unterrichts. Auf das Hören kommt es an (4, 1. 10; 8, 33), denn allein durchs Hören entsteht das rechte Gottesverhältnis und schließlich auch der Glaube (Röm. 10, 14—17). Das Herz als Zentrum des Willens ist auch Quelle des Gehorsams: 2, 2. 10; 3, 1 ff.; 4, 4 und oft.

*V. 18.* Sowohl „das Innere" (vgl. Ps. 103, 1) wie die Lippen, d. h. der Mund, haben mitzuwirken (Röm. 10, 10). Tun sie das, so wird der Wert der Weisheit erst recht erkannt. Das Wort „angenehm" kann sowohl ästhetisch als auch ethisch verstanden werden, also „lieblich" wie auch „sittlich gut". Wir lesen es auch 2, 10; 9, 17; 24, 15 und als Hauptwort 3, 17; 15, 26; 16, 24. Das ist fast die Hälfte aller im Alten Testament vorkommenden Stellen.

*V. 19.* Es geht bei der Unterweisung der Weisheit nicht um einen bloßen Gedächtnisstoff, auch nicht um die Schärfung des Intellekts, obwohl alle diese Kräfte mit in den Dienst genommen werden. Es geht um das Vertrauen auf Jahve. Der Glaube ist das große Thema der ganzen Bibel. Die starke Betonung des „du, dich" zeigt, wie das Individuum zum Hören und zum Vertrauen angeredet sein soll.

*V. 20. 21.* Die Übersetzung von V. 20 schwankt. Ringgren liest: „Ich habe hier dreißig Sprüche geschrieben." Strack übersetzt: „Kernsprüche". Die Miniaturbibel: „Ich habe dir drei Tage lang geschrieben." Wir kommen ohne Korrektur hier nicht aus. Die Mahnworte der Weisheit sollen dem Schüler nach Form und Inhalt Richtiges vermitteln. Der Schüler soll auch denen, die ihn zu dem Weisen sandten (etwa den Eltern), Rechenschaft geben können.

*V. 22. 23.* Nun beginnen die sittlichen Ratschläge. Vg. 14, 31! Der Schutz des Schwachen ist schon im Gesetz Moses verankert: 2. Mose 22, 20—24; 23, 6; 5. Mose 24, 14 f. 17; 27, 19. Im Tor findet das Gericht statt: 2. Kön. 7, 17; Hiob 29, 7; 31, 21; Ps. 69, 13; 127, 5; Jes. 29, 21; Amos 5, 10. 12. 15. Jahve ist Helfer und Schutz aller Schwachen. Davon singen die Psalmen an vielen Stellen: 10, 14; 68, 6; 146, 9 und öfter.

*V. 24, 25.* Die Wütigen und schnell im Zorn Entbrannten zeigen, daß sie dem eigenen Gesetz und der Laune folgen und nicht dem Willen Gottes. Lies 12, 16; 21, 24; 27, 3 f.; 1. Sam. 20, 30 ff.; Jak. 1, 19 f. und öfter! Darum wird vor dem Umgang mit ihnen gewarnt wie vor den Spöttern und Gottlosen. „Sage mir, mit wem du umgehst, und ich werde dir sagen, wer du bist!" Der Umgang wirkt ansteckend. Bald ist man gefangen wie in einer Schlinge und kommt selbst zu Fall.

*V. 26. 27.* Die Warnung vor leichtfertiger Bürgschaft lasen wir schon 6, 1; 11, 15; 17, 18; 20, 16. Die Gedankenlosigkeit in dieser Frage hatte schwere Folgen für das Wirtschaftsleben. Wenn man seine eigene Lagerstatt hergeben muß, so ist das ein Zeichen völliger Verarmung.

*V. 28.* Vgl. 23, 10! Auch davor war im Gesetz gewarnt: 5. Mose 19, 14; 27, 17. Das heilige Land war einst nach Jahves Willen durch Josua ausgelost worden. Die Grenzen der einzelnen Lose waren daher nicht nur durch ein bürgerliches Recht, sondern durch Jahve selbst garantiert. Vgl. 1. Kön. 21, 3! Der Väter Erbe ist von Gott den Gliedern des Volkes Israel zur Verwaltung gegeben.

*V. 29.* Vorbildlicher Fleiß und Eifer kann dazu führen, daß der König aufmerksam wird und den Mann in seinen Dienst ruft. Leute ohne Einfluß werden ihn nicht für ihren Dienst gewinnen können. Der Fleiß wird in den Sprüchen oft empfohlen: 10, 4f.; 12, 24. 27; 13, 4; 17, 2; 20, 13; 21, 5 und öfter.

## Kap. 23

*V. 1–3.* Eine überraschende Anweisung zu guter Sitte bei Tisch. Solche Mahnungen waren im ganzen Orient beliebt. Vgl. etwa Sir. 37, 32! In Ägypten wurde die Spruchweisheit vielfach zur Erziehung des Beamtenstandes benutzt. Da kam manch einer aus einem schlichten Hause an die Tafel des Angesehenen. Das Messer gehört nicht an den Mund (das ist hier mit „Kehle" gemeint). Immer ziemen sich Zurückhaltung und Bescheidenheit. Trügerisch ist die Speise insofern, weil der Gastgeber durch sie seinen Zielen und Absichten nachkommen will. Anders V. 6–8.

*V. 4. 5.* Anschließend an das Vorherige paßt eine Warnung vor dem Reichwerdenwollen. Der Umgang mit Höhergestellten verführt leicht zu dem Wunsch, es ihnen gleichzutun. Aber wer reich werden will, kann es nur durch das Opfer seiner Weisheit werden (vgl. 1. Tim. 6, 9f.). Jeder Weise weiß von der Flüchtigkeit irdischen Besitzes (28, 20).

*V. 6–8.* Erst recht soll man sich bei den Einladungen eines Mißgünstigen hüten, der uns die Speisen eigentlich nicht gönnt. Er ist berechnend, und seine Zureden sind unaufrichtig. Wörtlich: „Sein Herz ist nicht bei dir." Der Bissen sollte dir so eklig sein, daß du ihn nicht herunterschlucken magst.

*V. 9.* Vgl. 9, 7f.! Da der Narr der Gottlose ist, denkt er mit völlig anderen Voraussetzungen.

*V. 10.* Vgl. 22, 28; auch 15, 15! Witwen und Waisen waren ohne männlichen Schutz und hatten darum ihren Rückhalt nur an Gott selbst. Vgl. 2. Mose 22, 21ff.; 5. Mose 10, 18; 24, 17ff.; 26, 12; 27, 18; Ps. 10, 14. 18; 68, 6; 82, 3; 146, 9; Jes. 1, 17; Jer. 7, 6! Wer den Besitz der Witwe oder der Waise bestreitet, hat Gott zu seinem Gegner.

*V. 11.* Vgl. Jer. 50, 34! „Erlöser" – das ist der Gottesname in Jes. 40ff. (41, 14; 43, 14; 44, 6. 24; 47, 4; 48, 17; 49, 7. 26; 54, 4. 8; 59, 20; 63, 16). Man könnte auch säkular „Rechtshelfer" übersetzen. Aber ein jüdisches Ohr wird mehr aus dem Ausdruck heraushören (Hiob 19, 25; Ps. 19, 15). Jahve ist wirklich der Befreier von Feinden und ihrer Wirkung.

*V. 12.* Der Abschnitt schließt mit nochmaliger Ermahnung, Ohr und Herz der göttlichen Erziehung zu öffnen. Das führt hinüber zu den nächsten Versen.

*V. 13. 14.* Die väterliche Erziehung hat ihr Vorbild an der strengen Zucht Gottes. Über die körperliche Züchtigung vgl. 13, 24; 22, 8. 15;

29, 15! Der recht Gezüchtigte wird vor dem Untergang in Sünde und Gottlosigkeit bewahrt. Die Zucht soll ihn zu Gott hinziehen. Es wäre falsch, hier eine Betrachtung über die Bedeutung der Prügelstrafe anzustellen. Niemand wird ins Reich Gottes hineingeprügelt. Die Methoden der Erziehung ändern sich. Fest steht aber: Nicht das Ausleben der natürlichen, selbstischen Art weckt Glauben und Gottesgehorsam. Erst auf dem Wege göttlicher Zucht wird Sünde überwunden. Interessant ist, daß das Wort eine Rettung aus dem Totenreich verheißt. In seiner letzten Konsequenz sieht diese Verheißung das ewige Leben. Vgl. 14, 32; auch 4, 18; 5, 6; 11, 7; 12, 28! Mag es auch durch Schmerzen gehen — die „Rettung der Seele" bleibt das Hauptziel. Es geht ums Leben, um nichts Geringeres!

## 2. Eine väterliche Ermahnung (23, 15—28)

*(15) Mein Sohn, wenn dein Herz weise ist, dann freut sich auch mein Herz. (16) Und meine Nieren jauchzen, wenn deine Lippen Rechtliches reden. (17) Dein Herz eifre nicht gegen die Sünder, sondern eifre um die Furcht Gottes allezeit! (18) Wahrlich, es gibt eine Zukunft, und deine Hoffnung wird nicht zuschanden. (19) Höre du, mein Sohn, und werde weise und richte dein Herz auf den geraden Weg! (20) Sei nicht unter den Weinsäufern und unter den Fleischprassern! (21) Denn der Säufer und Fresser verarmt, und die Faulenzerei kleidet in Lumpen. (22) Höre auf deinen Vater! Dieser hat dich gezeugt; und verachte deine Mutter nicht, wenn sie alt ist! (23) Erwirb Wahrheit und verkaufe sie nicht, Weisheit, Zucht und Erkenntnis! (24) Der Vater eines Gerechten jubelt laut; und wer einen Weisen zeugte, freut sich seiner. (25) Mögen dein Vater und deine Mutter sich freuen, und jubeln, die dich geboren hat! (26) Gib mir, mein Sohn, dein Herz, und deine Augen mögen Wohlgefallen haben an meinen Wegen! (27) Denn die Dirne ist eine Grube (des Verderbens), und die Fremde ist ein enger Brunnen. (28) Diese lauert wie ein Räuber, und sie macht die Treulosen unter den Menschen zahlreich.*

Dieser zweite Abschnitt ist ein Beispiel dafür, wie ein Vater seinen Sohn den Weg der Weisheit lehrt. Gewiß spricht auch oft der Lehrer väterlich zu seinem Schüler und nennt ihn „mein Sohn", aber hier (vgl. V. 22) ist der leibliche Vater gemeint.

*V. 15. 16.* Nichts kann einen Vater mehr erfreuen, als wenn sein

Sohn den Weg der Weisheit geht. Und nichts bekümmert ihn mehr, als wenn das Gegenteil der Fall ist (13, 1; 15, 5. 20; besonders 17, 21. 25). Die Nieren nennt die Bibel oft, wo wir vom Herzen sprechen, z. B. Hiob 19, 27; Ps. 7, 10; 16, 7; 26, 2; 73, 21; Jer. 11, 20 und öfter.

*V. 17.* „Eifern" kann sowohl „sich erregen" wie auch „eifersüchtig sein" heißen. In der Übersetzung läßt sich das nicht so deutlich ausdrücken. Sei nicht eifersüchtig gegen die Sünder, wenn ihnen vielleicht manches gelingt! Eifere lieber ebenso nach der rechten Gottesfurcht!

*V. 18.* Während die Hoffnung der Gottlosen zugrunde geht, hat der Gottesfürchtige stets eine gute Hoffnung. Lies 10, 28; 11, 7!

*V. 19.* Deshalb gilt es, die neue Aufforderung zu hören und den rechten Weg zu gehen. Die Weisheit ist keine Theorie, sondern eine Praxis der Tat.

*V. 20. 21.* Vgl. V. 29—35! Der Weise meidet den Verkehr mit Säufern und Prassern. Ihr Ende ist Armut und Elend. Fressen und Saufen wird auch von Paulus im Gegensatz zu den Früchten des Geistes zu den Werken des Fleisches gezählt, die ins Verderben führen: Gal. 5, 21; 6, 8.

*V. 22—25.* Das Einhalten des vierten Gebots ist im Dekalog mit einer besonderen Verheißung verknüpft (2. Mose 20, 12), auf die Paulus besonders hinweist (Eph. 6, 1—3). Die Pflicht der Pietät bleibt auch gegen eine Mutter, wenn sie altersschwach wurde. Je mehr Weisheit der Sohn erwirbt, und je weniger er sie verschleudert, um so größer ist die Freude der Eltern.

*V. 26.* Das schöne Wort muß hier im Zusammenhang mit den folgenden gelesen werden. Wer sein Herz und seinen Willen an seinen Vater bindet und an den Ratschlägen des Vaters Wohlgefallen hat, bleibt bewahrt vor der Versuchung durch die Dirne (V. 27 f.). Erst im übertragenen Sinne ist das Wort als vom himmlischen Vater geredet zu verstehen und hat dann einen um so tieferen Sinn.

*V. 27. 28.* Vgl. 22, 14 und das dort Gesagte! Aus einem engen Brunnenloch kann sich niemand selbst befreien. Die Warnung vor der Unzucht wiederholt sich in unserem Buch immer wieder. Die Dirne raubt Ehre, Würde und Gesundheit.

## 3. Wider die Trunksucht (23, 29—35)

*(29) Bei wem ist Ach? Bei wem ist Not? Bei wem ist Zank? Bei wem ist Geschwätz? Bei wem sind Wunden ohne Ursache? Bei wem sind trübe Augen? (30) Bei denen, die bis spät beim Wein sitzen, die*

*kommen, um Mischtrank zu probieren. (31) Sieh den Wein nicht an, wie er so rot ist, wie er im Becher funkelt und glatt hinunter=gleitet! (32) Zum Schluß beißt er wie eine Schlange und spritzt Gift wie eine Otter. (33) Deine Augen sehen Fremdes, und dein Herz redet Verkehrtes. (34) Und du bist wie einer, der in der Tiefe des Meeres liegt, und wie einer, der an der Spitze des Mastes schaukelt. (35) „Man hat mich geschlagen, ich habe keinen Schmerz gefühlt. Man hat mich geprügelt, ich habe es nicht gemerkt. Wann werde ich erwachen? Dann will ich ihn (den Wein) wieder aufsuchen."*

Das in V. 20 f. angeschnittene Thema wird hier in einem selbständigen, stilistisch sich vom Vorhergehenden unterscheidenden Abschnitt behandelt. Der Stil ist lebhaft, bilderreich und realistisch.

*V. 29.* Eine rhetorische Frage, die gleich zum Nachdenken nötigt über die Folgen der Trinkerei: Ach und Weh, Streit und sinnloses Ge=schwätz, Wunden und trübe Augen — all das sind Folgen des Saufens.

*V. 30.* Auf die Frage von V. 29 erfolgt hier die Antwort: bei dem, der bis in die Nacht beim Wein sitzt. Der schwere Südwein wurde in der Regel mit Wasser gemischt und verdünnt; hier aber geht es wohl um das, was man heute Mixgetränke nennt, die die Wirkung des Alkohols nicht schwächen, sondern noch verstärken. Vgl. Jes. 5, 22!

*V. 31.* Der Wein kann durch seine Klarheit und Farbe verführerisch wirken. Die Bibel weiß sonst den Wert des Weins zu schätzen: 1. Mose 27, 28; Ps. 4, 8; 104, 15; Pred. 9, 7; Jes. 55, 1. Aber viel öfter schildert sie die verhängnisvolle Wirkung dort, wo der Wein nicht mehr ein Ge=tränk der Feier ist, der wie alles Wertvolle in zurückhaltendem Maß ge=nossen werden soll (Joh. 2, 3 ff.). Über die bösen Folgen des Weingenusses lies 1. Mose 9, 20 ff.; Jes. 5, 22; 28, 1. 7; 56, 12; Jer. 23, 9; Hos. 4, 11; Hab. 2, 5; Eph. 5, 18! Deshalb ist den Priestern der Weingenuß verboten, wenn sie ins Heiligtum gehen (3. Mose 10, 8 ff.). Das gleiche gilt von denen, die ein Gelübde auf sich nehmen (4. Mose 6, 1 ff.). Vgl. auch Richt. 13, 4 ff.; Jer. 35, 5 ff. 14; Luk. 1, 15; 7, 33!

*V. 32—35.* Realistisch werden die schlimmen Folgen der Trunkenheit ausgemalt. Der Trunkene ist gleichsam vom Schlangengift vergiftet. Heute wissen wir, daß der Alkohol die Gehirnganglien infiziert. Halluzinationen täuschen den Trunkenen, und ungehemmt lallt er dummes Zeug. Bald ist er bewußtlos wie ein in die Tiefe Gesunkener, oder er schwankt wie einer an der Mastspitze beim Sturm. V. 35 läßt den Trinker selbst reden. Ob=wohl er gegen alle Schläge unempfindlich war, erinnert er sich dunkel, geschlagen worden zu sein. Er sehnt sich nach dem Erwachen aus dem

Rauschzustand, um dann aufs neue nach dem Alkohol zu greifen. Das erschütternde Bild hat leider an Aktualität nichts verloren.

## 4. Allerlei Lebensregeln (24, 1—22)

*(1) Ereifre dich nicht über frevelhafte Männer und begehre auch nicht, mit ihnen beisammen zu sein! (2) Denn ihr Herz sinnt auf Gewalttat, und ihre Augen reden Ungemach. (3) Durch Weisheit wird ein Haus gebaut, und durch Einsicht wird es fest. (4) Durch Erkenntnis werden die Kammern gefüllt mit allerlei kostbarem und angenehmem Besitz. (5) Ein weiser Mann hat Vollmacht, und ein Mann von Erkenntnis ist stark an Kraft. (6) Mit klugen Gedanken wirst du den Krieg dir zugute vollführen, und durch eine Vielzahl von Beratern kommt Heil. (7) Wie wertvolle Korallen sind weise Entschlüsse für den Narren, und am Tor tut er seinen Mund nicht auf. (8) Wer Böses sinnt, den nennt man einen Intriganten. (9) Die Pläne des Narren sind Sünde, und der Spötter ist dem Menschen ein Greuel. (10) Hast du dich am Tage der Bedrängnis schlapp gezeigt, so versagt deine Kraft. (11) Rette, die man zum Tode führt, und halte die zurück, die zur Tötung wanken! (12) Sagst du: „Wir wußten es nicht", wird's denn der nicht merken, der die Herzen prüft? (13) Iß Honig, mein Sohn, das ist gesund, und Honigseim ist deinem Gaumen süß. (14) So beurteile auch die Weisheit für dein Leben! Hast du sie gefunden, so gibt es eine Zukunft, und deine Hoffnung wird nicht zugrunde gehen. (15) Du Gottloser, belaure nicht das Heim des Gerechten, verwüste nicht seine Lagerstätte! (16) Denn der Gerechte fällt siebenmal und steht wieder auf, aber die Gottlosen straucheln im Unheil. (17) Freue dich nicht, wenn dein Feind zu Fall kommt, und dein Herz juble nicht bei seinem Straucheln, (18) damit Jahve es nicht sehe und mißbillige und seinen Zorn wieder von ihm wende! (19) Erhitze dich nicht über die Bösen, ereifre dich nicht über die Gottlosen! (20) Denn für den Bösen gibt's keine Zukunft, die Leuchte der Gottlosen wird verlöschen. (21) Fürchte Jahve, mein Sohn, und den König! Mit Andersgesinnten laß dich nicht ein! (22) Denn plötzlich wird ihr Verderben kommen, und wer weiß den Ausgang ihrer Jahre?*

Ungeordnet — ähnlich wie im zweiten Hauptteil — folgen Ratschläge und Lebensregeln. Sie sind länger als die Sentenzen des zweiten Hauptteils, tragen auch nicht den Charakter schlichter Volksweisheit, sondern zeigen pädagogische Zielsetzung.

*V. 1. 2.* Vgl. 19 f.; 23, 17! Der Verkehr mit Gottlosen ist zu meiden, aber auch ebenso jede Eifersucht auf ihre etwaigen Erfolge. Sie sind in ihrer Gesinnung wie in ihren Reden verhängnisvoll.

*V. 3. 4.* Dagegen weiß der Weise, daß sein Werk besteht wie ein gut fundamentiertes Haus (Matth. 7, 24 f.). Wo man sein Leben auf die rechte Gotteserkenntnis baut, da wird es auch im Äußeren nicht an Gottessegen fehlen.

*V. 5. 6.* Göttliche Weisheit gibt Kraft – auch in den schwersten Aufgaben, etwa bei einer Kriegführung. Und wo man weise Ratgeber hat, wird Hilfe in den schwersten Lagen gewonnen. Vgl. 20, 18! Selbst Könige dürfen auf Gottesfurcht, die der Weisheit Anfang ist, nicht verzichten.

*V. 7.* Der Sinn des Verses ist folgender: Die Weisheit ist dem Narren so unerreichbar wie seltene und wertvolle Korallen (vgl. Hiob 28, 18; Hes. 27, 16). Denn er verweigert ja die Gottesfurcht, die allein ihr Anfang ist (1, 7; 3, 15). Am Tor, wo die öffentlichen Verhandlungen und Gerichtssitzungen stattfinden, hat ein solcher nichts vorzubringen.

*V. 8. 9.* Statt Böses zu planen und dadurch zum Ränkeschmied zu werden, sollte man weise Pläne und guten Rat geben können (16, 21). Was ein Narr plant, kann nur Sünde sein (Röm. 14, 23). Der Spötter ist ein Feind Gottes.

*V. 10.* Hier steht ein unübersetzbares Wortspiel. Wörtlich: „Warst du schwach am Tage der Enge, so wird eng deine Kraft." Wer in der Bedrängnis nicht straff und gesammelt ist, dessen Kraft wird auch sonst versagen. Jede Notzeit ist Übung für die Zukunft. Aber jedes Versagen führt zu neuer Niederlage.

*V. 11. 12.* Man möchte an 31, 8 denken und an Hiobs Haltung (Hiob 29, 12. 15). Schon ein ehrliches Zeugnis kann den unschuldig Verurteilten helfen (14, 25). Wieder wird hier mit einem Leser oder Hörer gerechnet, der Einfluß hat und eine hohe Stellung einnimmt (vgl. V. 6). Das Wort rechnet damit, daß Unschuldige durch einen Eingriff vor dem Todesurteil gerettet werden können. V. 12 kann verschieden gedeutet werden. Entweder: „Jener", d. i. Jahve, „kennt uns nicht" – etwa im Sinne von Ps. 64, 6 und 94, 7. Oder: „Wir wußten dies nicht" als eine faule Ausrede. Oder auch: „Wir kennen ihn", d. h. den Verurteilten, „nicht" und können uns daher kein eigenes Urteil erlauben. Demgegenüber steht das untrügliche Urteil Gottes, vor dem alle unsere Ausreden nicht gelten. Vgl. 21, 2; 1. Sam. 16, 7!

*V. 13. 14.* So süß der Honig für unsern Leib (Ps. 19, 11; 119, 103), so angenehm und heilsam ist die Weisheit für unsere Seele, d. h. für unser Leben. Ein Weiser hat eine echte Hoffnung für die Zukunft (10, 28; 11, 7). Sie „bleibt" – vgl. 1. Kor. 13, 13!

*V. 15. 16.* Der Gottlose sucht dem Gerechten zu schaden und wartet auf eine Gelegenheit. Vielleicht heißt es auch: Er spioniert, um einen Anklagepunkt zu finden. Aber selbst wenn der Gerechte zu Fall kommt – sieben ist sprichwörtlich gemeint –, steht er wieder auf. Man denke an Ps. 37, 24! Der Gottlose aber, der keinen Raum zur Buße hat und die Demut der Reue verachtet, stürzt ins Unheil.

*V. 17. 18.* Um so mehr hüte man sich, über den Fall seines Feindes zu frohlocken. Es gilt hier 1. Kor. 13, 6: „Die Liebe freut sich nicht der Ungerechtigkeit; sie freut sich aber der Wahrheit." Unter diese aber beugt sie sich selbst und weiß sich von ihr gerichtet. Wer dazu nicht fähig ist, der zieht Gottes Zorn auf sich. Lies 1. Kor. 10, 12!

*V. 19. 20.* Vgl. V. 1; 23, 17; auch 13, 9! Wir finden den gleichen Satz auch in Ps. 37, 1, in jenem Psalm, der auch zur Weisheitsliteratur gehört. Aller Neid ist töricht, da der Gottlose keine Verheißung Gottes für sich hat.

*V. 21. 22.* Gottesfurcht bleibt immer die Grundlage (1, 7; 9, 10; Hiob 28, 28; Ps. 111, 10). Israel ist in seinem Ursprung eine Theokratie, eine Gottesherrschaft (2. Mose 19, 6). Der irdische König ist daher nur das menschliche Werkzeug des himmlischen Königs. Sünde und Unglaube forderten einst ein irdisches Königshaupt über Israel (1. Sam. 8, 7). Seit David, „dem Mann nach dem Herzen Gottes" (1. Sam. 13, 14), ist der König Israels der Prototyp des kommenden Christus. – Die Ehrfurcht vor dem König wird auch innerhalb der neutestamentlichen Schriften – trotz der veränderten Lage im Römischen Reich – von der Gemeinde gefordert (1. Petr. 2, 17; auch 1. Tim. 2, 2). – Die Andersgesinnten sind die Aufrührer. Das Gericht über sie kann sehr plötzlich kommen, und niemand weiß, wieviel Zeit ihm gelassen ist. Vgl. 17, 11; 20, 2!

## IV. Weitere Worte von Weisen (Kap. 24, 23–34)

*(23) Auch diese Worte sind von Weisen. Es ist nicht gut, bei Gericht die Person zu berücksichtigen. (24) Wer zum Gottlosen sagt: „Du bist gerecht", den verwünschen die Völker, den verfluchen die*

*Nationen. (25) Aber denen, die (gerecht) strafen, geht es wohl, und über sie kommt Segen mit Gutem. (26) Mit den Lippen küßt, wer eine rechte Antwort gibt. (27) Richte dein Geschäft draußen recht aus und besorge dein Feld! Hernach geh und baue dein Haus! (28) Sei nicht ohne Ursache Zeuge gegen deinen Nächsten! Willst du etwa mit deinen Lippen (den Richter) betören? (29) Sage nicht: „Wie er mir tat, will ich ihm auch tun. Ich will jedem nach seiner Tat vergelten." (30) Ich ging am Feld eines Faulpelzes vorbei und am Weinberg eines Menschen ohne Verstand. (31) Und siehe, er war mit Unkraut aufgegangen, Wolfsmilch bedeckte seine Oberfläche. (32) Ich aber schaute und nahm mir's zu Herzen, ich sah und nahm eine Lehre (daraus). (33) „Noch ein wenig Schlaf, noch ein wenig Schlummer, noch ein wenig die Arme verschränkt, um zu ruhen!" (34) So kommt deine Armut einhergeschritten und dein Mangel wie ein bewaffneter Mann.*

Diese kleine Sammlung wird durch eine Überschrift von der vorherigen abgehoben. Offenbar stammt diese Sammlung von einer anderen Hand. Die Überschrift wird der Herausgeber, der die Sammlungen vereinigte, gesetzt haben.

*V. 23–25.* Wer parteiisch ist, fragt nicht objektiv nach den Vorgängen, sondern läßt sich von dem Eindruck beeinflussen, den die Person des Klägers oder des Angeklagten auf ihn macht. Gottes Richten dagegen ist gerecht, weil er den Frommen wie den Gottlosen mit dem gleichen Maßstab mißt (Apg. 10, 34; Röm. 2, 11; Gal. 2, 6; Eph. 6, 9; Kol. 3, 25; 1. Petr. 1, 17; auch 1. Sam. 16, 7; 2. Chron. 19, 7). Heuchlerisch loben die Schüler der Pharisäer das gleiche an Jesus (Matth. 22, 16; auch 2. Kor. 10, 7; Jak. 2, 9). Wer als Richter diese Warnung nicht beherzigt, wird den Gottlosen gerechtsprechen und sich dadurch den Haß der andern zuziehen (17, 15). Wer aber der Gerechtigkeit dient, wird von Gott gesegnet, der der gerechte Richter ist (2. Tim. 4, 8). Ob Paulus an V. 24 dachte, als er im Blick auf Jesu Kreuz zu schreiben wagte, daß Gott die Gottlosen rechtfertigt (Röm. 4, 5)?

*V. 26.* Strack bezieht auch diesen Vers auf die vorhergehenden und übersetzt: „Wer zutreffende Worte erwidert", nämlich als Zeuge vor Gericht. Aber 15, 23 lasen wir schon ein ähnliches Wort. Eine helfende, klare Antwort kann dem Fragenden wohltun wie ein ungeheuchelter Bruderkuß.

*V. 27.* Das Wort sagt: Ehe du einen eigenen Hausstand oder eine Familie gründest, lerne zuerst, in deinem Beruf tüchtig zu sein! Vgl. 12, 11!

*V. 28.* Ringgren versteht das Wort nur vom falschen Zeugnis. Aber der Ausdruck nötigt zu dieser Prägnanz nicht. Wenn keine triftige Ursache vorliegt, dränge man sich nicht zum Zeugen. Allerdings lesen wir in V. 11 unseres Kapitels von der Möglichkeit, daß unser Zeugnis andere rettet (vgl. auch 29, 24). Betören aber könnte man den Richter durch nicht eindeutige Worte, um den andern auf Kosten der Wahrheit zu retten. In diese Versuchung sollten wir nicht geraten.

*V. 29.* Das Wort erinnert an die Bergpredigt: Matth. 5, 38–41. Siehe auch Röm. 12, 17–19; doch auch Spr. 20, 22! Vgl. 3. Mose 19, 18; 5. Mose 32, 35!

*V. 30–32.* Die Warnung vor der Faulheit ist ein stets wiederkehrendes Thema in den Sprüchen: 6, 6 ff.; 10, 26; 13, 4; 15, 19; 19, 24; 20, 4; 21, 25; 22, 13; 26, 13 ff. Hier wird ein persönliches Erleben berichtet. Ob das Unkraut wirklich Wolfsmilch war, ist ungewiß. Wie aus einer Fabel will der Erzähler selbst daraus lernen.

*V. 33. 34.* Dasselbe lesen wir fast wörtlich in Kap. 6, 10. 11. Vielleicht sind die Verse hier später eingefügt.

# V. Zweite Salomonische Spruchsammlung (Kap. 25–29)

## Kap. 25

*(1) Auch das sind Sprüche Salomos, die Männer Hiskias, des Königs von Juda, gesammelt haben. (2) Gottes Ehre ist es, eine Sache zu verbergen, und die Ehre der Könige ist es, eine Sache zu erforschen. (3) Die Höhe des Himmels und die Tiefe der Erde und das Herz der Könige sind unerforschlich. (4) Entferne die Schlacke vom Silber, so entsteht ein Gefäß für den Goldschmied. (5) Entferne den Gottlosen aus der Nähe des Königs, so wird dessen Thron durch Gerechtigkeit gefestigt. (6) Brüste dich nicht vor dem König und stelle dich nicht auf den Platz der Angesehenen! (7) Denn es ist besser, man sagt zu dir: „Rücke herauf!", als daß man dich erniedrige vor einem Vornehmen, den deine Augen gesehen haben. (8) Geh nicht eilig hinaus zu einem Streit, damit nicht (die Frage entsteht): „Was sollst du machen?", wenn dein Nächster dich beschämt. (9) Führe deinen Streit mit deinem Nächsten, aber offenbare nicht das Geheimnis des anderen, (10) damit nicht, der es*

*hört, dich beschimpfe und das Gerede auf dich zurückfalle! (11) Wie goldene Äpfel auf silbernen Schalen ist ein Wort, geredet zum rechten Zeitpunkt. (12) Ein Ohrring von Gold und ein Geschmeide von feinstem Gold ist ein weiser Mahner für ein hörendes Ohr. (13) Wie Schneekälte am (heißen) Tag der Ernte ist ein treuer Eilbote für den, der ihn sandte, und er erquickt die Seele seines Herrn. (14) Aufsteigende Wolken, Wind und doch kein Regen – so ist ein Mann, der sich rühmt mit einer erheuchelten Gabe. (15) Durch Langmut wird ein Richter überzeugt, und eine sanfte Zunge zerbricht Knochen. (16) Hast du Honig gefunden, so iß, bis du genug hast, damit du ihn nicht ausspeist, wenn du seiner satt wurdest. (17) Halte deinen Fuß zurück vom Hause deines Nächsten, daß er deiner nicht überdrüssig werde und dich hasse! (18) Ein Hammer, ein Schwert und ein geschärfter Pfeil ist ein Mann, der als falscher Zeuge gegen seinen Nächsten spricht. (19) Ein schlechter Zahn und ein wankender Fuß, so ist das Vertrauen auf einen Treulosen am Tage der Not. (20) Wie einer, der den Mantel ablegt am kalten Tage, wie Essig auf Natron ist einer, der (frohe) Lieder singt vor einem trauernden Herzen. (21) Wenn dein Feind hungert, so speise ihn mit Brot, und wenn ihn dürstet, so tränke ihn mit Wasser! (22) Denn glühende Kohlen scharrst du auf seinen Kopf zusammen, und Jahve wird dir's vergelten. (23) Der Nordwind erzeugt Regen und eine heimliche Zunge ein übel gelauntes Gesicht. (24) Besser wohnen in einer Dachecke als ein zänkisches Weib und ein gemeinsames Haus. (25) Kühles Wasser für eine lechzende Seele ist eine gute Nachricht aus fernem Lande. (26) Eine getrübte Quelle und ein verdorbener Brunnen ist ein Gerechter, der vor den Gottlosen wankt. (27) Zu viel Honig essen ist nicht gut, aber ehrenvoll ist es, Schwieriges zu erforschen. (28) Gleich einer zerstörten Stadt ohne Mauer ist ein Mann, dessen Geist keine Schranke hat.*

Wie Kap. 10–22, 16 wollen auch diese Sprüche auf Salomo zurückgehen. Sie brauchen nicht alle von ihm selbst geprägt zu sein, sind wohl aber auf seine Veranlassung gesammelt worden. Einwände gegen die Historizität der Behauptung in V. 1 sind nicht stichhaltig. In der Zeit des frommen Königs Hiskia (2. Kön. 18–20; Jes. 36–39) haben in seinem Auftrag berufene Männer diese Sammlung zusammengestellt. Der Ausdruck in V. 1 bedeutet eigentlich „herübernehmen" – also etwa aus einer größeren Anzahl auswählen und zusammenfügen.

Es scheint, daß Kap. 25—27 nach Form und Inhalt enger zusammenhängen. Die Vergleiche sind künstlerischer als in Kap. 10—22, 16. Oft hängen mehrere Sprüche thematisch aneinander. Kap. 28 und 29 dagegen bringen ähnlich wie die erste große Sammlung (Kap. 10—22) kurze Sentenzen, von denen jede einen eigenen Gedanken aussagte.

(2—7) Hier haben wir lauter Worte, die den König erwähnen und darum zueinander gestellt sind.

*V. 2.* Es gehört zu dem unerforschlichen Wesen Gottes, daß er seine Wege und Pläne dem menschlichen Auge verbirgt (1. Kön. 8, 12; Ps. 51, 8; Jes. 45, 15; Dan. 2, 22; Röm. 11, 33; 1. Kor. 2, 7). Es ist Gottes souveräner Weisheit überlassen, ob und wieweit er seine Verborgenheit offenbart. Dem König aber ziemt es zu erforschen, was Menschen zu verbergen suchen. Denn er ist der oberste irdische Richter.

*V. 3.* Solch vergleichende Sprüche nennt man emblematisch. Sie sind in dieser hiskianischen Sammlung viel häufiger als in den anderen Teilen des Spruchbuches. Zu diesem Vers vgl. Hiob 11, 8! Auch der König gibt seine Gedanken nicht der Öffentlichkeit preis. Vgl. auch 20, 5!

*V. 4. 5.* Beide Verse gehören zusammen. Ein kunstvolles Gefäß kann nur entstehen, wenn das Edelmetall entschlackt ist. So sind die Frevler aus der Nähe des Königs zu entfernen, damit sein Thron in Gerechtigkeit feststehe. Vgl. 16, 12; 20, 28; auch den sog. Regentenspiegel Davids Ps. 101, 4—7!

*V. 6. 7.* Diese Worte mögen zur Erziehung von Beamten geformt sein, damit sie den rechten Umgang mit dem König lernen. Bescheidenheit und Demut führen eher zur Erhöhung als Vermessenheit, auf die die Beschämung folgt. Vgl. Luk. 14, 7—11! Wenn schon für den Umgang mit Menschen, wieviel mehr gilt das für die Stellung vor Gott (1. Petr. 5, 5 f. und Parallelen)!

*V. 8.* Der Fromme soll möglichst allen Streit vermeiden (Röm. 12, 18). Sonst könnte es sein, daß er selbst ins Unrecht gesetzt wird und beschämt dasteht.

*V. 9. 10.* Noch ein Wort vom Streit: Man regle Zwistigkeiten unter vier Augen und bringe nicht alles an die große Glocke (Matth. 18, 15 ff.)! Denn dadurch reizt man den Gegner, und die daraus folgenden Schmähungen schaden schließlich dem eigenen Ruf.

*V. 11. 12.* Ähnlich wie in V. 4 werden hier zum Vergleich kostbare Kleinodien herangezogen. Vielleicht sind mit den goldenen Äpfeln Orangen (Goldorangen) gemeint, die auf silbernen Schalen angeboten werden. Ein rechtes Wort zu rechter Zeit ist ein Zeichen der Weisheit. Diese ist wertvoll wie Gold. Im Orient wurde goldener Schmuck seit uralter Zeit hoch geschätzt. (Man denke an die Funde im Grabe des Pharao Tut=ench=amun!) Auch in diesen Versen zeigt sich der aristokratische Ursprung dieser Sammlung.

*V. 13. 14.* Gleichnisse, der Witterung entnommen. An den glühend=heißen Tagen der Erntezeit sehnt sich der Mensch nach der Kühle des Schnees. So erfrischend ist ein treuer Bote. Durch unsere gewohnte Post=verbindung sind wir gar nicht mehr in der Lage, die Treue eines solchen Botendienstes zu ermessen, von dem oft so viel abhing. Vgl. etwa das dankbare Lob und die Beschreibung des Boten in Jes. 52, 7! Dagegen gleicht ein hohler Prahlhans den trügerischen Wolken bei Westwind, die uns enttäuschen, wenn wir auf Regen warten. Er ist ein „windiger" Geselle.

*V. 15.* Noch ein Wort vom Richten (vgl. 8—10): Ruhige Gelassenheit vor Gericht ist für den Richter überzeugender als Leidenschaftlichkeit, die sich im Orient oft findet. Der heftigste Widerstand — „harte Knochen" — kann damit überwunden werden.

*V. 16. 17.* Die Verse gehören zusammen. Selbst einer so hochge=schätzten Gabe wie des süßen Honigs (2. Mose 3, 8; 5. Mose 32, 13; Ps. 19, 11 und öfter) können wir überdrüssig werden. Durch Aufdring=lichkeit und Taktlosigkeit kommt selbst eine gute Freundschaft in Gefahr.

*V. 18.* Das Thema des falschen Zeugen wird in der ersten Spruch=sammlung oft berührt (19, 5. 9 und Parallelen). Der dreifache Vergleich (Hammer, Schwert, Pfeil) zeigt eine stilistische Künstlichkeit, wie wir sie in der ersten Sammlung nicht finden.

*V. 19.* Der Treulose ist unzuverlässig gleich einem schlechten Zahn, mit dem man nicht beißen, oder einem lahmen Fuß, auf den man nicht treten kann.

*V. 20.* Der Satz ist seltsam verschachtelt und muß in der Übersetzung aufgelöst werden. Wer einem trauernden Herzen fröhliche Lieder singt, benimmt sich so unpassend wie einer, der in der Kälte das Oberkleid aus=zieht, oder wie wenn man Essig auf Natron (vielleicht auch Laugensalz) gießt — eine sinnlose Prozedur!

*V. 21. 22.* Vgl. Röm. 12, 20 — die einzige Stelle, an der Paulus unser Spruchbuch ausdrücklich zitiert! (Anklänge enthalten: Röm. 12, 16; vgl. 16, 19; Röm. 12, 17; vgl. 3, 7; Gal. 6, 7; vgl. 22, 8; Eph. 6, 4; vgl. 3, 11 und 19, 18; Kol. 2. 3; vgl. 2, 2 f.) Zu unserer Stelle vgl. auch 24, 17 f. 29! Über die Feindesliebe im Alten Testament: 2. Mose 23, 4 f.; im Neuen Testament vor allem: Matth. 5, 44 ff.; 1. Kor. 4, 12; 1. Thess. 5, 15;

1. Petr. 3, 9. Das rätselvolle Bild von den Kohlen auf dem Kopf des andern ist neuerdings aus einem Bußritus des alten Ägypten erklärt worden. Hier heißt es: Die unerwartete Liebe zum Feind bereitet diesem Schmerzen der Reue.

*V. 23.* Eigentlich heißt es: „der Wind von Mitternacht", d. h. aus dem Dunkel. Er bringt Regenwetter – und die heimliche Zunge, der Klatsch, bringt verstimmte und verärgerte Gesichter. Die Zungensünden werden in den Sprüchen oft gestraft. Vgl. auch Jak. 1, 26; 3, 3–12!

*V. 24.* Vgl. 21, 9. 19!

*V. 25.* Vgl. 15, 30! Die weiten Reisen jener Zeit brachten viele Gefahren mit sich. Vgl. die apokryphe Geschichte des Tobias; auch 2. Kor. 11, 26! Ps. 121 ist wahrscheinlich ein Reisesegen.*

*V. 26.* Wer als Gerechter vor den Augen der Gottlosen zu Fall kommt, wird nicht nur selbst zu Spott, sondern bringt auch über die Sache Gottes Schande. Gottes Wahrheit wird oft mit dem erquickenden Wasser verglichen (Ps. 23, 2; 36, 10; Jer. 2, 13; 17, 13; Joh. 4, 13 f.; 7, 37 f. und öfter). Die Quelle wird dadurch getrübt, daß man mit den Füßen hineintritt (so wörtlich) – vgl. Hes. 34, 18! So wird die gute Botschaft Gottes durch seine schlechten Anhänger unbrauchbar gemacht.

*V. 27.* Man kann sich an sonst gesundem Honig überladen. Der Text in der zweiten Hälfte des Verses macht Schwierigkeiten. Wörtlich heißt es: Es ist ehrenvoll, Ehrenvolles zu erforschen. Strack hilft sich durch eine gekünstelte Übersetzung: „Auf schwieriges Forschen einzugehen bringt Ehre."

*V. 28.* Eine Stadt ohne Mauer ist allen Gegnern schutzlos preisgegeben (Neh. 1, 3). So ist allen Angriffen und dem Spott preisgegeben, wer die Grenzen seines Geistes nicht kennt. Ringgren übersetzt: „dem Selbstbeherrschung fehlt".

## Kap. 26

*(1) Wie Schnee im Sommer und Regen in der Erntezeit, so unpassend ist Ehre für den Narren. (2) Wie ein Sperling flattert und eine Schwalbe fliegt, so ist ein Fluch ohne Grund – er trifft nicht ein. (3) Eine Peitsche für das Pferd, einen Zaum für einen Esel, aber eine Rute für den Rücken der Narren! (4) Antworte dem Narren nicht nach seiner Torheit, damit du ihm nicht gleichgeachtet wirst! (5) Antworte dem Narren entsprechend seiner Narrheit, damit er*

---

* Siehe Band 12/II dieses Bibelwerkes: Psalter II, S. 223 ff.

*nicht in seinen eigenen Augen weise sei! (6) Wer seine Sache durch einen Narren bestellt, verstümmelt sich die Füße und schluckt Unbill. (7) Wie die Schenkel eines Hinkenden herabhängen, so ist ein Weisheitsspruch im Munde von Narren. (8) Wie das Anbinden eines Steines an die Schleuder, so ist es, wenn man einem Narren Ehre gibt. (9) Wie ein Dorn, der in die Hand des Trunkenen geriet, ist ein Weisheitsspruch im Munde von Narren. (10) Vieles bringt alles hervor (?) — wer einem Narren winkt oder Vorübergehende dingt (?).* [Der Text dieses Verses ist völlig verdorben.] *(11) Wie ein Hund zum Gespei zurückkehrt, so wiederholt der Narr seine Narrheit. (12) Wenn du einen Mann siehst, der weise ist in seinen eigenen Augen — ein Narr hat mehr Hoffnung als er! (13) Ein Fauler sagt: „Ein Junglöwe ist auf dem Wege, ein Löwe ist auf den Straßen!" (14) Die Tür dreht sich in der Angel und der Faule auf seinem Bett. (15) Der Faule taucht seine Hand in die Schüssel, ist aber zu müde, um sie wieder zum Munde zu führen. (16) Der Faule ist in seinen Augen weiser als sieben, die verständig antworten. (17) Nach den Ohren eines vorüberlaufenden Hundes greift, wer sich in einen Streit mischt, der ihn nichts angeht. (18) Wie ein Unsinniger, der Brandpfeile und tödliche Geschosse schießt, (19) so ist ein Mann, der seinen Nächsten täuscht und sagt: „Habe ich nicht bloß Spaß gemacht?" (20) Wo kein Holz ist, verlischt das Feuer, und wo kein Verleumder ist, beruhigt sich der Streit. (21) Kohle zur Glut und Holz ins Feuer — so ist ein Streitsüchtiger, um einen Zank zu entflammen. (22) Die Worte des Verleumders sind wie Leckerbissen; diese dringen in die Kammern des Leibes. (23) Schlackensilber über eine Scherbe — so sind glatte Lippen und ein böses Herz. (24) Der Hasser verstellt sich mit seinen Lippen; im Innern aber bereitet er Betrug. (25) Trau ihm nicht, wenn er seine Stimme freundlich stellt! Denn sieben Greuel sind in seinem Herzen. (26) Er verbirgt Haß durch Betrug, aber in der öffentlichen Versammlung wird seine Bosheit offenbart. (27) Wer eine Grube gräbt, fällt in sie hinein, und wer einen Stein hinaufrollt, auf den rollt er zurück. (28) Eine trügerische Zunge haßt die (von ihr) Verletzten, und ein glatter Mund bereitet Sturz.*

*V. 1.* Im Sommer schneit es nicht, und in der Erntezeit herrscht in Palästina große Trockenheit. Da wäre ein Regen völlig unnatürlich. Ebenso unpassend ist Ehre für einen Gottlosen. Sie würde ihn nur auf seinem verkehrten Wege bestärken. Vgl. V. 8; auch 19, 10!

*V. 2.* Verwünschungen kennen wir auch aus den Psalmen (z. B. Ps. 109). Man glaubte an ihre Macht. Jesus hat sie seinen Jüngern verwehrt (Matth. 5, 44; auch Röm. 12, 14). Gott aber wehrt von den Seinen solche Verwünschungen ab. Sie treffen uns nicht und verfliegen, wie ein Vogel vorüberfliegt.

V. 3–12 sind Sprüche über die Narren. Wir haben hier also eine thematische Anordnung.

*V. 3.* Wie das Pferd mit der Peitsche und der Esel mit dem Zaum die Leitung und Zucht brauchen, so kann auch der Narr nur durch Härte von seinem Weg abgehalten werden.

*V. 4. 5.* Man soll den Narren nicht ernst nehmen, sonst befestigt man ihn nur in seiner Narrheit.

*V. 6.* Wer einen Narren zu seinem Beauftragten macht, nimmt Schaden, der nicht wiedergutzumachen ist.

*V. 7.* So kraftlos wie die Muskeln eines Gelähmten, so kraftlos ist ein Weisheitswort im Munde des Narren.

*V. 8.* Der Satz ist nicht ganz eindeutig. Wir übersetzen nach der Septuaginta „Schleuder", während andere Ausleger „Steinhaufen" sagen. Es handelt sich um ein hapax legomenon, um ein Wort, das sonst in der Bibel nicht vorkommt. Ein an die Schleuder gebundener Stein kann nicht geworfen werden und ist demnach sinnlos.

*V. 9.* Ein Dorn, das ist ein zugespitzter Stab zum Antreiben der Zugtiere (vgl. Apg. 26, 14), kann in der Hand eines Betrunkenen zu großem Unheil führen. So kann ein an sich richtiges Wort im Munde eines Narren, der es falsch gebraucht, ein unheilvolles Mißverständnis hervorrufen.

*V. 10.* Der Text ist so verdorben, daß viele Ausleger auf eine Übersetzung verzichten. Strack übersetzt: „Viel bringt alles hervor; aber der Lohn eines Toren und der Lohnherr fahren dahin." Dazu sagt er: „Wer viel hat, der kann, wenn er es nur recht anfängt, damit alles erlangen. Fängt er es aber töricht an, so wird er alles verlieren." (376) Das wäre dem Sinne nach ähnlich wie V. 6. Dennoch bleibt die Deutung sehr zweifelhaft.

*V. 11.* Das unschöne Bild will den Narren verächtlich machen, der seine Narrheit nicht läßt, statt sie zu verabscheuen.

*V. 12.* Die Vermessenheit des Hochmütigen ist noch törichter als des Narren Narrheit. Vgl. V. 5; 3, 7; Jes. 5, 21; Röm. 12, 17! Solch ein Wort behält überall seine klärende Kraft, der wir uns nicht entziehen sollten. Zu allen diesen Worten über den Narren müssen wir uns stets vergegenwärtigen, daß damit der Gottlose, der Frevler, der Spötter gemeint ist.

V. 13—16 bringt eine Reihe Sprüche über die Faulheit. Auch hier sind also die Worte ausnahmsweise thematisch geordnet.

*V. 13.* Wer nicht arbeiten will, findet die törichtsten Ausreden (vgl. 22, 13).

*V. 14.* Die Tür dreht sich zwar, aber sie kommt nicht vom Fleck. So bleibt auch der Faule träge im Bett liegen, selbst wenn er sich auf die andere Seite legt. Vgl. 6, 9 f.!

*V. 15.* Vgl. 19, 24! Mit beißender Ironie wird die Faulheit gestraft, der selbst das Essen zu anstrengend ist.

*V. 16.* Der Faule und der Narr sind demnach verwandt (V. 12; 3, 7). Sich selbst für klug zu halten (Röm. 12, 17), ist „der Gipfel der Torheit" (Ringgren 105). Der Faule kommt sich siebenmal klüger vor als ein Weiser.

*V. 17.* Vgl. 25, 8! Der Hund beißt zu, wenn du ihn reizt. So geht es dem, der sich ungefragt in fremden Streit mischt. Vgl. Röm. 12, 18!

*V. 18. 19.* Einen Amokläufer nennt man einen, der wie besinnungslos um sich schlägt oder schießt. Ein solcher kann nach all dem Schaden, den er anrichtete, nicht alles als harmlosen Scherz bezeichnen.

V. 20—28 ist wieder eine Gruppe von Sprüchen über das Thema Verleumdung, Streitsucht, Haß.

*V. 20. 21.* Ein Verleumder ist wie ein Brandstifter, denn er schürt den Streit, indem er immer neues Brennmaterial herbeibringt. Das Feuer erlischt erst, wenn ihm der Mund gestopft wird. Vgl. 16, 28; 22, 10!

*V. 22.* Vgl. 18, 8! Der Verleumder verzuckert seine Worte, damit sie wie Naschwerk schmecken. Aber der ganze Leib wird vergiftet.

*V. 23. 24.* Ringgren übersetzt: „wie Glasur über ein Tongeschirr". Man kann eine glänzende Außenseite über wertloses Material legen und dadurch den Beschauer täuschen. So macht es der Heuchler.

*V. 25. 26.* Deshalb werden wir gewarnt: Traue der freundlichen Stimme nicht! Die Zahl Sieben ist wie in V. 16 sprichwörtlich gemeint. Sie ist die Zahl der Vollkommenheit. Mag sich solch einer verstellen, in der breiten Öffentlichkeit, etwa einer Volksversammlung, bricht das Verborgene hervor. Da wird er entlarvt und gestraft.

*V. 27.* Die Bosheit fängt sich in der eigenen Schlinge. Vgl. Ps. 7, 16; 9, 16; 35, 8; 140, 10; Pred. 10, 8!

*V. 28.* Es ist eine im Leben nicht selten zu beobachtende Tatsache, daß der, der dem Nächsten Unrecht tat, diesen hernach haßt, weil er ihn immer an das Unrecht erinnert. Das schlechte Gewissen fühlt sich verklagt. Und deshalb fühlt es sich erleichtert, wenn der andere verschwindet.

## Kap. 27

*(1) Rühme dich nicht des morgigen Tages; denn du weißt nicht, was ein Tag gebiert. (2) Ein anderer mag dich rühmen, aber nicht dein eigener Mund — ein fremder, nicht deine eigenen Lippen. (3) Schwer ist der Stein und eine Last der Sand, aber der Unmut über einen Narren ist schwerer als beide. (4) Heiße Wut und überströmender Zorn — wer kann vor ihrem Eifer bestehen? (5) Besser eine offene Rüge als Liebe, die sich verbirgt. (6) Die Wunden, die der Liebende schlägt, sind treu gemeint; aber gar zu reichlich sind die Küsse des Hassenden. (7) Ein Gesättigter tritt den Honigseim mit Füßen; aber dem Hungernden ist auch alles Bittere süß. (8) Wie ein Vogel, der vom Nest flattert, ist ein Mann, der seinen Platz verläßt. (9) Öl und Räuchwerk erfreuen das Herz, und süß ist der auf dem Herzen kommende Rat des Freundes. (10) Verlaß nicht deinen Freund und den Freund deines Vaters, und gehe nicht ins Haus deines Bruders am Tage deiner Not! Besser ist ein naher Nachbar als ein ferner Bruder. (11) Sei weise, mein Sohn, und erfreue mein Herz, damit ich dem antworte, der dich schmähte! (12) Der Kluge sieht das Unheil und verbirgt sich; die Einfältigen geraten hinein und müssen es büßen. (13) Nimm sein Gewand weg, denn er hat für einen Fremden gebürgt, und pfände ihn um der Fremden willen! (14) Wer seinen Nächsten mit lauter Stimme am frühen Morgen segnet, dem wird es zum Fluch gerechnet. (15) Eine rinnende Traufe am Regentage und ein zänkisches Weib gleichen einander. (16) Wer sie birgt, birgt Wind, und seine rechte Hand gerät in Öl. (17) Eisen schleift man mit Eisen, und ein Mann schleift den Nächsten. (18) Wer den Feigenbaum hütet, ißt seine Frucht; und wer seinen Herrn behütet, wird geehrt. (19) Wie Wasser das Gesicht widerspiegelt, so das Herz des Menschen das des andern Menschen. (20) Das Totenreich und der Abgrund werden nicht satt; auch die Augen des Menschen haben nie genug. (21) Der Tiegel für das Silber und der Schmelzofen für das Gold — so auch ein Mensch seinem Ruf entsprechend. (22) Wenn du den Narren im Mörser zerstößt — inmitten von Körnern mit dem Stößel —, so weicht seine Narrheit nicht von ihm. (23) Das Aussehen deiner Schafe sollst du gründlich kennen. Richte dein Aufmerken auf die Herde! (24) Denn nicht für ewig währt Besitztum — oder bleibt ein Diadem von Geschlecht zu Geschlecht? (25) Es zeigt sich das Gras, man sieht das frische Grün, man sammelt die Kräuter der Berge — (26) (so sind) Läm-*

*mer zu deiner Bekleidung und Böcke als Kaufpreis für einen Acker (27) und genug Ziegenmilch zur Speise und zur Speise deines Hauses und zum Unterhalt deiner Mägde.*

*V. 1.* Das Wort erinnert an Jak. 4, 13–15. Auch Jakobus lebt in der Spruchweisheit des alten Israel. Es ist Gottes Güte, die uns die Zukunft verbirgt. Und es ist Vermessenheit des Menschen, diesen Schleier zu lüften.

*V. 2.* Aller Selbstruhm ist hohl und eitel. Der Hochmut gehört zur Ursünde des Menschen (1. Mose 3, 5). Dazu siehe Luk. 14, 10 f.!

*V. 3.* Die unberechenbare Laune des Narren, nämlich des Gottlosen, bereitet seinem Nächsten eine schwere Last.

*V. 4.* Vgl. 6, 34 f.! Die Wut eines Gereizten ist unberechenbar. Vgl. Jak. 1, 20!

*V. 5.* Wenn Liebe schweigt und sich nicht äußert, dann hilft ein offener Tadel mehr als sie.

*V. 6.* Die Schläge dessen, der mich liebt, sind gutgemeinte Zucht. Aber die Liebkosungen dessen, der mich haßt, sind gefährlich. „Man merkt die Absicht, und man ist verstimmt", sagt der Dichter.

*V. 7.* Während ein großer Teil der Welt hungert, leben einige wenige Völker im Überfluß. Lebensmittel werden vernichtet, um die Preise zu halten, während gleichzeitig Unzählige des Hungers sterben. Ein sehr zeitgemäßes Wort!

*V. 8.* In unserer Zeit, die Flüchtlingsströme ganzer Völker kennenlernen mußte, ist solch ein Wort überraschend. Wer seinen Platz und seine Heimat verließ, war in der alten Zeit ungeborgen. Er war „im Elend", was wörtlich „heimatlos" heißt. Der Vogel, der vom Nest gejagt wird, flattert ängstlich hin und her. Lies dagegen Ps. 84, 4!

*V. 9.* Der orientalische Gastfreund bewirtet den Gast nicht nur mit Speise und Trank. Öl zur Erfrischung des in der Sonne getrockneten Haupthaars und Wohlgeruch gehören dazu. Lies Matth. 26, 6 ff.; Luk. 7, 46; Joh. 12, 3 ff.! Zur wohlriechenden Salbe kam auch der Wohlgeruch des Räuchwerks (Hohel. 3, 6; 4, 14; Matth. 2, 11). Der wohlüberlegte Rat des Freundes erfreut wie jene Gabe der Gastfreundschaft.

*V. 10.* Noch ein Wort von der Freundschaft. Nicht nur den eigenen, sondern auch den Freunden des Vaters gilt es die Treue zu halten. Solche gute Nachbarschaft ist besser als ein Blutsverwandter in der Ferne. Der Mittelsatz soll vielleicht heißen: Werde dem Nächsten nicht mit deiner Not lästig! Freundschaft soll nicht zuerst Interessengemeinschaft sein, denn die Liebe sucht nicht das Ihre. Vgl. 1. Kor. 13, 5; auch Apg. 20, 35!

*V. 11.* Die gottesfürchtige Weisheit des Schülers erfreut nicht nur den Lehrer. Sie gibt diesem auch ein gutes Zeugnis, so daß er auf seinen Erfolg weisen kann, wenn man etwa seine Lehrfähigkeit bezweifelt und ihn und seinen Schüler schmäht.

*V. 12.* Vgl. 22, 3! Klugheit macht wach und aufmerksam. Dagegen ist der Unerfahrene oft gefährdet. Ein Wort, das an die Gefahren des Verkehrs unserer Zeit erinnert.

*V. 13.* Vgl. 20, 16! Gegen das leichtfertige Bürgschaftleisten spricht auch 6, 1 ff. Siehe das dort Gesagte!

*V. 14.* Offenbar geht es um ein verdecktes Betteln. Man erwartet auf den Segenswunsch hin ein Geschenk, geht darum sehr früh zu ungelegener Zeit hin und wird als lästig empfunden. Oetinger schreibt dazu: „Man pflegt früh vor der Tür der Herren zu gratulieren und mit lauter Stimme zu rufen" (181). Aber statt einer Gabe empfängt man Schelte und Fluchworte, weil die Eigennützigkeit des Rufenden erkannt wurde. Vgl. 1. Sam. 25, 4–14!

*V. 15. 16.* Vgl. 19, 13! Hier wird durch das Bild der rinnenden Traufe der Satz noch plastischer. Der Redestrom der Zänkischen wird mit dem nicht aufhörenden Rauschen und Tröpfeln verglichen. Vgl. auch 21, 9. 19; 25, 24! So unmöglich es ist, den Wind einzufangen, und so schwer es ist, etwas Öliges festzuhalten, so unmöglich ist es, das Zanken eines solchen Weibes zu beschwichtigen.

*V. 17.* Der Schliff – ein Bild, das auch unsere Sprache kennt – ist dem Manne nötig. Es ist hier aber nicht an die äußeren Manieren gedacht, sondern an die Charakterbildung. Oetinger sagt: „Auch ein Mann kann den anderen, wie hartnäckig er ist, bessern und auf einen andern Sinn bringen" (181/182).

*V. 18.* Vgl. 1. Kor. 9, 7; 2. Tim. 2, 6! So wird auch die Treue des Knechtes nicht ohne Lohn bleiben. Vgl. Matth. 25, 21!

*V. 19.* Wir erkennen uns im andern wieder. Wer sein eigenes Herz kennt, weiß auch den andern zu verstehen. Vgl. 1. Kor. 2, 11!

*V. 20.* Die Unersättlichkeit dessen, der nie genug hat, gleicht der Hölle. Auch sie ist unersättlich. Vgl. 1, 12; 30, 16; Jes. 5, 14; 14, 11. 15; Hes. 31, 15!

*V. 21.* Wie das Edelmetall in der Glut des Schmelztiegels gereinigt wird, so wird auch im Ruf oder Urteil der Öffentlichkeit Wert oder Unwert des Menschen ans Licht gebracht. Über die Richtigkeit dieses Urteils wird damit noch nichts ausgesagt.

*V. 22.* Die Narrheit des Gottlosen steckt so tief in seiner Natur, daß sie ihm bleibt, auch wenn man ihn wie Grütze im Mörser zerstieße.

*V. 23–27.* Wir haben hier wieder einen größeren Zusammenhang unter dem Thema der Viehzucht. Wichtig für ein bäuerliches Volk.

V. 23. Der Schafzüchter muß seine Tiere gründlich kennen und aufmerksam auf sie achten. Diese Treue des Hirten steht hinter all den Worten vom Hirten Jahve bzw. Christus. Vgl. 1. Mose 48, 15; 49, 24; 4. Mose 27, 17; 1. Kön. 22, 17; Ps. 23, 1; 80, 2; 100, 3; Jes. 13, 14; 40, 11; Hes. 34, 1 ff. 23 und öfter; vor allem aber Joh. 10, 12 ff. 27 ff.; 1. Petr. 5, 4!

*V. 24.* Jeder irdische Besitz ist fragwürdig. Statt Diadem übersetzt Ringgren: „Reichtum". Wichtiger als totes Kapital als Garant der Zukunft ist lebendiger Viehbesitz, der sich ständig erneuert.

*V. 25.* Es liegt etwas vom Staunen über die immer neu grünenden Wiesen und Triften in diesem Wort. Vgl. Ps. 65, 10–14; 104, 13 f.!

*V. 26. 27.* Der Nachwuchs deiner Herden sorgt für Wolle zu deinen Gewändern. Die Böcke kannst du verkaufen, um einen Acker zu erwerben, und die Ziegenmilch reicht zur Ernährung deiner Familie samt dem Gesinde. Solche Worte zeigen die Kraft eines echten Schöpfungsglaubens, wo der Lebensunterhalt dankbar aus der Hand des schenkenden Gottes empfangen wird.

## Kap. 28

*(1) Die Gottlosen fliehen, auch wenn kein Verfolger da ist; aber die Gerechten sind zuversichtlich gleich einem jungen Löwen. (2) Durch die Sünde eines Landes werden seine Fürsten zahlreich; aber durch einen verständigen, einsichtigen Menschen bekommt das Recht Dauer (?). (3) Ein hochgestellter Mann, der die Armen bedrückt, ist wie ein Platzregen, der kein Brot gibt. (4) Die das Gesetz verlassen, rühmen die Gottlosen; aber die das Gesetz bewahren, entrüsten sich über sie. (5) Boshafte Männer verstehen das Recht nicht; aber die Jahve suchen, verstehen alles. (6) Besser ein Armer, der in Unsträflichkeit wandelt, als einer, der reich ist und krumme Wege geht. (7) Wer das Gesetz hält, ist ein verständiger Sohn; aber wer mit Schlemmern umgeht, macht seinem Vater Schande. (8) Wer seine Habe durch Zins und Preisaufschlag mehrt, sammelt für den, der sich der Armen erbarmt. (9) Wer sein Ohr vom Hören des Gesetzes abzieht, dessen Gebet ist sogar ein Greuel. (10) Wer Redliche auf bösen Weg verführt, der wird in seine Grube fallen; aber Unsträfliche werden Gutes ererben. (11) Weise in seinen*

*Augen dünkt sich ein Reicher; aber ein Armer, der einsichtig ist, durchschaut ihn. (12) Wenn Gerechte frohlocken, ist der Ruhm groß; aber wenn sich die Gottlosen erheben, kann man nach Menschen suchen. (13) Wer seine Sünden versteckt, dem wird's nicht gelingen; wer sie aber bekennt und läßt, wird Erbarmung finden. (14) Selig der Mann, der allezeit die Furcht kennt; aber wer sein Herz verhärtet, fällt in Unheil. (15) Ein knurrender Löwe und ein gieriger Bär — so ist ein Gottloser, der über ein armes Volk herrscht. (16) Ein Fürst, der keine Einsicht hat, bedrückt viele! (Doch) wer ungerechten Gewinn haßt, verlängert sein Leben. (17) Ein Mensch, durch Blutschuld bedrückt, ist auf der Flucht bis zum Grabe; man halte ihn nicht fest! (18) Wer unsträflich wandelt, dem wird geholfen; wer aber krumme Wege geht, fällt in die Grube (?). (19) Wer sein Land bebaut, hat an Brot Überfluß; wer aber Nichtigem nachjagt, hat Überfluß an Armut. (20) Ein Mann der Treue (empfängt) viel Segen; wer sich aber nach Reichtum drängt, bleibt nicht ungestraft. (21) Es ist nicht gut, die Person zu berücksichtigen; und um einen Bissen Brot tut ein Mann Unrecht. (22) Wer nach Reichtum hastet, ist ein mißgünstiger Mann; und er erkennt nicht, daß Mangel über ihn kommen wird. (23) Wer einen Menschen rügt, wird hernach mehr Dank empfangen als einer, der mit der Zunge schmeichelt. (24) Wer seinen Vater und seine Mutter beraubt und sagt: „Das ist kein Unrecht!", der ist ein Genosse des Verderbers. (25) Wer der Gier Raum gibt, erweckt Streit; wer aber auf Jahve vertraut, wird reichlich haben. (26) Ein Narr ist, wer auf sein (eigenes) Herz vertraut; aber wer in Weisheit wandelt, der wird gerettet. (27) Wer dem Armen gibt, wird selbst keinen Mangel haben; wer aber nichts sehen will, der wird verflucht. (28) Wenn die Gottlosen aufstehen, verbergen sich die Menschen; aber wenn sie untergehen, werden die Gerechten zahlreich.*

Die Sprüche aus Kap. 28 und 29 erinnern in ihrer meist antithetischen Form und in ihrer Kürze mehr an die Sprüche aus Kap. 10–22 als die Sentenzen aus den vorhergehenden Kapiteln.

*V. 1.* Das Zeichen der Gottlosigkeit ist immer die Angst (Joh. 16, 33), auch wenn sie sich in Großsprecherei und Angabe verbirgt. Aber echte Gottesfurcht schafft Zuversicht und Geborgenheit, wovon die Psalmen oft zeugen: 27, 1 f.; 31, 2 ff.; 46, 2 ff und sehr oft.

*V. 2.* Wie wahr dieses Wort ist, zeigt die Geschichte des Nordreichs — Israel–Samaria —, wo in wenigen hundert Jahren sechs Königsmorde, ein Königsselbstmord und ein dauernder Wechsel der Dynastien stattfanden. Dagegen blieb hundertfünfzig Jahre länger im Südreich Juda–Jerusalem die Dynastie Davids und überdauerte alle Stürme. Man lese darüber in den beiden Königsbüchern!

*V. 3.* Statt daß der Vornehme und Einflußreiche den Armen und Rechtlosen schützt, ist er oft sein Bedrücker. Dann gleicht er einem Sturzregen, der großen Schaden anrichtet, statt das Land zu befruchten.

*V. 4.* Das Gesetz, die Thora Gottes, gibt die rechten Maßstäbe für Gut und Böse. Wer diese nicht gelten läßt, hat bald an den Frevlern Gefallen. Aber dann gilt, was der Prophet sagte: Jes. 5, 20. Vgl. dagegen Ps. 119, 21. 51. 53. 69. 78 und öfter!

*V. 5.* Vgl. 29, 7; auch 1, 7; 1. Kor. 2, 15; 1. Joh. 2, 20! Der Satz ist eine Ergänzung des vorhergehenden. Das Fragen und Suchen nach Jahve schafft Urteilskraft und rechte Maßstäbe. Wer nach Gottes Willen fragt, bleibt nicht ohne Antwort (Joh. 7, 17).

*V. 6.* Vgl. 19, 1! Ein gutes Gewissen ist mehr wert als Geld. Wer vor Gott unsträflich sein will, kennt ihn als den Erbarmer. — Wörtlich heißt es nicht: „krumme Wege", sondern: „der zwei Wege verdreht", d. h. den Weg der Gebote Gottes eintauscht gegen den Weg der Gottlosen. Vgl. Ps. 1!

*V. 7.* Auch dieser Satz bezieht sich auf den vorhergehenden. Ein Vater freut sich, wenn sein Sohn Gottes Gebote bewahrt. Sucht er aber nur Genuß und Vergnügen und gerät dadurch in schlechte Gesellschaft, so verliert auch der Vater seinen guten Ruf. Vgl. 23, 20!

*V. 8.* Vgl. 13, 22, wo mit anderen Worten ein ähnlicher Gedanke ausgesprochen wird! Wucherzinsen sind im Gesetz verboten: 3. Mose 25, 36 ff.; 5. Mose 23, 20; Hes. 18, 12 ff.; 22, 12. Der Wucherer wird schließlich sein Geld verlieren. Aber der, der bereit ist, mit seinem Geld den Armen zu helfen, der wird es erben.

*V. 9.* Vgl. 1, 24 f.! Wer die Weisheit Gottes und sein Gesetz verachtet, dessen Gebet ist eitel Heuchelei. Vgl. auch 15, 8. 29!

*V. 10.* Vgl. 26, 27! Der Verführer wird im Gericht in seinen eigenen Schlingen gefangen. Paulus nennt das: „dahingegeben sein" (Röm. 1, 24. 26. 28). Vgl. auch Ps. 7, 16; 9, 16; 35, 8; 55, 24; 57, 7! Nur der Gerechte kann auf ein Gotteserbe hoffen. Vgl. Ps. 16, 5; 37, 9. 22. 29; Jes. 57, 13; Röm. 8, 17; Gal. 4, 7!

*V. 11.* Bis zur Gegenwart ist es so geblieben, daß der Vermögende sich selber für klüger hält als den Unvermögenden. Das Geld verblendet und macht uns leicht dumm. Aber echte Weisheit in Gottesfurcht läßt sich nicht blenden. Sie behält eine unbestechliche Urteilskraft und erkennt auch, wo der Besitz aus dem Segen Gottes kommt, z. B. bei Hiob 42, 10 ff., oder ob der Reichtum aus unrechtem Geiz entstand, z. B. Luk. 12, 15–21.

*V. 12.* Statt Ruhm kann man auch Schmuck oder Glanz sagen. Triumphieren die Menschen Gottes, so ist gute Zeit; denn „Gerechtigkeit erhöht ein Volk" (14, 34). Herrschen aber Gottlose, so verbergen sich die Menschen. Es ist das, was man in unserer Zeit „innere Emigration" nannte. Darum kann man in solcher Zeit nach gerechten Leuten förmlich suchen.

*V. 13.* Vgl. Ps. 32, 2; 1. Joh. 1, 8 ff.! Das ist eine feine seelsorgerliche Weisheit. Nur dem Reuigen und Aufrichtigen begegnet Gottes Erbarmen, nicht aber dem Heuchler.

*V. 14.* Vgl. 14, 16! Es geht um echte Gottesfurcht, die aller Weisheit Anfang ist (1, 7; Ps. 111, 10; Hiob 28, 28). Der Gegensatz ist der Trotz, der sich nichts sagen läßt. Vgl. Ps. 95, 8; auch Pharaos Verstockung 2. Mose 7 und Parallelen! Dazu Jer. 5, 6; Hes. 2, 4; Sach. 7, 11; Mark. 3, 5; Apg. 19, 9 und öfter.

*V. 15.* Löwe und Bär bedrohten im alten Israel den Menschen und seine Herden (Richt. 14, 5; 1. Sam. 17, 34 ff.; 2. Sam. 17, 8; 23, 20; 2. Kön. 2, 24 und öfter).

*V. 16.* Der Satz gehört noch zum vorhergehenden. Ein ungerechter Fürst ist ohne Einsicht und töricht. Er sucht ungerechten Gewinn, aber er verliert den Segen Gottes.

*V. 17.* Auch dieser Vers könnte die vorhergehenden fortsetzen. Tyrannen haben meist Blutschulden. Ihre Grausamkeit kommt oft aus verdrängter Angst. Man denke an Herodes den Großen und seine Söhne!

*V. 18.* Hilfe und Unterstützung findet, wer nach Gottes Willen lebt. Vgl. V. 6!

*V. 19.* Vgl. 12, 11! Oft wird in den Sprüchen der Segen des Fleißes gerühmt: 10, 4 f.; 12, 24. 27; 13, 4; 17, 2; 20, 13; 21, 5.

*V. 20.* Doch wird gleichzeitig vor der Gier nach Reichtum gewarnt. Nicht die Jagd nach mehr Besitz, sondern die Treue sucht Gott an uns. Siehe 1. Tim. 6, 9; dagegen Luk. 16, 10 f.!

*V. 21.* Vgl. 24, 23 und das dort Gesagte! Auch die geringste Bestechung kann verhängnisvoll sein.

*V. 22.* Vgl. V. 20! Wieder wird vor der Gier nach Reichtum gewarnt. Warte auf Gottes Schenken!

*V. 23.* Niemand meine, durch glatte Schmeicheleien Freunde zu erwerben! Ehrliche und wahrhaftige Kritik wird eher Dank ernten.

*V. 24.* Vgl. Matth. 15, 5–9! In diesem Wort Jesu wird die Vernachlässigung der Eltern im frommen Gewande gescholten. Hier aber geht es um gewaltsamen Diebstahl, verbunden mit Gewissenlosigkeit, die das Unrecht der Handlung leugnet. „Verderber" – hier steht der gleiche Ausdruck wie in 2. Sam. 24, 16. Dort ist es der Gerichtsbote Gottes, der zugrunde richtet, ebenso 2. Mose 12, 23 in der Passahnacht. Solch ein Zerstörer ist jener, der seine Eltern beraubt.

*V. 25.* Der Habgierige wird stets Streit und Unfrieden wecken. Will jemand Gottes Segen auch im Äußeren erfahren, der vertraue auf ihn! Vgl. Ps. 2, 12; 7, 2; 11, 1; 71, 1; 84, 13 und sehr oft!

*V. 26.* Der Gegensatz zum Vorherigen. Wer auf sein eigenes Herz oder seinen Verstand vertraut, zeigt, daß er ein Narr ist. Vgl. 3, 5! In Weisheit wandeln heißt in der Gottesfurcht leben.

*V. 27.* Es gilt also, die Not der andern zu sehen (2. Mose 2, 11; Matth. 9, 36). Sonst gleichen wir dem reichen Mann, der den Lazarus nicht bemerkte (Luk. 16, 19 ff.). Vgl. auch 11, 25; 14, 21; 19, 17; 22, 9!

*V. 28.* Vgl. V. 12! Wenn die Gottlosen zur Macht kommen, sucht ein jeder sich zu verstecken. Verlieren sie aber Macht und Einfluß, so kommen die Gerechten zu ihrem Recht, und ihre Zahl wächst.

## Kap. 29

*(1) Ein Mann, der reichlich gerügt wird und hartnäckig bleibt, wird plötzlich zerbrechen, und keiner wird ihn heilen. (2) Das Volk freut sich, wenn die Gerechten zahlreich werden; aber ein Volk seufzt, wenn ein Gottloser herrscht. (3) Ein Mann, der Weisheit liebt, erfreut seinen Vater; wer aber mit Dirnen umgeht, richtet seine Habe zugrunde. (4) Durchs Recht richtet ein König ein Land auf, aber ein Mann der (vielen) Steuern reißt es ein. (5) Ein Mann, der seinem Nächsten schmeichelt, ist wie einer, der ein Netz vor seinen Schritten ausbreitet. (6) Im Schreiten eines bösen Mannes steckt ein Fallstrick, aber der Gerechte jubelt und freut sich. (7) Der Gerechte kennt die Rechtslage des Armen; ein Gottloser hat keine Einsicht. (8) Spötter hetzen eine Stadt auf, aber die Gerechten stillen den Zorn. (9) Wenn ein Weiser mit einem Narren einen Rechtsstreit hat, so zittert dieser (vor Wut) und lacht ruhelos. (10) Blutmenschen hassen den Frommen, aber Redliche suchen sein Leben (zu retten). (11) Der Narr läßt seinen ganzen Zorn hinaus, aber ein Weiser beschwichtigt ihn hinterher. (12) Ein Herrscher, der auf Lüge achtet, dessen Diener sind allesamt gottlos. (13) Ein Armer und dein Bedrücker treffen sich; Jahve ist es, der beider Augen*

*erleuchtet. (14) Ein König, der die Geringen wahrhaftig richtet, dessen Thron steht fest für immer. (15) Rute und Rüge schaffen Weisheit; aber ein Knabe, den man gehen läßt, macht seiner Mutter Schande. (16) Vermehren sich die Gottlosen, so mehrt sich das Unrecht; aber die Gerechten sehen ihren Sturz. (17) Züchtige deinen Sohn, so wird er dir Ruhe bereiten und deiner Seele Leckerbissen geben. (18) Ein Volk verwildert, wenn es keine Offenbarung gibt; aber selig, der das Gesetz hält! (19) Mit Worten läßt sich ein Knecht nicht erziehen; er versteht wohl, aber er richtet sich nicht danach. (20) Wenn du einen siehst, der übereilt ist mit seinen Worten, so hat ein Narr mehr Hoffnung als er. (21) Wenn einer seinen Knecht von Jugend auf verzärtelt, so wird dieser zuletzt widerspenstig. (22) Ein zorniger Mann erweckt Streit, und ein Wutentbrannter tut viel Unrecht. (23) Hochmut eines Mannes erniedrigt ihn, aber ein Demütiger wird Ehre erlangen. (24) Wer mit einem Diebe teilt, haßt sein Leben; er hört die Verwünschung und zeigt's nicht an. (25) Menschenfurcht stellt Fallen; aber wer auf Jahve vertraut, wird beschützt. (26) Viele suchen die Gunst des Herrschers, aber von Jahve kommt das Recht eines jeden Mannes. (27) Wer Unrecht tut, ist den Gerechten ein Greuel; aber für den Gottlosen ist ein Greuel, der redlich wandelt.*

*V. 1.* Wer Gottes Zucht und Gerichte mißachtet, geht unerwartet unter. Es gibt auch ein Zuspät für alle Hilfe. Vgl. 1, 27; 6, 15; 13, 18; 15, 10; Ps. 2, 12; 73, 19; Hiob 34, 20!

*V. 2.* Vgl. 28, 12. 28 und das dort Gesagte!

*V. 3.* Vgl. V. 17! Die Weisheit Gottes bewahrt uns in der Versuchung. Vgl. Jak. 1, 5. 12! Unkeuschheit und wilde Erotik ist das Gegenteil der Weisheit und eines von ihr regierten Wandels. Siehe 5, 10; 6, 26; auch Luk. 15, 30!

*V. 4.* Die Königsgeschichte Judas und Israels bringt viele Beispiele für diesen Satz. Jedes Land sehnt sich nach gerechter Regierung. Steuerdruck aber richtet ein Volk zugrunde. Man denke an die lange Regierungszeit Ludwigs XIV. von Frankreich und ihre furchtbaren Folgen!

*V. 5.* Der Schmeichler ist immer ein Betrüger. Wer sich ihm öffnet, wird von ihm abhängig (26, 24. 28; auch 19, 6).

*V. 6* Der Boshafte ist dauernd in neuer Gefahr, zu Fall zu kommen. Gerecht sein vor Gott aber schafft dankbare Freude.

*V. 7.* Gottesfurcht macht barmherzig und mitfühlend. Wer aber seinem Gott fremd wird, wird auch dem Nächsten fremd.

*V. 8.* Vgl. 22, 10; auch 15, 1. 18! Jesus preist den Friedensstifter selig: Matth. 5, 9.

*V. 9.* Wer das Recht nicht anerkennt, ist selbst friedlos; Wut und Lachen können nahe beieinander sein.

*V. 10.* Der schuldlose Fromme ist dem Frevler unbequem und wird gehaßt. Davon reden die Psalmen oft (Ps. 11, 2; 37, 14 und öfter). Aber die rechtlich Gesinnten stehen ihm zur Seite.

*V. 11.* Dem Narren geht es nicht um Gerechtigkeit, sondern ums Rechthaben. Darum schwillt sein Zorn, wenn er unrecht bekommt. Der wahrhaft Weise aber versteht ihn zur Ruhe zu bringen.

*V. 12.* Vom König wird Unparteilichkeit erwartet (28, 21). Hört er auf falsche Zeugen, ohne diese zu entlarven, so verdirbt er auch seine Beamten.

*V. 13.* Die Begegnung eines Armen mit seinem Bedrücker wird in den Psalmen oft erwähnt – etwa Ps. 9, 16–21; 10, 4 ff. Dieser Vers jedoch erinnert sie an ihren Schöpfer. Wer das Lebenslicht gab, kann es auch nehmen. Und dann gilt: Ob arm, ob reich – im Tode gleich!

*V. 14.* Deshalb wird der König gerühmt, der die Schwachen in Treue bewahrt. Seine Herrschaft wird von Gott gesegnet. Vgl. 16, 12; 20, 28; auch 25, 5!

*V. 15.* Wo der Erziehung die Strenge mangelt, da erfahren die Eltern zuletzt Schande durch ihre Kinder. Man denke an Eli (1. Sam. 2, 12 ff. 29)! Lies auch 10, 1; dagegen 23, 24! In der Frage der körperlichen Züchtigung werden wir heute anders denken als die damalige Zeit.

*V. 16.* Vgl. 28, 12. 28; 29, 2 und das dort Gesagte, auch Ps. 9, 20 f.; 12, 8 f.!

*V. 17.* Vgl. V. 15! Wohlerzogene Kinder geben dem Elternhaus Ruhe und Freude. „Leckerbissen" wollen ein kräftiges Bild für diese Freude ausdrücken.

*V. 18.* Das Wort erinnert an die Zeit, in der Samuel ein Knabe war: „Das Wort Gottes war teuer in dieser Zeit, und es gab keine Offenbarung" (1. Sam. 3, 1). Wo die Propheten schweigen und Gottes Wort nicht zu hören ist, da tobt sich ungehemmt des Menschen natürlicher und gottloser Geist aus. Selig aber ist, wer sich an Gottes Thora hält. Vgl. Ps. 119, 1. 2!

*V. 19.* Was von der Erziehung des Knaben gilt, gilt auch vom Knecht, der damals meist der Sklave war. Der Widerstand eines solchen wird größer sein als beim eigenen Kinde. Diese Welt ist uns heute fremd, doch hatten die Sklaven in Israel es oft so gut wie Elieser, der Sklave Abrahams, der fast sein Erbe wurde (1. Mose 15, 2) und Abrahams ganzes Vertrauen besaß (1. Mose 24, 2 ff.). Auch im Gesetz Moses fand der Sklave seinen Schutz: 2. Mose 21, 2–11. 26 f.; 5. Mose 5, 14 f.; 15, 12–18; 23, 16.

*V. 20.* Vgl. Jak. 1, 19; auch Pred. 5, 1! Durch Schweigen könnte ein Narr seine Narrheit verbergen: 17, 28. Hier gilt: Reden ist Silber, Schweigen ist Gold.

*V. 21.* Vgl. V. 19! Gerechte Strenge schafft eher Frieden als Nachgeben aus Schwächlichkeit.

*V. 22.* Vgl. 15, 18! Der Zorn kommt dem Menschen Gottes überhaupt nicht zu: Jak. 1, 20; auch 1. Tim. 2, 8; 2. Kor. 12, 20; Gal. 5, 20; Eph. 4, 26. 31; Kol. 3. 8. Der Zorn ist demnach allein eine Sache Gottes.

*V. 23.* Vgl. 16, 18; Ps. 31, 24; Hiob 22, 29; Matth. 23, 12; Luk. 18, 14; 1. Petr. 5, 5; Jak. 4, 10 und öfter! Wie schwer lernt sich diese schlichte Wahrheit!

*V. 24.* Nicht nur der Hehler, sondern jeder, der am Gewinn des Diebstahls teilhat, macht sich schuldig und trägt die Verantwortung. Über den Dieb wurde ein Fluch ausgesprochen: 3. Mose 5, 1; auch Richt. 17, 2. Wer ihn hörte, war zur Anzeige verpflichtet.

*V. 25.* Das Vertrauen auf Jahve und echte Gottesfurcht machen von der Menschenfurcht frei, die uns leicht zum Fall verleitet.

*V. 26.* Vgl. 19, 6! Wer sich allein von Gott abhängig weiß, wird von allen Menschen unabhängig. Er braucht um die Gunst der Mächtigen und Einflußreichen nicht zu buhlen. Das ist die Freiheit eines Gottesmenschen. Gal. 5, 1 gehört auch hierher.

*V. 27.* Wie der Frevler dem Gerechten unsympathisch ist, so ist es auch umgekehrt. Der Gegensatz zwischen dem Dienst Gottes und der Auflehnung gegen ihn ist absolut (Mal. 3, 18). Die Bibel kennt überall nur das Entweder-Oder. Vgl. etwa 1. Joh. 3, 4–7!

## VI. Worte Agurs (Kap. 30)

*(1) Worte Agurs, des Sohnes von Jakeh, aus Massah.*
*Spruch des Mannes: Ich mühte mich, Gott, ich mühte mich, Gott, und bin erschöpft. (2) Ich bin so dumm, daß ich nicht als Mensch gelte. (3) Ich habe Weisheit nicht gelernt, so daß ich die Erkenntnis des Allheiligen wüßte. (4) Wer stieg zum Himmel und fuhr herab? Wer sammelte Wind in seine hohlen Hände? Wer band Wasser in sein Kleid? Wer setzte alle Enden der Erde fest? Wie ist sein Name? Und der Name seines Sohnes, daß du es wüßtest? (5) Alle Rede*

*Gottes ist geläutert; er ist ein Schild für die, die auf ihn trauen. (6) Füge nichts hinzu zu seinen Worten, daß er dich nicht zurechtweise und du als Lügner erwiesen werdest! (7) Zweierlei erbitte ich von dir, verwehre es mir nicht, bevor ich gestorben bin: (8) Falschheit und Trugwort laß mir ferne sein! Armut und Reichtum gib mir nicht! Speise mich mit dem mir bestimmten Brot, (9) damit ich nicht, wenn ich satt wurde, verleugnete und sagte: „Wer ist Jahve?" — Auch daß ich nicht, arm geworden, stehle und mich nicht vergreife am Namen Gottes! (10) Verleumde nicht einen Knecht bei seinem Herrn, daß er dir nicht fluche und du schuldig würdest! (11) Es gibt ein Geschlecht, das seinem Vater flucht und seine Mutter nicht segnet, (12) ein Geschlecht, das in seinen Augen rein ist, aber von seinem Schmutz nicht gewaschen ist, (13) ein Geschlecht — wie hoch in seinen Augen, und seine Wimpern erheben sich! (14) Ein Geschlecht, dessen Zähne Schwerter sind und sein Gebiß Messer, um die Elenden im Lande zu fressen und die Armen unter den Menschen.*

*(15) Blutegel hat zwei Töchter: Gib her, gib her! Drei, die nicht satt werden, vier, die nie sagen: Genug! (16) Das Totenreich und ein unfruchtbarer Mutterschoß; die Erde wird des Wassers nicht satt, und das Feuer sagt nie: Genug! (17) Ein Auge, das den Vater verspottet und den Gehorsam gegen die Mutter verachtet, das werden die Raben am Bach aushacken und die jungen Adler fressen. (18) Drei — diese sind mir zu wunderbar, und vier, die ich nicht verstehe: (19) der Weg eines Adlers am Himmel, der Weg einer Schlange über den Fels, der Weg eines Schiffes übers hohe Meer und der Weg eines Mannes an einem Weibe. (20) So ist der Weg einer ehebrecherischen Frau: Sie ißt und wischt sich ihren Mund und spricht: „Ich habe kein Unrecht getan." (21) Unter dreien bebt die Erde, und unter vieren kann sie nicht standhalten: (22) unter einem Knecht, wenn er als König herrscht, und unter einem Narren, wenn er an Speise Überfluß hat; (23) unter einer Gehaßten, wenn sie geheiratet wird, und unter einer Magd, wenn sie ihre Herrin verdrängt. (24) Vier sind die Kleinsten auf Erden, aber diese sind weise und gewitzigt: (25) die Ameisen, ein Volk ohne Kraft, aber sie sorgen im Sommer für ihre Nahrung; (26) die Klippdachse sind kein starkes Volk, aber sie bauen ihr Haus im Felsen; (27) die Heuschrecken haben keinen König, aber sie ziehen alle in Ordnung aus; (28) die Eidechse kann man mit beiden Händen grei-*

*fen, und sie ist in Königspalästen. (29) Drei sind es, deren Schritt gefällig ist, und vier, die gefällig einhergehen: (30) ein Löwe, ein Recke unter den Tieren, der vor niemandem flieht; (31) ein Wind=hund (?) mit flinken Hüften oder ein Bock und ein König mit sei=nem Heerbann (?). (32) Bist du töricht in deiner Überhebung oder im Nachdenken, so lege die Hand an den Mund! (33) Drückt man Milch, so wird Butter; drückt man die Nase, so geht Blut hervor; drückt man den Zorn, so entsteht Streit.*

Dieser Abschnitt unseres Buches gibt uns wieder manche Rätsel auf. Wer ist der Verfasser Agur? Weder sein Name noch der seines Vaters Jakeh ist sonst in der Bibel genannt. Wir wissen weder den Ort noch die Zeit Agurs. Doch sollen beide Namen unter den Arabern belegt sein. – Das Wort „Massah" kommt öfters bei den Propheten vor, und zwar in den Überschriften ihrer Reden. Es wird meist mit „Last" übersetzt: Jes. 13, 1 und noch neunmal im Buch des Jesaja; Nah. 1, 1; Hab. 1, 1; Sach. 9, 1; 12, 1; Mal. 1, 1. Doch wird es richtiger einfach „Ausspruch" oder „Gerichtswort" heißen. Da aber Massah auch ein arabischer Stamm ist, so verstehen wir das Wort als nähere Bezeichnung zu Agur. Wer das Buch Hiob kennt, der weiß, daß wir dort vor ähnlichen Fragen stehen. Wir haben also anzunehmen, daß die Jahve=Offenbarung über die Grenzen des eigentlichen Israel hinausstrahlte, wohl auch dank der vielen Handels=beziehungen mit den benachbarten Völkern: Ruth, Davids Urahn, war eine Moabitin (Ruth 4, 10). David selbst hatte einen treuen Philister an seinem Hof (2. Sam. 15, 19 ff.). Unter Sauls Dienern war ein Edomiter (1. Sam. 22, 9 f.). Aus der Thora wußte das Volk Israel, daß es mit den umliegenden Völkern verwandt war. Von Ismael, dem Halbbruder Isaaks, stammten die Ismaeliter, von Esau, dem Zwillingsbruder Jakobs, die Edo=miter ab. Noch Nehemia bekämpft im letzten Geschichtsbuch des Alten Testaments – um 440 v. Chr. – die Mischehen der Israeliten mit Gliedern der Nachbarvölker (Neh. 13, 1 ff. 23). V. 9 zeigt zwar, daß der Verfasser jahvegläubig ist, aber die Benutzung des Wortes „Eloha" für Gott bringt ihn in die Nachbarschaft Hiobs. Auch sein Zweifeln und Grübeln zeigt eine gewisse Verwandtschaft mit Partien des Hiobbuches.

Ringgren läßt Agurs Worte nur bis V. 14 gehen und schreibt die Verse 15–33 einem andern Verfasser zu. Zwingend sind seine Gründe nicht. Immerhin könnte der Abschnitt V. 15–33 eine selbständige Sammlung mit fast ausschließlich sogenannten Zahlensprüchen sein.

*V. 1.* Zu Massah lies 1. Mose 25, 14! Agur nennt sich einen Helden oder Recken. Das bedeutet entweder eine führende Stellung in seinem

Stamm oder ist vielleicht Selbstironie. Er hat sich um die rechte Gottes=erkenntnis bemüht bis zur Erschlaffung.

*V. 2.* Er ist bereit, seine mangelhafte Gotteserkenntnis als Dummheit zu bezeichnen, die unter dem menschlichen Durchschnitt liegt. Vgl. dazu Ps. 73, 22; auch 92, 7. Solche Demut wirkt bestechend.

*V. 3.* Daß er nicht Schüler eines Weisheitslehrers war, entschuldigt seine Unkenntnis des Heiligen. Sein Rufen zu Gott erinnert an Elihus Worte (Hiob 35, 9 ff.). Der Heilige ist hier der Name Gottes wie oft bei Jesaja.

*V. 4.* Gott selbst als Objekt menschlicher Forschung? Eine sehr moderne Fragestellung! Auch diese Fragen erinnern an Formulierungen im Buche Hiob (etwa Hiob 28 und 38, 4 ff.). Niemand kann zum Himmel aufsteigen, um sich selbst über Gott zu orientieren (vgl. Joh. 3, 13). So kann auch niemand den Wind einfangen mit seinen Händen (Joh. 3, 8; Ps. 104, 4; zum Bilde auch Spr. 27, 16). Nicht einmal das Wasser kann man im Kleide tragen (Hiob 38, 8 f.; Ps. 104, 6; Jes. 40, 12). Der Schöpfer allein bestimmt die Grenzen der Erde. Wir sind ganz auf die Offenbarung Gottes und seines Namens angewiesen. Die Frage nach dem Sohn Gottes darf hier nicht neutestamentlich verstanden werden. Man könnte an das Verhältnis der Weisheit zum Schöpfer erinnern: 8, 22–31.

*V. 5. 6.* Vgl. Ps. 18, 31; 5. Mose 4, 2; 13, 1! Die beiden Verse erinnern an die Offenbarung Gottes in seinem Wort, wie wir es im Alten Testament oft lesen: z. B. Ps. 19, 8–11; 33, 4; 56, 5. 11; 93, 5; 107, 20; 119. Die Offenbarung im Wort ist nicht der Weg des Menschen hinauf, sondern der Weg Gottes in seiner Herablassung zu uns Menschen. Diese Offenbarung bedarf keiner Ergänzung durch Menschenweisheit. Hier geht es ums Hören und Glauben (Röm. 10, 14–17). Wer Gottes Wort ver=fälscht, wird von ihm im Gericht von seiner Unwahrhaftigkeit überführt. Vgl. 2. Kor. 2, 17!

*V. 7–9.* Nachdem der Gottsucher durch das Wort das Vertrauen zum offenbar gewordenen Gott gefunden hat, richtet er eine zweifache Bitte an ihn. Wo Glaube entstand, entsteht auch das Gebet. Für seine noch übrige Lebenszeit erbittet Agur als erstes, daß er frei bleibe von Lug und Trug (Matth. 5, 37; 2. Kor. 1, 17; Eph. 4, 25; Jak. 5, 12 und öfter). Wer die verderbliche Macht der Lüge kennt, der wir Menschen so leicht ver=fallen, ist bewegt von dieser Bitte. – Daneben steht die zweite Bitte, die ausführlich begründet wird. Er bittet zuerst um Bewahrung vor Überfluß und vor Mangel. Eine einzigartige Bitte! Es liegt ihm nur an der ihm zukommenden Nahrung (vgl. 1. Tim. 6, 8). Der Bittende erkennt die doppelte Gefahr: Großer Wohlstand führt zu Übermut und Vermessenheit Gott gegenüber. Armut aber führt in die Versuchung zum Stehlen. Damit aber beleidigte er Gott in seinen Geboten: 2. Mose 20, 15; vgl. auch Spr. 19, 3; Jes. 8, 21; Offb. 16, 11!

*V. 10.* Unvermittelt folgt eine Warnung vor Verleumdung des fremden Knechtes (10, 18; 11, 13; 18, 8; 20, 19; 26, 20). Ein begründeter Fluch bleibt nicht ohne Folgen. Das ist die Auffassung des ganzen Alten Testaments (Jos. 6, 26; 1. Kön. 16, 34). Erst Jesus hebt diese Fluchordnung auf.

*V. 11–14.* Hier wird der Gottlose charakterisiert, ohne daß ein Urteil über ihn ausgesprochen wird. Er flucht seinem Vater (20, 20; 2. Mose 21, 17). Er hält sich selbst für gerecht und verlangt daher nicht nach Vergebung (20, 9; 28, 13; auch Luk. 18, 9–12). Er ist hochmütig (29, 23; Ps. 31, 24; Jes. 13, 11 und oft), und schließlich ist er gewalttätig gegen die Armen und Schwachen: z. B. Ps. 10, 2–11; 14, 4; Jak. 2, 6 und oft.

Wie oben gesagt könnten die folgenden Verse eine Spruchsammlung für sich sein, weil sie fast ausschließlich Zahlensprüche bringen. Schon in Kap. 6, 16–19 fanden wir solch einen Zahlenspruch. Hier aber folgen fünf weitere (V. 15. 16. 18–20. 21–23. 24–28. 29–31). Es werden ähnliche Züge herausgehoben und Vergleiche gezogen. Meist wird zuerst eine Zahl genannt und im Nachsatz noch eine Einheit hinzugefügt. Solch eine Gruppierung entstammt dem gleichen Spieltrieb wie unser Reim oder der Stabreim der alten Dichtung. In den Apokryphen finden wir bei Jesus Sirach etwas Ähnliches (26, 5–8). Von Rad schreibt: „Wenn Gleiches zu Gleichem gelegt werden kann, dann verlieren die Erscheinungen ihre absolute Rätselhaftigkeit" (423). Wir wissen, daß alle Spruchweisheit Ordnung und Regeln in der Schöpfung sucht. Der Zahlenspruch ist einer dieser Wege, wie auch sonst alle vergleichenden Sprichwörter.

*V. 15. 16.* Der Blutegel ist in seinem Durst nach Blut unersättlich. Mit ihm werden folgende vier verglichen: 1. Das Totenreich, die Scheol; auch die Kunst des Mittelalters zeigt die Hölle wie einen aufgesperrten Rachen (1, 12; 27, 20; Jes. 5, 14). 2. Die kinderlose Mutter, die nach Kindern verlangt (1. Mose 30, 1). Es geht dabei nicht bloß um das gesunde Verlangen des Weibes nach dem Kinde, sondern darum, daß in Israel die Kinderlosigkeit als Schande galt (1. Mose 30, 23; 1. Sam. 1, 6; auch Jes. 47, 9; dagegen Jes. 54, 1). Kinderreichtum galt als Segen Gottes (17, 6; 5. Mose 28, 4; Hiob 5, 25, Ps. 127, 3; 128, 3). 3. Die Erde dürstet stets nach Wasser (Ps. 65, 10 f.; Jes. 55, 10; auch 5. Mose 11, 11; Ps. 78, 15;

104, 10 ff.). 4. Auch das Feuer hat nie genug. Davon reden auch die Sagen der Völker.

*V. 17.* Dieser vierzeilige Spruch steht hier zwischen den Zahlensprüchen ohne Beziehung zu ihnen. Die Ehrfurcht vor Vater und Mutter ist seit dem vierten Gebot (2. Mose 20, 12) ein Grundgesetz in Israel: V. 11; 1, 8; 10, 1; 15, 5; 17, 6. 25; 29, 3; 2. Mose 21, 15 ff.; 5. Mose 27, 16; Matth. 15, 4 ff.; Eph. 6, 1 ff.; Kol. 3, 21. Darum ist das Gericht auch so ernst. Die unbeerdigte Leiche galt als geschändet, weil sie den Vögeln zum Fraß wird: 1. Sam. 17, 44; 1. Kön. 14, 11; 16, 4; 21, 24; Hes. 29, 5. Deshalb wird auch der Dienst des alten Tobias im apokryphischen Buch (Tob. 1, 20 ff.) so hoch bewertet.

*V. 18–20.* Erstaunlich und unbegreiflich scheint viererlei: 1. Der Höhenflug des Adlers (5. Mose 28, 49; 2. Sam. 1, 23; Hiob 39, 27; Jes. 40, 31; Jer. 48, 40). 2. Der Weg der Schlange über den Felsen, den sie ohne Füße ersteigt und auf dem sie keine Spur hinterläßt (Jer. 46, 22). 3. Der Schiffsweg auf dem Meer bleibt gleichfalls ohne Spur. Israel war kein Seefahrervolk – mit geringer Ausnahme zur Zeit Salomos (1. Kön. 9, 26 ff.); doch stellte auch damals Tyrus die Seeleute. 4. Das Letzte, was dem Verfasser unverständlich und wunderbar erscheint, ist die Vereinigung des Mannes mit der Frau. Die Bibel spricht bekanntlich in großer Sachlichkeit über die Sexualität des Menschen. Das hängt vor allem mit dem ernsten Schöpfungsglauben zusammen (1. Mose 1, 27 f.; 2, 24; 4, 1 und oft). Diesem Glauben liegt alle Zweideutigkeit, aber auch alle ungesunde Prüderie fern. Dennoch weiß unser Wort etwas vom Mysterium der Liebe der Geschlechter. Darum spricht die Bibel, auch unsere Spruchsammlung, vom Ehebruch (2. Mose 20, 14) als etwas Abstoßendem und Widergöttlichem. Wo die Bindung an Gottes Wissen gelöst ist, meint der Mensch selber entscheiden zu können, was gut oder böse ist. Das ist aber der Weg in den Abgrund.

*V. 21–23.* Viererlei Menschen sind der Erde als der Schöpfung Gottes unerträglich: 1. Knechtsseelen, die zur Herrschaft kommen (vgl. 19, 10); 2. Narren, die im Überfluß leben (vgl. 3, 35; 17, 7. 16; 19, 10); 3. eine Geschmähte oder Gehaßte, die dennoch geehelicht wird; denn zur Ehe gehören echte Neigung und ungeheuchelte Liebe, und 4. eine Magd, die ihre Herrin verdrängt. Sie kann keinen Segen ins Haus bringen.

*V. 24–28.* Der vierte Zahlenspruch spricht von den Kleinsten auf Erden, die nach Gottes Schöpfungsordnung große Wirkung haben: 1. Die Ameise ist schon in Kap. 6, 6 ff. als Beispiel des Fleißes genannt. Durch ihre Vorratswirtschaft zeigen diese kleinen Tierchen einen erstaunlichen

Instinkt. 2. Die Klippdachse (Luther: „Kaninchen") sind nach dem Stuttgarter Nachschlagewerk (139) „ein kleiner, etwa kaninchengroßer Verwandter des Nilpferdes und leben – dem Murmeltier der Alpen ähnlich – als gesellige, scheue Tierchen in Felsen, an denen sie geschickt emporlaufen". Vgl. 3. Mose 11, 5; 5. Mose 14, 7; Ps. 104, 18! Der Fels bedeutet ja für Israel stets die sichere Wohnung, etwa das, was wir „bombensicher" zu nennen pflegen. Vgl. Ps. 27, 5; 31, 3; 40, 3; 42, 10; 62, 8 und oft! 3. Die Heuschrecke, deren furchtbare Wirkung Palästina oft erfahren mußte (5. Mose 28, 38; Joel 1, 4; 2, 25 und oft). Der Heuschreckenzug wird vom Propheten Joel mit einem marschierenden Heereszug verglichen (2, 2 ff.). Trotz ihrer Kleinheit ist die Heuschrecke eine große Gefahr. 4. Die Eidechse. Das kleine Tierchen ist zwar harmlos und läßt sich mit den Händen fangen, aber es ist auch hemmungslos. Selbst Königspaläste werden nicht geschont. Der Reisende im Tessin und in Italien kann ihnen auch in den Zimmern begegnen. Auch vor den Betten der Menschen haben sie keine Scheu, wo sie unwillkommen sind. Jedes dieser vier Tierchen ist zwar klein, aber einflußreich.

*V. 29–31.* Der neue Zahlenspruch stellt vier imponierend stolzierende Wesen nebeneinander. Der Löwe – auch in der Völkersage oft der Herrscher der Tiere – war in alter Zeit in Palästina verbreitet, besonders nach verheerenden Kriegen, die das Land veröden ließen (2. Kön. 17, 25). Über fünfzigmal wird im Alten Testament der Löwe genannt – oft vergleichsweise, um Stärke und Gewalt auszudrücken. Zwar imponierte seine majestätische Haltung, aber man fürchtete ihn (vgl. 22, 13). Der „Sarsis", ein „hapax legomenon", d. h. ein Wort, das sonst in der Bibel nie vorkommt. So sind die Übersetzer aufs Raten angewiesen. Ist es der Hahn oder eine poetische Bezeichnung des Rosses? Delitzsch dachte an den Windhund. Daß der König daneben genannt wird, ist gewiß Ironie. Ungewiß ist auch die Übersetzung seiner Begleitung (Kriegsvolk? Gefolge?). Die Nachbarschaft von Hahn und Ziegenbock mag für den König peinlich sein; wir haben aber im Abendland diese und andere Tiere in den Wappen der Dynastien kennengelernt.

*V. 32.* Vgl. zum Ausdruck Hiob 21, 5! Man soll den Mut zum Schweigen finden – ob man sich töricht überhoben hat oder ob man mit Überlegung handelte –, das Urteil soll man andern überlassen. Wer schweigt, hat immer noch eine Chance. Vgl. 10, 19; 14, 23; 17, 28!

*V. 33.* Im Grundtext ist hier ein Wortspiel, das in der Übersetzung gekünstelt erscheint. Im Hebräischen kann man alle drei Handlungen mit dem gleichen Zeitwort ausdrücken: Stoßen der Butter, Schnauben der Nase, dem Zorn Raum geben. Jedesmal entsteht durch den Überdruck eine Veränderung: Aus der Milch wird die Butter; die Blutgefäße der Nase beginnen zu bluten; aus Eintracht wird Streit. Offenbar wollen die beiden vorangehenden Vergleiche die dritte Aussage stützen. Siehe 10, 12; 13, 10; 15, 18; 16, 28 und öfter!

## VII. Worte an den König Lemuel (Kap. 31, 1 – 9)

*(1) Worte an Lemuel, den König von Massah, mit denen ihn seine Mutter ermahnt hat. (2) Was, mein Sohn? Was, Sohn meines Leibes? Was, Sohn meiner Gelübde? (3) Gib deine Kraft nicht den Weibern, noch deine Wege den Verderberinnen der Könige! (4) Nicht (ziemt es) den Königen, Lemuel, nicht (ziemt es) den Königen, Wein zu trinken, noch den Fürsten (zu fragen): „Wo ist Rauschtrank?" – (5) daß er nicht trinke und die Vorschriften vergesse und das Recht aller Kinder des Elends verdrehe! (6) Gebt den Rauschtrank dem, der im Untergang ist, und Wein der betrübten Seele! (7) Mag er trinken und seine Armut vergessen und seiner Mühsal nicht mehr gedenken! (8) Öffne deinen Mund für den Stummen, für das Recht aller, die dahinschwinden! (9) Öffne deinen Mund, urteile in Gerechtigkeit und richte Elende und Arme!*

Auch Lemuel ist uns sonst unbekannt. Offenbar gehört er zum gleichen arabischen Stamm wie Agur (1. Mose 25, 14). Man lese daher die einleitenden Worte zu Kap. 30! Der Name Lemuel könnte etwa heißen: „zu Gott gehörig". Im übrigen enthalten diese neun Verse einige aramäische Ausdrücke, jener Sprache, die zur Zeit Jesu das Hebräische verdrängt hatte, mit dem sie verwandt ist. Im Alten Testament sind Daniel 2, 4–7, 28 und Esra 4, 8–6, 18 und 7, 11–26 in dieser Sprache verfaßt, die zuerst in Syrien gesprochen wurde und im Perserreich die amtliche Reichssprache war. Auch im Neuen Testament finden wir einzelne kleine Sätzchen in der aramäischen Sprache, z. B. Mark. 5, 41; 7, 34; 14, 36; 16, 34; 1. Kor. 16, 22.

*V. 1.* Es ist das einzige Mal in der Bibel, daß mütterliche Mahnworte an einen Sohn wiedergegeben werden. Offenbar ist Lemuel Häuptling seines Stammes.

*V. 2.* Man müßte das dreifache „Was" ergänzen. Etwa: „Was soll ich dir sagen?" Die Fragen haben eine gewisse Feierlichkeit und wecken die Aufmerksamkeit des Hörenden. „Sohn meiner Gelübde“ erinnert an 1. Sam. 1, 11. 20.

*V. 3.* Es folgen mütterliche Warnungen und Mahnungen. Zuerst die Warnung vor Verführung zur Unzucht (2, 16; 5, 9; 6, 24 ff.; 7, 5 und öfter). Sie schwächt die Lebenskraft der Könige und bringt sie ins Verderben. Die Weltgeschichte ist voller Beispiele, die diese Wahrheit belegen.

*V. 4. 5.* Überraschender ist die Warnung vor dem Weingenuß, der im Orient und in der Antike unwidersprochene Verbreitung hatte. Neben dem Wein wird der Rauschtrank genannt. Man kannte den stark berauschenden Dattelschnaps. Es mögen auch andere Rezepte bekannt gewesen sein. Der sogenannte „Traumkelch“, der als Bild der Gerichte Gottes oft genannt wird (Jes. 51, 17; Jer. 25, 15 ff.), hatte eine ungemein starke Wirkung und enthielt wohl noch andere Gifte als den Alkohol. Gegen den Weinmißbrauch lies 20, 1; 23, 29 ff.; Jes. 5. 11. 22! In V. 5 wird als Folge unmäßigen Trinkens im besonderen erwähnt: Der Trunkene vergißt die Vorschriften. Der König war auch der oberste Richter, der an das Gesetz Gottes gebunden war.

*V. 6. 7.* Mag der Wein Betrübten ihre trüben Gedanken vertreiben (Ps. 104, 15)! Dem zum Tode Verurteilten wurde bekanntlich ein Rauschtrank geboten (vgl. Matth. 27, 34. 48; Joh. 19, 29 f.).

*V. 8. 9.* Die letzten beiden Verse geben positive Ratschläge. Der König soll das Recht der Schwachen gegen die Gewalttätigen wahren. Die „Stummen“ sind die, die keine Stimme im öffentlichen Leben haben und darum leicht überrundet und an die Wand gedrückt werden (20, 8). Richten soll er die Elenden und Armen, indem er ihnen zu ihrem Recht verhilft. So tut der König das Werk Gottes: Ps. 7, 12; 9, 5; 50, 6; 58, 12; 68, 6; Jer. 11, 20.

## VIII. Das Lob der tüchtigen Hausfrau (Kap. 31, 10-31)

*(10) Eine tüchtige Frau — wer findet sie? Höher als Korallen ist ihr Wert. (11) Das Herz ihres Mannes vertraut ihr, und es fehlt ihm nicht an Gewinn. (12) Sie tut ihm Gutes und nichts Böses alle Tage ihres Lebens. (13) Sie kümmert sich um Wolle und Flachs und wirkt freudig mit ihren Händen. (14) Sie gleicht den Kauffahrteischiffen: Von weit her bringt sie die Nahrung herbei. (15) Sie steht schon bei Nacht auf und verteilt Speise ihrem Hause und den Mäg-*

*den, was festgesetzt ist. (16) Sie denkt an ein Feld und erwirbt es; vom Ertrag ihrer Hände pflanzt sie einen Weinberg. (17) Sie gürtet ihre Hüften mit Kraft und stärkt ihre Arme. (18) Sie fühlt, daß ihr Erwerb erfolgreich ist; in der Nacht verlischt ihr Licht nicht. (19) Ihre Hände streckt sie nach dem Spinnrocken, und ihre Finger ergreifen die Spindel. (20) Sie reicht ihre Hand den Elenden und streckt ihre Hände nach den Armen. (21) Sie fürchtet den Schnee nicht für ihr Haus; denn ihr ganzes Haus ist doppelt gekleidet. (22) Sie macht sich Decken; ihre Kleidung ist Byssos und Purpur. (23) Ihr Mann ist bekannt in den Toren, wenn er Sitzung hat mit den Ältesten des Landes. (24) Wäsche fertigt sie und verkauft sie, und Gürtel gibt sie dem Händler. (25) Kraft und Hoheit ist ihr Gewand, und sie lacht des kommenden Tages. (26) Mit Weisheit öffnet sie ihren Mund, und gütige Unterweisung ist auf ihrer Zunge. (27) Sie beobachtet das Tun ihres Mannes, und das Brot der Faulheit ißt sie nicht. (28) Ihre Söhne erheben sich und preisen sie glücklich; auch ihr Mann lobt sie: (29) „Viele Töchter gibt es, die tüchtig schaffen; aber du übertriffst sie alle!" (30) Anmut ist Trug, und Schönheit ist nichtig; aber eine Frau, die Jahve fürchtet, ist zu preisen. (31) Gebt ihr vom Ertrag ihrer Hände und rühmt ihre Taten in den Toren!*

Mit diesem schönen Lobgedicht auf die tüchtige Hausfrau endet unser Spruchbuch. Der Abschnitt ist ein sog. Akrostichon, d. h. seine 22 Verse beginnen mit den Buchstaben in der Reihenfolge des hebräischen Alphabets. Solche alphabetischen Dichtungen kennen wir in den Psalmen (Ps. 9; 10; 25; 34; 37; 111; 112; 119; 145; ebenso Nah. 1, 2–8; Klagel. 1–4). Über die Zeit der Entstehung des Gedichts läßt sich nichts Genaues sagen. Der Inhalt weist auf friedliche Zeiten, gesunde Landwirtschaft und Handelsverhältnisse. Solche Zeiten gab es in der Königszeit Israels immer wieder. Manche Ausleger meinen, das Gedicht sei eine Art „Tugendspiegel" für junge Mädchen, die sich auf die Ehe vorbereiten. Überraschend ist die einseitige Betonung hauswirtschaftlicher Tüchtigkeit und finanzieller Begabung.

*V. 10.* Vgl. 18, 22; 19, 14! Weil eine solch tüchtige Hausfrau nur selten zu finden ist, wird sie hoch geschätzt. Luther übersetzt „Perlen", aber nach Klagel. 4, 7 sind es rote Steine, also wohl Korallen. Diese werden nach Hes. 27, 16 als Edelsteine gehandelt.

*V. 11.* Der Ehemann weiß, daß er sich auf sie und ihre Entscheidungen verlassen kann. Sie mehrt sogar seinen Besitz.

*V. 12.* Wo rechte eheliche Liebe ist, da weiß man einander auch wohl=zutun. Gleichbleibende Treue ist das Siegel auf den Segen einer Ehe.

*V. 13.* Der Fleiß der Hausfrau bringt Wolle und Flachs ins Haus zum Spinnen und Weben. Das Spinnrad gehörte auch bei uns noch im ver=gangenen Jahrhundert zur normalen Aussteuer, oft auch der Webstuhl.

*V. 14.* Ihr praktischer Blick endet nicht an den Wänden ihres Hauses oder am Zaun ihres Gartens. Sie weiß, woher die Nahrung herbeigebracht werden kann. Der originelle Vergleich mit dem Handelsschiff ist eine poetische Übertreibung.

*V. 15.* Ihr Fleiß nötigt sie, schon vor Tage aufzustehen, um die Speisen einzuteilen. Die Mägde bekommen ihr zugedachtes Deputat.

*V. 16.* Selbständig entscheidet die Frau über den Ankauf eines Ackers. Man möchte an Luthers Käthe erinnern, die um des allezeit stark besetzten Mittagstisches willen das kleine Gut Zülsdorf erwarb.

*V. 17.* Schwere Arbeit scheut die Frau nicht und geht damit ihrem Gesinde mit gutem Beispiel voran.

*V. 18. 19.* Selbst nachts arbeitet sie, da sie erkennt, daß sie mit ihrem Fleiß viel erreichen kann. Spät hört man das Spinnrad surren.

*V. 20.* Doch sorgt sie nicht nur für den eigenen Hausstand, sondern hilft auch den Bedürftigen. Vgl. Spr. 14, 31; 19, 17; 22, 9; Ps. 112, 9!

*V. 21.* Öfen gab es im alten Israel noch nicht, sondern nur das bren=nende Herdfeuer (Hes. 24, 10 ff.). So konnte man sich in der Winterkälte nur durch warme Kleidung schützen.

*V. 22.* Auf dem Webstuhl webt sie Decken. Für ihre Kleidung nimmt sie gute Stoffe. Byssos ist feinste Leinwand (Hes. 16, 13; Luk. 16, 19 und öfter). Purpur ist blau oder rot gefärbter Wollstoff, der den Angesehenen vorbehalten war. Vgl. Hes. 27, 24; Apg. 16, 14!

*V. 23.* Sie darf sich so vornehm kleiden, weil ihr Mann zu den An=gesehenen gehört. „In den Toren" finden die Beratungen der Ältesten statt. Siehe Hiob 29, 7 ff.!

*V. 24.* Wäsche und Gürtel (mit denen viel Luxus getrieben wurde) stellt sie auch zum Verkauf her.

*V. 25.* Nun folgen die inneren Qualitäten der Hausfrau. Ihre Haltung zeugt von innerem Adel und Würde. Weil sie in der Gottesfurcht steht (V. 30), fürchtet sie die Zukunft nicht.

*V. 26.* Weisheit ist auch hier die Frucht der Gottesfurcht (1, 7; 9, 10). Der Weise ist der vor Gott Gerechte. Daraus erwächst auch die pädago=gische Gabe, in Freundlichkeit zurechtzubringen.

*V. 27.* Überall hat sie ihre Augen und weiß, was im Hause vorgeht. „Brot der Faulheit", das heißt, sie nährt sich nicht von ihrer Faulheit (19, 15), sondern geht allen im Hause mit Eifer voran.

*V. 28.* Wie sollten ihre Söhne auf solch eine Mutter nicht stolz sein! Erst recht der Ehegatte, der ihr so viel zu danken hat.

*V. 29.* Es tut der Frau gut, daß sie von ihrem Mann anerkannt wird. Wie oft war und ist die Frau im Orient nicht mehr als eine Magd! Hier wird ein feines Eheideal gezeigt.

*V. 30.* So sehr ein Mann sich oft durch äußere Schönheit locken läßt, so verspricht diese meist mehr, als sie halten kann. Entscheidend ist die Stellung zu Gott.

*V. 31.* Sie soll die Frucht ihrer Arbeit genießen (1. Kor. 9, 7; 2. Tim. 2, 6). „In den Toren", d. h. in aller Öffentlichkeit soll solche Treue und Arbeitsfreude anerkannt werden.

Auch dieses Hohelied auf die tüchtige Hausfrau zeigt, wie Weisheit und Gottesfurcht sich im Alltag bewähren.

# DER PREDIGER

Der Inhalt dieses interessanten Buches macht verständlich, daß unsere
in jeder Beziehung so ungesicherte Generation sich viel mit den Aussagen
des Predigers beschäftigt. Das hat auch in der Theologie einen erfreulichen
Niederschlag gefunden. Wir haben eine Anzahl guter Kommentare be=
kommen, die uns den Zugang zu den Gedanken des „Predigers" erleich=
tern. Das gilt vor allem von dem großen Kommentar des ehemaligen
Kieler Alttestamentlers Hans Wilhelm Hertzberg, der jahrelang in Palä=
stina lebte und dadurch mit Land und Leuten, Klima und Verhältnissen
bekannt war. Dazu kommt der kürzere Kommentar von Prof. Kurt Galling,
der bekannt ist durch vielfache und gründliche Forschungen über die nach=
exilischen Schriften des Alten Testaments, besonders der Chronik und der
Bücher Esra und Nehemia. Da auch die Sprachform des „Predigers" die
der Spätzeit ist, danken wir Galling viele wichtige Beobachtungen. Schließ=
lich ist im Göttinger Bibelwerk „Altes Testament Deutsch" (ATD) die
Erklärung des Buches Qohélet, wie der Prediger hebräisch heißt, von dem
Schweizer Alttestamentler Walther Zimmerli sehr lesenswert und auch
für Nichttheologen leicht verständlich. Wir sollten der akademischen
Theologie für ihre Arbeit sehr dankbar sein. Hier schließt sie uns eins der
schwersten Bücher des Alten Testaments auf. Ohne daß wir uns knechtisch
den gelehrten Ausführungen anschließen, halten wir uns an diese Kom=
mentare, vor allem den Hertzbergs, doch unter Hinzuziehung der Kom=
mentare von Galling und Zimmerli. Die im engeren Sinne wissenschaft=
lichen Erörterungen lassen wir beiseite, da wir für den praktischen Ge=
brauch der Bibel zu schreiben suchen.

Die Grundgedanken des „Predigers" sind dem heutigen Menschen sehr
verwandt. Er schwankt zwischen schwermütiger Skepsis und fast über=
mütiger Fröhlichkeit. Dem Leser mag das Folgen nicht immer leicht sein.
Wir werden auch bei manch einer Stelle, die in ihrer Aussage überspitzt
zu sein scheint und einseitig ist, an das Wort Jesu denken müssen: „Aber=
mals steht geschrieben." Die Bibel will als Ganzes verstanden sein, und
doch muß jeder ihrer Teile ernst genommen werden.

# I. Überschrift und Prolog (Kap. 1, 1—11)

*(1) Worte des Predigers, des Sohnes Davids, Königs von Jerusalem. (2) Nichtigkeit der Nichtigkeiten, sprach der Prediger, Nichtigkeit der Nichtigkeiten, alles ist nichtig! (3) Welchen Gewinn hat der Mensch in all seiner Mühe, mit der er sich unter der Sonne abmüht? (4) Eine Generation geht, die andere kommt, aber die Erde bleibt ewig stehen. (5) Die Sonne geht auf, und die Sonne geht unter, und sie strebt nach dem Ort, wo sie (wieder) aufgeht. (6) Der Wind geht nach Süden und wendet um gen Norden, geht (alleweil) herum, und in seinem Wenden kehrt der Wind wieder zurück. (7) Alle Bäche strömen zum Meer, und das Meer wird nicht voll; an den Ort, von dem die Bäche fließen, zu dem fließen sie immer wieder. (8) Alle Worte mühen sich ab, kein Mensch kann (genug) reden. Das Auge kann sich nicht satt sehen, und das Ohr wird vom Hören nicht voll. (9) Was gewesen ist, wird (wieder) sein, und was getan wurde, wird (wieder) getan werden, und es ist nichts Neues unter der Sonne. (10) Gibt es ein Ding, von dem gesagt wird: „Siehe, das ist neu!"? Wahrlich, längst war es seit Ewigkeiten da, die vor uns gewesen sind. (11) Es bleibt keine Erinnerung an das Vorige, und auch an die, die hernach kommen, wird keine Erinnerung sein bei denen, die hinterher sein werden.*

*V. 1.* Der Name Salomos fehlt im ganzen Buch. „Prediger", hebräisch Qohélet, wird hier wie ein Eigenname ohne Artikel geschrieben. (Eine Ausnahme ist Kap. 12, 8 im Schlußwort, das von anderer Hand hinzugesetzt ist.) Nach 1, 12 ff. ist ohne Zweifel Salomo gemeint. „König von Jerusalem" ist eine nur hier im Alten Testament vorhandene, sonst nicht übliche Bezeichnung. Die Überschrift stammt offenbar vom Herausgeber.

*V. 2.* Hier beginnt der Verfasser seine Schrift und nennt gleich sein Thema: „Auf Erden ist alles nichtig." Die hebräische Ausdrucksweise „Nichtigkeit der Nichtigkeiten" bedeutet starke Betonung und Steigerung. Also: ganz und gar nichtig.

*V. 3.* Man könnte auch sagen: Was ist das Resultat von aller Mühe? Das entspräche dem Sinn noch besser. „Unter der Sonne" — zwanzigmal kommt dieser Ausdruck in unserer Schrift vor und heißt: auf der ganzen Erde. Es ist an jedem Ort das gleiche. Luther möchte den Ausdruck als Gegensatz zu „über der Sonne" verstehen. In Christi Reich unter seinem Einfluß ist alles anders. „Solange nicht das Himmelreich mit uns angeht, welches ein neu Wesen ist und nicht *unter* die Sonne gehört, das ist, solange wir durch den Heiligen Geist nicht neu geboren werden, läßt sich kein Mensch etwas genug sein" (52). Obwohl Luther hier offenbar zu viel in den Ausdruck „unter der Sonne" legt, so ist gewiß richtig, daß unser Buch die Nichtigkeit des Lebens ohne Christus, den der Verfasser noch nicht kennt, beschreibt.

*V. 4.* Das Kommen und Gehen der Generationen ändert am Grundgedanken nichts. Der Prediger ist also in keiner Weise entwicklungsgläubig. Der Erde soll hier nicht etwa ihre Zeitlichkeit bestritten werden — im eigentlichen Sinn ist sie nicht „ewig" —, aber sie ist im Blick auf die Geschichte der Menschheit das Beständige.

*V. 5.* Auch der Kreislauf der Sonne unterstreicht das Bleibende. Sie macht nie einen Fortschritt und kommt nie zum letzten Ziel. Wörtlich heißt es: Die Sonne hetzt sich, um pünktlich zu sein. Gerade ihr Lauf zeigt die stete Unruhe.

*V. 6.* Auch der wechselnde Wind erscheint zwecklos und ist nur ein Zeichen dauernder Unbeständigkeit. Er wiederholt sich immer neu und bringt die gleiche Unruhe.

*V. 7.* Ebenso sind die strömenden Gewässer der Bäche und Flüsse Bilder der Ziellosigkeit. Obwohl so viel Wasser ins Meer strömt, fließt dieses nicht über. Hertzberg (70) erinnert daran, daß das Tote Meer täglich dreizehn Millionen Tonnen Wasser aufnimmt, aber darum doch nicht größer wird. Wie sinnlos erscheint das alles dem menschlichen Auge!

*V. 8.* Galling übersetzt: „Alle Worte sind ein Sich-Hinquälen." Auch der Mensch mit seiner hohen Geistigkeit, deren er sich leicht rühmt, hat teil an all der Nichtigkeit und Mühe, die kein Ziel erreicht. Bei allem Sprechen, Sehen und Hören „bleibt immer ein unausgesprochener, ungesehener, ungehörter Rest übrig" (Hertzberg 70). Kein Menschenwort reicht aus. Es ist zuletzt nur ein Stammeln.

*V. 9. 10.* Obwohl das Wort „Es ist nichts Neues unter der Sonne" sprichwörtlich geworden ist, will es dem Fortschrittsgläubigen, ja den vom Fortschritt Berauschten, nicht einleuchten. Der Prediger jedoch würde unsere Oberflächlichkeit und Naivität belächeln. Ihm ist alles nur ein Gekräusel der Oberfläche des Wassers, das dahinrauscht ohne Sinn und Ziel.

*V. 11.* Nicht nur ziellos, sondern auch bald vergessen ist, was wir heute so wichtig nehmen.

Es gibt keinen Gewinn, sondern lauter sinnlose Mühe und Nichtigkeit — das sagt dieser Prolog und spricht damit das Thema aus, das die folgenden Kapitel in all ihren Gedankenreihen beherrscht.

# II. Der weise König (Kap. 1, 12-2, 26)

## 1. Sein Vorsatz (1, 12—18)

*(12) Ich, der Prediger, war König über Israel in Jerusalem. (13) Ich nahm mir im Herzen vor, die Weisheit zu ergründen und zu erforschen, was unter dem Himmel geschieht. Das ist eine arge Mühe, die Gott den Menschenkindern bereitet hat, sich damit abzuplagen. (14) Ich sah alle Werke, die unter dem Himmel getan werden — und siehe, alles ist nichtig und ein Greifen nach Wind. (15) Krummes kann nicht geradegemacht werden, und was fehlt, kann nicht nachgezählt werden. (16) Ich sagte in meinem Herzen: Siehe, ich bin groß und an Weisheit größer geworden als alle, die vor mir in Jerusalem gewesen sind, und mein Verstand hat viel Weisheit und Erkenntnis erschaut. (17) Aber als ich mein Herz darauf richtete, zu erkennen, was Weisheit und Erkenntnis, was Verblendung und Narrheit ist, da erkannte ich, daß auch dieses ein Greifen nach Wind ist. (18) Denn wo viel Weisheit ist, da ist auch viel Verdruß, und wer Erkenntnis mehrt, der mehrt das Leid.*

*V. 12.* Zwar nennt der Verfasser nicht den Namen Salomos, doch wird deutlich, daß er ihn meint, in dessen Weisheit er zu reden gewiß ist. Wir haben in diesem Verschweigen des Namens eine gewisse Zurückhaltung zu erkennen. Wieweit der Verfasser original salomonische Gedanken übernommen hat, kann nicht nachgewiesen werden. Er benutzt — wie oben angedeutet — den Ausdruck Qohélet wie einen Eigennamen. Der Schreibende „erhebt den Anspruch, von der höchsten Warte irdischer Macht und Geistesgaben aus" zu schreiben (Hertzberg 81/82). Weil Salomo durch Weisheit und Reichtum besonders ausgezeichnet war, kann gerade an ihm die Nichtigkeit alles Irdischen überzeugend klargestellt werden.

*V. 13.* Nun wird der Vorsatz des Königs beschrieben. Er will an allem, was auf Erden geschieht, die Weisheit suchen und ergründen. Die beiden Ausdrücke zeigen sowohl die Intensität, die Gründlichkeit, als auch die Extensität, die Ausdehnung, seines Forschens. Er will den Dingen einerseits auf den Grund gehen und andererseits den Blick weit schweifen lassen. Er will es tun nicht nur mittels der Weisheit, sondern auch in der Frage nach der Weisheit, dem Sinn und Wert der Erscheinungen. Das macht „arge Mühe" — zumal er nie zum erwünschten Ziel kommen wird, wie das ganze Büchlein zeigt. Aber dennoch ist diese Mühe von Gott den

Menschen gegeben und aufgetragen. „Gott ist für Q. kein Problem, sondern steht außerhalb der Diskussion" (Hertzberg 83). Der Verfasser vermeidet übrigens den Gottesnamen Jahve.

*V. 14.* Er faßt das Resultat all seines Forschens in den Satz zusammen: Alles ist sinnlos! Es ist, als ob jemand nach dem Winde greift, und seine Hände bleiben dabei leer.

*V. 15.* Der Verfasser kennt und liebt viele Sprichwörter. Er ist ja selbst ein Kind der Weisheit und ihrer Schule. Gern belegt er darum seine Erkenntnis durch solche Sentenzen volkstümlicher Beobachtung. So auch hier. Weil die Welt und ihre Dinge „krumm" sind — wir könnten auch sagen: aus der Fasson geraten —, so kann aus ihnen nichts Gerades, Einleuchtendes, Weises gemacht werden. Was nicht vorhanden ist, kann durch Beobachtung und Beurteilung nicht hergestellt werden.

*V. 16.* Dabei ist sich der Verfasser bewußt, für sein Vorhaben besonders gerüstet zu sein. Er hat die Weisheit in hohem Maße. Es muß daran erinnert werden, daß in der Weisheitsliteratur die Weisheit nichts mit Häufung von Wissensstoff zu tun hat. Sie ist vielmehr praktische Lebenserkenntnis, durch Beobachtung und Erfahrung gewonnen. Er hat mit dem Herzen geschaut, beobachtet, erkannt. Der Ausdruck „Herz" ist in unserem Buch vielfach fast im Sinne von Verstand benutzt. Die Zusammenstellung Weisheit und Erkenntnis finden wir in der Bibel oft: z. B. Jes. 33, 6; Röm. 11, 33; auch Phil. 1, 9; 1. Kor. 1, 5 f.

*V. 17.* Will er das Resultat seines Forschens zusammenfassen, so ist das Ergebnis beschämend. „Die Rätsel blieben Rätsel, die Probleme Probleme" (Hertzberg 84). Die Grenzen von Weisheit und Unverstand waren nicht festzusetzen. „Ich weiß, daß ich nichts weiß" — das ist das Ende seiner Mühe.

*V. 18.* Vielleicht ist auch hier ein Sprichwort verwendet. Vermehrte Weisheit bringt viel Enttäuschung und Ärger. Wer tiefer in die Welt hineinschaut, weiß mehr von ihrem Leid und ihrer Not.

## 2. Sein Lebensgenuß (2, 1—3)

*(1) Ich sagte in meinem Herzen: Komm, versuch es mit der Freude und sieh nach dem Glück! Aber siehe, auch das ist nichtig. (2) Zum Lachen sprach ich: Verrückt! und zur Freude: Was machst du bloß? (3) Ich dachte in meinem Herzen, meinen Leib mit Wein zu erfrischen — doch mein Herz betrieb es in Weisheit — und nach der Torheit zu greifen, bis daß ich sähe, ob für die Menschen gut sei, was sie tun unter dem Himmel in der Frist ihrer Tage.*

*V. 1.* Freude und Glück sollte das vergebliche Suchen nach der Weisheit der Dinge ersetzen. Aber auch hier war alles nichtig und sinnlos. Die Miniaturbibel übersetzt: „Komm, wir wollen's mit dem Vergnügen versuchen, und du sollst es gut haben!" Der Verfasser nimmt auch hier das Resultat voraus.

*V. 2.* Zum Lachen, zum Vergnügen sagt er: Es ist sinnlos. Und zur oberflächlichen Freude: Was machst du? Das heißt: Was kommt dabei heraus? Luther sagt dazu: „Die Ruhe und Freude, die ich mir selbst machen wollte, fehlte allezeit und ward nichts draus; es fiel mir immer eine Fliege mitten in den Brei" (58).

*V. 3.* Und nun schildert der Prediger, wieviel Möglichkeiten der Weisheit er gesucht hat. Zuerst versucht er es mit derbem Lebensgenuß. Der Wein, der des Menschen Herz erfreut (Ps. 104, 15), soll ihn laben und erfrischen — doch nicht, ohne daß die Weisheit ihn zügelt. In dieser Grenze will er sich auch der Torheit überlassen, um das zu erkennen, was die Leute „Glück" nennen. Es ist freilich ein Widerspruch, sich mit Weisheit der Torheit hinzugeben. Gemeint wird aber sein: Die Weisheit soll mir zeigen, wie es um die Torheit eines weltlichen Lebens steht.

## 3. Seine Wirksamkeit (2, 4—11)

*(4) Ich tat große Dinge, baute Häuser, pflanzte Weinberge, (5) machte mir Gärten und Parks und pflanzte in ihnen allerlei Fruchtbäume. (6) Ich machte mir Wasserteiche, um aus ihnen den Wald mit sprossenden Bäumen zu tränken. (7) Ich erwarb Knechte und Mägde und hatte auch solche, die im Hause geboren waren. Auch Herden mit viel Rindern und Schafen hatte ich — mehr als alle, die vor mir in Jerusalem gewesen waren. (8) Ich sammelte mir Silber und Gold und königlichen Besitz und Länder. Ich schaffte mir Sänger und Sängerinnen und Genüsse der Menschen, auch Haremsfrauen (?). (9) Ich wurde groß und mehrte (meinen Besitz) mehr als jeder, der vor mir in Jerusalem war. Auch meine Weisheit blieb mir bestehen. (10) Und alles, was meine Augen nur wünschten, verwehrte ich ihnen nicht; meinem Herzen weigerte ich keine Freude, denn mein Herz freute sich an all meiner Mühe, und das war mein Teil von all meiner Mühe. (11) Und ich wandte mich zu all meinen Werken, die meine Hände getan hatten, und zur Mühe, die ich gehabt, sie zu vollbringen — siehe, alles war nichtig und ein Greifen nach Wind, und es ist kein Gewinn unter der Sonne.*

*V. 4.* Nun schildert er Salomos große kulturelle Arbeit. Große Werke vollbrachte er, doch beurteilt er sie nicht als Werke „öffentlichen Interesses". Es ist alles nur die Ausführung seines Plans, ein weltliches Leben zu führen mit all den großen Möglichkeiten, die sein Reichtum und sein Unternehmungsgeist ihm gaben. Die großartige Bautätigkeit Salomos erwähnt die Bibel öfters: 1. Kön. 7, 1–12; 9, 15–19. Seine Weinberge: 1. Chron. 27, 27. Die Propheten haben später den Häuserluxus gescholten: Jes. 5, 9; Amos 3, 15; Micha 2, 2.

*V. 5.* Zu den Häusern kamen die Gartenanlagen. Hier steht das aus dem Persischen stammende Wort „Paradies", das Forst, Tiergarten oder Park heißen kann.

*V. 6.* Die Wasserteiche werden hier nicht als Versorgung der Städte aufgefaßt, sondern zum Luxus gezählt. In der römischen Zeit wußte man von „salomonischen Teichen". Siehe Neh. 2, 14!

*V. 7.* Wie auch sonst in der Bibel ist die Größe der Herden Ausdruck des Reichtums (z. B. Hiob 1, 3; 42, 12). Das war noch die Erinnerung an die alte Nomadenzeit. Dazu gehörte das zahlreiche Gesinde. Wie in 1. Mose 17, 12 wird auch hier unterschieden, ob Sklaven erworben oder im eigenen Hause geboren sind.

*V. 8.* Erst später galt Gold und Silber als Ausdruck des Reichtums. Wer viel Geld hatte, hielt sich im Orient eigene Sängerchöre oder gar Musikkapellen (wie übrigens auch im alten Rußland zur Zeit der Leibeigenschaft). Von Salomos Vielehe wissen wir aus 1. Kön. 11, 3. Hier gelten noch nicht die neutestamentlichen Maßstäbe. Die Übersetzung des letzten Wortes ist ungewiß.

*V. 9.* Zusammenfassend bezeichnet der Vers die Größe und den Reichtum Salomos. Trotz aller Lebenstorheit blieb ihm seine Weisheit als Kritikerin seines Verhaltens. Siehe oben V. 3!

*V. 10.* Jeder Begierde nach Freude gab er nach. Doch war diese trügerisch.

*V. 11.* Nur mit viel Mühe konnte er die sogenannten Freuden erringen. Doch blieb das Resultat: Auch das alles ist nichtig, und nichts kommt dabei heraus.

Luther sagt zum letzten Vers: „Da lernte ich, daß Gott das Spiel in der Hand hat und nicht wir ... nimm dir nicht vor, daß es dir allezeit gehen soll, wie du gern hättest, in aller Lust, wie die Gottlosen wähnen, denn du bist nicht der Herr; Gott ist der Herr" (60/61).

## 4. Seine Enttäuschung (2, 12—19)

*(12) Und ich wandte mich, um nach Weisheit, Tollheit und Narrheit zu sehen; denn wer ist der Mann, der dem König folgt? (Er wird tun), was man schon längst getan hat. (13) Und ich sah, daß die Weisheit mehr Gewinn hat als die Narrheit, wie das Licht den Vorzug hat vor der Finsternis. (14) Der Weise hat seine Augen in seinem Kopf, aber der Narr wandelt in Finsternis. Aber ich erkannte, daß es allen gleich ergeht. (15) Und ich sagte in meinem Herzen: Wie es dem Narren ergeht, so geht es mir auch — warum bin ich denn so sehr weise gewesen? Und ich sagte in meinem Herzen: Auch das ist nichtig. (16) Denn man gedenkt des Weisen ebensowenig dauernd wie des Narren, weil in den kommenden Tagen alles vergessen ist. Wie stirbt doch der Weise samt dem Narren! (17)) Da haßte ich das Leben, denn arg lag auf mir alles, was unter der Sonne geschieht; denn alles ist nichtig und Greifen nach Wind. (18) Auch haßte ich all meine Mühsal, mit der ich mich abmühte unter der Sonne; denn ich muß es meinem Nachfolger hinterlassen. (19) Und wer weiß, ob dieser ein Weiser sein wird oder ein Tor? Er wird Macht haben über meinem Werk, worüber ich mit Weisheit gearbeitet hatte unter der Sonne. Auch das ist nichtig.*

*V. 12.* Der Verfasser nimmt auch hier, wie oft, das Resultat der folgenden Erwägung voraus, nämlich die Sorge, ob sein Nachfolger sein Werk auch weitertreiben werde. Im Grunde ändert sich nichts auf Erden.

*V. 13.* Zugegeben mag werden, daß die Weisheit sich zur Torheit verhält wie das Licht zur Finsternis.

*V. 14.* Der erste Satz wird wieder ein bekanntes Sprichwort sein. Aber mag dieses seine Wahrheit haben — im Tode sind die Weisen und die Narren sich gleich.

*V. 15.* Darum unterstreicht der Verfasser: Im Blick auf das irdische Ende bringt die Weisheit dem Weisen nichts anderes ein als dem Narren seine Narrheit. Nichtig ist beides. Vgl. Ps. 49, 17 ff.!

*V. 16.* Es ist also wahr: Ob arm, ob reich — im Tode gleich! Aber auch aller Nachruhm stirbt mit der Zeit dahin.

*V. 17.* Diese Einsicht verleidet dem Verfasser das Leben. Es erscheint ihm hassenswert. Diese leidenschaftliche Aussage widerspricht der sonst gerühmten Gelassenheit des Weisen. Dieser liebt das Leben. Man denke an Aussagen wie Spr. 8, 35 f.!

*V. 18. 19.* Vgl. V. 12! Im Gesellschaftsleben und in der Politik, ja auch in der Wissenschaft, bleibt es ungewiß, ob ein Nachfolger das Werk des Vorangegangenen achten und fortsetzen wird. Man denke an Rehabeam, den Sohn Salomos, der durch seine Unbesonnenheit zur Spaltung des Reiches beitrug (1. Kön. 12, 1–19)! Luther schreibt dazu: „Wer sich um das Zukünftige zu sehr bekümmert, macht sich selbst Herzeleid, und ist doch sein Kummer ganz umsonst" (64).

## 5. Seine Ratlosigkeit und sein Rat (2, 20—26)

*(20) Und ich wandte mich um, um mich der Verzweiflung zu überlassen über all der Mühsal, die ich unter der Sonne hatte. (21) Denn da ist nun ein Mensch, der seine Arbeit tat in Weisheit, Erkenntnis und Erfolg und muß sie doch einem Menschen überlassen als Erbteil, der sich nicht darum gemüht hatte. Auch das ist nichtig und sehr arg. (22) Denn was bleibt dem Menschen in all seiner Mühe und Streben seines Herzens, womit er sich unter der Sonne abmüht? (23) Denn all seine Tage sind Leiden, und sein Geschäft ist Ärger, und selbst nachts hat sein Herz keine Ruhe. Auch das ist nichtig. (24) Es gibt nicht Besseres für den Menschen, als daß er esse und trinke und lasse seine Seele Gutes genießen in seiner Mühsal. Und ich sah, daß auch dieses kommt von der Hand Gottes. (25) Denn wer kann essen und laufen ohne ihn? (26) Denn dem Menschen, an dem er Wohlgefallen hat, gibt er Weisheit, Erkenntnis und Freude, aber dem Sünder gibt er die Aufgabe, zu sammeln und zu häufen, um es dem abzugeben, der Gott wohlgefällt. Auch das ist nichtig und Greifen nach Wind.*

*V. 20.* Der Prediger scheut sich nicht, seine völlige Ratlosigkeit zu bekennen.

*V. 21. 22.* Er wiederholt den oben (V. 12. 18 f.) ausgesprochenen Gedanken, daß der Mensch nach seinem Tode sein Werk andern Händen überlassen muß, ohne auf dessen Verständnis und Würdigkeit rechnen zu können. Dieser Gedanke wird ihm zur Qual.

*V. 23.* Ein starker Pessimismus hat ihn erfaßt: Alles Leben ist Leiden. Tag und Nacht treibt ihn die Unruhe um.

*V. 24.* Und nun folgt eine der überraschenden Wendungen, die in unserem Buch bis an sein Ende das graue „Alles ist nichtig" durchbricht (3, 12. 22; 5, 17; 8, 15; 9, 7; 11, 9). Zwar ist in V. 10 f. der Lebensgenuß als nichtig verworfen worden, aber das gilt von dem Genuß, nach dem der Mensch eigenmächtig greift. Hier aber geht es um Gottes Schenken: „Es kommt von der Hand Gottes." Luther nennt in seiner Auslegung diese seltsamen Wendungen den Blick *über* die Sonne. Das ist hier im Buch des Predigers der Ausweg aus Ratlosigkeit und Verzweiflung.

*V. 25.* Das dankbare Nehmen und Genießen der Gaben hängt freilich ganz ab von der Haltung zum Geber.

*V. 26.* Gott gibt. Er gibt nicht wahllos. Wo die Gabe aus seiner Hand empfangen wird, da bringt sie Segen und Freude. Wo aber der sich selbst behauptende Mensch nach den Gaben greift und sie gierig sammelt (V. 10 f.), da wird die nichtige Mühsal ihm zum Gericht. Und sein Gewinn kommt den Gesegneten Gottes zugute. „Er beweist, daß es eine große Gabe sei, so ein Mensch sich nicht ängstet mit seinen eigenen Gedanken und Sorgen, sondern mit den gegenwärtigen Gaben zufrieden ist ... Die Gottlosen haben nimmer Ruhe mit ihren Reichtümern, Gewalt oder andern Gaben, trachten und denken immer mehr und mehr zu erlangen und sind nicht zu erfüllen; sind nicht Herren ihrer Güter, sondern Knechte und arme, geplagte Esel; was sie haben, das haben sie nicht; das ist Jammer und auch eitel. Die Christen aber sind rechte Herren über alles, wenn sie gleich wenig haben und die Gottlosen viel (Ps. 37, 16)." (Luther 66).

# III. Alles hat seine Zeit (Kap. 3, 1–4, 16)

## 1. Die Beobachtung (3, 1—9)

*(1) Jede Angelegenheit hat ihre Zeit, und jede Sache hat ihre Stunde unter dem Himmel. (2) Die Zeit, geboren zu werden, und die Zeit zu sterben. Die Zeit zu pflanzen und die Zeit, wo Gepflanztes herausrissen wird. (3) Die Zeit zu töten und die Zeit zu heilen. Die Zeit niederzureißen und die Zeit zu bauen; (4) die Zeit zu weinen und die Zeit zu lachen; die Zeit zu klagen und die Zeit zu tanzen; (5) die Zeit, Steine zu werfen, und die Zeit, die Steine zu sammeln; die Zeit zu umarmen und die Zeit zum Fernsein vom Umarmen; (6) die Zeit zu suchen und die Zeit zu verlieren; die Zeit, um aufzubewahren, und die Zeit, um wegzuwerfen; (7) die Zeit zu zerreißen und die Zeit zusammenzunähen; die Zeit zu schweigen und die Zeit zu reden; (8) die Zeit zu lieben und die Zeit zu hassen; die Zeit zum Kriege und die Zeit zum Frieden. (9) Was für einen Gewinn hat der, der etwas tut, an dem er sich abmüht?*

*V. 1.* Diese Verse (1–8) sind stilistisch ein Meisterwerk. Gerade die Einförmigkeit der Aussagen ist besonders eindrucksvoll. Nichts ist planlos auf dieser Welt. In moderner Sprache hieße es: „Alles hat seine Termine." Denn es ist ja nicht der Zeitenlauf (chronos), sondern der Zeitpunkt (kairos) gemeint. Der sogenannte Zufall ist in Wirklichkeit Schickung – für den, der in der Furcht Gottes lebt.

*V. 2.* Und nun folgen, in Gegensätzen geordnet, die vielen Gegebenheiten des Lebens. „Wie schwere Wellen rollen die Verse daher" (Hertzberg 104). Der Anfangs- und der Schlußpunkt unseres irdischen Lebens, das Datum der Geburt und das des Todes, sind nicht in unsere Entscheidung gelegt. Innerhalb dieses Rahmens geschieht alles übrige. Das gilt nicht nur den Menschen, sondern auch allen untergeordneten Lebewesen. Selbst jede Pflanze hat die ihr zugeordnete Zeit.

*V. 3.* Wie in V. 8 werden wir an kriegerische Kämpfe denken. Nach Zeiten des Zerstörens und Tötens kommen die Zeiten des Heilens und des Wiederaufbaus.

*V. 4.* Deshalb wechseln im Menschenleben die Zeiten der Trauer und der Klagen mit den Zeiten der Freude und der Feste.

*V. 5.* Der Steinwurf gilt hier nicht den gewaltsamen Demonstrationen oder gar der Steinigung (Joh. 8, 5; Apg. 7, 56 ff.). Wahrscheinlich handelt es sich um Unfruchtbarmachung der Äcker des Feindes: 2. Kön. 3, 25; Hos. 12, 12. Das Einsammeln der Steine kennen alle Ackersleute aus steinreichen Gegenden, wo sich neben den Feldern mit der Zeit Steinhaufen bilden. – Dagegen spricht der zweite Satz vom Thema des Scheidens der Liebenden (5. Mose 20, 7; Hohel. 2, 6; 3, 1). Die echte Liebe hat Kraft, auch zu verzichten.

*V. 6.* Alles, was wir besitzen, ist nicht für ewig unser Eigentum.

*V. 7.* Beim Zerreißen denkt man unwillkürlich an das Zeichen der Trauer in Israel (2. Sam. 1, 2. 11; 13, 31; 1. Mose 37, 29. 34; Matth. 26, 65 und öfter). Vielleicht wird auch hier nur daran erinnert, daß über allem das Gesetz des Vergehens liegt. – Die rechte Zeit zum Schweigen und zum Reden zu wissen, ist ein Zeichen echter Weisheit. Vgl. Jak. 1, 19!

*V. 8.* Der Wechsel von Krieg und Frieden, von Haß und Liebe ist ganz gewiß nicht als Gebot zu verstehen, sondern als objektive Feststellung von Tatsachen.

*V. 9.* Dieser Vers stellt abschließend fest, daß hinter den soeben genannten Beispielen eine feste Ordnung steht, an der ein Mensch mit all seiner Mühe nichts ändern kann. „Eine Gedankenführung, die vernichtend wirken muß, wenn sie nicht getragen wird von dem Glauben an einen

Gott, der alles so gefügt hat" (Hertzberg 105). Dazu ein Wort von Luther: „Wenn das Stündlein nicht da ist, so richtet man nichts aus, man tue, wie man will; wenn's nicht sein soll, so wird nichts draus" (69).

## 2. Gottes Wirken (3, 10—15)

*(10) Ich sah die Aufgabe, die Gott den Menschenkindern gegeben hat, daß sie sich damit abmühen. (11) Er hat alles recht gemacht zu seiner Zeit; auch die Ewigkeit hat er ihnen ins Herz gegeben, nur daß der Mensch das Werk, welches Gott von Anfang bis zu Ende gemacht hat, nicht ergründet. (12) Und ich erkannte, daß es für sie nichts Besseres gibt, als sich zu freuen und Gutes zu tun im Leben. (13) Und auch daß irgendein Mensch ißt und trinkt und Gutes erkennt in all seiner Mühe, ist ein Geschenk Gottes. (14) Ich erkannte, das alles, was Gott tut, ewig bleibt; ihm ist nichts hinzuzufügen, von ihm ist nichts wegzunehmen. Gott hat es gemacht, damit man sich vor ihm fürchte. (15) Was geschehen ist, war schon längst da, und was geschehen soll, ist längst gewesen. Und was entschwunden ist, sucht Gott wieder auf.*

*V. 10.* Der Prediger sieht hinter allem Geschehen — auch wenn es völlig unverständlich ist — das Wirken Gottes. Was für den Menschen eine Plage ist und sinnlos erscheint, ist planvoll von Gott selbst verhängt. Er ist hier am Werk.

*V. 11.* Auf Gottes Seite ist alles aufs beste geordnet (1. Mose 1, 31). Aber der Mensch kann es nicht erkennen, obwohl ihm Gott „die Ewigkeit ins Herz gegeben" hat. Über diesen in der Bibel einmaligen Ausdruck haben die Gelehrten viel nachgesonnen. Hertzberg schreibt (107): „Gott hat nicht nur in seiner Schöpfung alles gut gemacht, sondern den Menschen noch etwas Besonderes dazugegeben, was auf die Sonderstellung des Menschen weist, der, als das Gegenüber Gottes, im Unterschied von den anderen Wesen den Blick zum fernsten Zeitpunkt verliehen bekommen hat." Michael Hahn, der Erweckungsmann Württembergs aus der Zeit um 1800, spricht oft davon, daß Gott dem Menschen den Geist der Ewigkeit verliehen hat, der sich nun danach sehnt, mit dem Geist der Herrlichkeit erfüllt zu werden. So hebt Gott den Menschen aus der übrigen Schöpfung heraus (1. Mose 1, 26). Der gefallene Mensch hat zwar dieses Geschaffensein „auf Gott hin" (Augustin), kann aber den Weg zum Ziel von sich aus nicht gehen. „Die Erkenntnis dieses Abstands ist der Schlüssel zum Verständnis des Buches Qohélet", sagt Hertzberg (108).

*V. 12. 13.* Hier liegt der Ton ganz auf dem letzten Wort von V. 13: „Geschenk Gottes." Der Mensch darf nicht selbst sein Glück bauen. Sonst geht es ihm, wie in Kap. 2, 1 ff. geschildert ist. Weiß er sich aber von Gott beschenkt, so soll er das Leben nehmen, wie es ist, sich an ihm freuen, Gutes tun und auch in seiner Mühsal sich des Guten versehen. (Die meisten Ausleger verstehen den Ausdruck „Gutes tun", wie wörtlich geschrieben steht, als „Gutes erfahren".)

*V. 14.* Sich gehorsam und dankbar in Gottes Wege zu fügen, gelingt dem Menschen, wenn er in Gottesfurcht den ewigen Willen Gottes erkennt. Es sind ihm Grenzen gesetzt, die er respektieren muß.

*V. 15.* Alles, was geschieht, ist für den ewigen Gott nichts Neues. Für Gott ist auch nichts vergangen. „Was entschwunden ist" übersetzt Hertzberg: „was vorübergejagt ist". Gott sucht und hält auch fest, was dem Menschenauge kaum erkennbar war. Er bringt das Verborgene ans Tageslicht. Vgl. Matth. 10, 26; Mark. 4, 22; Luk. 8, 17; 12, 2!

## 3. Gott behält sich das Gericht vor (3, 16—22)

*(16) Und weiter sah ich unter der Sonne einen Ort des Rechts – da war Frevel! Und einen Ort der Gerechtigkeit – da war (auch) Frevel! (17) Da sagte ich in meinem Herzen: Den Gerechten und den Frevler wird Gott richten. Denn für jede Sache ist ein Zeitpunkt und auch über jede Tat. (18) Ich sagte in meinem Herzen: (Es geschieht) um der Menschen willen, daß Gott sie sichtet, damit sie sehen, daß sie (darin) gleich dem Vieh sind. (19) Denn das Geschick der Menschenkinder und das Geschick des Viehs ist das gleiche – eins stirbt wie das andere, und einerlei Atem haben alle – und nichtig. (20) Alles geht an einen Ort, alles ist vom Staube, und einen Vorzug vor dem Vieh hat der Mensch nicht, denn alles ist alles kehrt zum Staube zurück. (21) Wer weiß, ob der Atem der Menschenkinder hinaufsteigt und der Atem des Viehs hinunterfährt nach unten zur Erde? (22) Und ich sah, daß nichts besser ist, als daß der Mensch sich freue in seinem Tun, denn das ist sein Teil. Denn wer könnte ihn dazu bringen zu sehen, was nach ihm sein wird?*

*V. 16.* Wo Recht gesprochen werden soll, ist auf Erden nur zu oft viel Ungerechtigkeit. Darüber klagten schon die Propheten Israels: Jes. 1, 23; 5, 7. 23; Amos 2, 3; Micha 3, 9 ff. und öfter.

*V. 17.* Weil Gott für alles seine Termine hat (3, 11), darum wird zu seiner Zeit das Gericht nicht ausbleiben.

*V. 18.* Der große Gerichts= und Sichtungstag kommt im Tode (Hebr. 9, 27, Röm. 14, 10; Matth. 25, 32). Die ganze Kreatur ist dem Tode unter=worfen.

*V. 19. 20.* Im Todesgeschick erfährt der Mensch seine ganze Ohn=macht — wie ja an Gräbern der Unglaube seine Verlegenheit und Ratlosig=keit eingestehen muß. Mit erschütternder Schärfe werden Mensch und Vieh zusammengestellt: vom Staube genommen, zum Staube zurückgekehrt. Siehe 1. Mose 2, 7; 3, 19; 1. Kor. 15, 47! Nirgends in der Bibel ist die Härte des Todesgeschicks so stark betont. Vgl. aber Hiob 10, 9; 14, 1 f.; 34, 15; Ps. 49, 13; 104, 29; 146, 4; Jes. 40, 6 ff.! An solchem Wort wird jedoch deutlich, welch ein Abstand zwischen dem Alten und dem Neuen Testament besteht. Man lese etwa 1. Petr. 1, 3 ff.!

*V. 21.* Vgl. dagegen 3, 11 und 12, 7! Der Verfasser spricht hier keine dogmatischen Lehrsätze aus, sondern will die Hoffart des Menschen demütigen. Er hat nichts in der Hand, was ihm gegen Gott ein Rechts=mittel sein könnte. Eine menschliche Sicherheit gibt es nicht, es sei denn der Blick auf den Todesüberwinder gerichtet, der den Schlüssel zum Toten=reich hat (Offb. 1, 18). So erzieht Qohélet uns für den Neuen Bund und zur Begegnung mit Jesus.

*V. 22.* Wieder wie in V. 12 endet der Gedankengang in dem über=raschenden Schluß, daß die Ungewißheit des menschlichen Schicksals nicht in Verzagen und Verzweiflung, sondern in der Freude am Heute und seiner Arbeit münden soll. Der Verfasser zeigt darin seine Gläubigkeit und seine Geborgenheit im Willen Gottes, obwohl er ihn nicht ergründen kann. Das Leben mit seinen täglichen Gegebenheiten ist Gottes Gabe, die dankbar genossen werden soll.

## 4. Das Rätsel der Leiden (4, 1—3)

*(1) Und wiederum sah ich alle die Bedrückungen, die unter der Sonne geschehen, und siehe, die Tränen der Bedrückten, und sie haben keinen Tröster, auch vor der Hand der Gewalt ihrer Bedrän=ger haben sie keinen Tröster. (2) Und ich pries die Toten glück=licher, die längst gestorben sind, als die Lebenden, die noch am Leben sind. (3) Und glücklicher als beide den, der noch nicht da ist, der all das böse Werk nicht gesehen hat, das unter der Sonne ge=schieht.*

*V. 1.* Dennoch bleiben die ungelösten Rätsel und die unbeantworteten Fragen. Er sieht all die soziale Ungerechtigkeit und den Terror, ohne daß den Bedrückten Trost und Hilfe käme. Ähnlich urteilten auch die Propheten: Jes. 1, 23; 3, 14 f.; 5, 8; 10, 2; Jer. 22, 13; Amos 2, 6 f.; 5, 11; 8, 4; Micha 2, 2. 8 f.; 3, 2 f. und öfter.

*V. 2. 3.* Er ist dieses ungerechten Lebens überdrüssig und preist die Toten und Ungeborenen, die nicht Zeugen dieses Unrechts sein müssen. Luther sagt dazu: „Wenn einer recht bedenkt das unzählige Herzeleid, Elend und große Übel und Jammer auf Erden und die große Bosheit der Welt, welche des Teufels Reich ist, und allein dies Leben ansieht und das andere ewige Leben nicht, der muß denken, es sollte lieber einer tot sein, denn so unzählig viel großes Elend und Jammer sehen" (76).

## 5. Arbeit und Erfolg (4, 4—6)

*(4) Und ich sah alle die Mühsal und alles Gelingen des Tuns — denn die Eifersucht des einen gegen den andern (ist dabei) —; auch das ist nichtig und ein Greifen nach Wind. (5) Der Tor legt die Hände in den Schoß und ißt vom eigenen Fleisch. (6) Besser eine Handvoll Ruhe als zwei Handvoll Mühsal und Greifen nach Wind.*

*V. 4.* Mag auch manche Arbeit Erfolg haben, so verbittert der Neid des Erfolglosen auch den Erfolg. Darum ist all dieses Eifern eben doch nichtig und leer. Der Kampf ums Dasein und der elende Konkurrenzneid lassen niemand zur Ruhe kommen.

*V. 5.* Zwei Sprichwörter folgen. Von der Faulheit redeten die Sprüche oft (6, 6 ff.; 10, 4; 12, 27; 18, 9; 19, 15; 20, 13; 24, 33 f.). Auch hier wird der Träge verspottet: Weil er nicht arbeitet, lebt er von der Substanz; das heißt, er verzehrt sich selbst.

*V. 6.* Das neue Sprichwort schränkt das Gesagte ein. Weder Faulheit noch nervöse Hast nach Gewinn! Eine Handvoll Ruhe ist besser als mit zwei Händen ins Leere greifen.

## 6. Einsamkeit und Gemeinschaft (4, 7—12)

*(7) Und wieder sah ich Nichtiges unter der Sonne. (8) Da ist einer, und ist kein zweiter neben ihm, und er hat weder Sohn noch Bruder, und seine Mühsal hat kein Ende, dazu wird sein Auge des Reichtums nicht satt: „Aber für wen mühe ich mich und verzichte auf allerlei Gutes?" Auch das ist nichtig und ein arges Geschäft. (9) Besser zu zweien als allein; denn die haben guten Lohn von*

*ihrer Arbeit. (10) Denn wenn sie fallen, richtet einer den andern auf. Aber wehe dem, der allein ist und zu Fall kommt, und kein zweiter ist da, der ihm aufhilft! (11) Auch wenn zwei beieinander liegen, so wird's ihnen warm. Aber wie kann dem einzelnen warm werden? (12) Auch wenn man den einzelnen wohl überwältigt — zu zweien stehen sie fest gegen ihn (den Widersacher). Eine dreifache Schnur wird nicht so schnell zerrissen.*

*V. 7.* Es gibt noch mehr Unverständliches unter der Sonne.

*V. 8.* Wenn einer einsam dasteht — für wen müht er sich denn ab? Als tüchtiger Geschäftsmann jagt er dem Erfolg nach, kennt keine Ruhe und will immer mehr haben. Doch in schlafloser Nachtstunde mag ihn die Frage quälen: Für wen arbeite ich eigentlich? Wem kommen meine Opfer und mancherlei Verzicht zugute? Ja, ein böses Geschäft!

*V. 9. 10.* Besser ist es, zu zweien zu sein, weil man sich bei Unfällen zur Seite steht. Der Einsame findet so leicht keine Hilfe.

*V. 11.* Vielleicht denkt der Verfasser hier auch an die Ehe.

*V. 12.* Auch bei einem Angriff ist der einzelne schlimmer dran, als wenn er von seinem Nächsten Unterstützung hat. Das Sprichwort von der dreifachen Schnur belegt diese Wahrheit.

## 7. Das Rätsel in der Geschichte (4, 13—16)

*(13) Besser ein junger, armer, aber weiser Mensch als ein alter König, der ein Narr ist, der nicht mehr versteht, sich raten zu lassen. (14) Denn jener kam aus dem Gefängnis, um König zu werden — wenn er auch arm war, als dieser König war. (15) Ich habe alle jene Lebenden gesehen, die unter der Sonne wandeln mit dem jungen Mann, dem Nachfolger, der an seine Stelle trat. (16) (Es schien) kein Ende des Volkes, dem er voranzog. Aber die Späteren freuten sich seiner nicht mehr. Denn auch das ist nichtig und ein Griff nach Wind.*

*V. 13.* Auch in der Geschichte der Völker passiert viel Ungereimtes. Ob der Verfasser das folgende Beispiel selbst erlebte, ist gleichgültig. Mit der Königswürde ist nicht immer die Weisheit zum Regieren verbunden. Andererseits hätte wohl manch weiser Mann das Zeug dazu, ist aber arm und ohne Einfluß.

*V. 14.* Es kann der Fall eintreten, daß gar einer aus dem Gefängnis zu hoher Macht geführt wurde. Man wird an Joseph denken können, obwohl er nicht genannt ist.

*V. 15.* „Alle Lebenden", so spricht der Orientale von der Masse (nach Hertzberg), jubeln dem jungen Nachfolger zu, der mehr Weisheit hat als der alte König.

*V. 16.* Endlos war die jubelnde Menge bei seiner Thronbesteigung. Und dennoch: Die Späteren haben ihn vergessen. Auch Popularität ist nichtig. Vielleicht liegt auch hier eine Erinnerung an Joseph vor. In 2. Mose 1, 8 wird von dem Pharao erzählt, der von Joseph nichts mehr wissen wollte. Der Verfasser scheint grundsätzlich bei seinen Beispielen keine Namen zu nennen.

## IV. Hören ist besser als Reden (Kap. 4, 17–5, 8)

### 1. Im Verkehr mit Gott (4, 17—5, 6)

*(17) Hüte deinen Fuß, wenn du zum Hause Gottes gehst; sich zum Hören zu nahen ist besser, als gleich den Toren Opfer zu bringen; denn sie haben keine Erkenntnis, so daß sie Böses tun.*

*(5, 1) Sei nicht vorschnell mit deinem Munde, und dein Herz übereile sich nicht, ein Wort vor Gottes Angesicht hinauszulassen; denn Gott ist im Himmel und du auf der Erde. Darum laß deiner Worte wenig sein! (2) Bei Vielgeschäftigkeit kommt der Traum, und bei vielen Worten entsteht Gerede des Toren. (3) Gelobst du Gott ein Gelübde, dann zögre nicht, es zu erfüllen! Denn er hat kein Wohlgefallen an den Toren. Erfülle, was du gelobt hast! (4) Besser, du gelobst nichts, als daß du das Gelobte nicht erfüllst. (5) Laß deinen Mund dich nicht zur Sünde verführen und sag nicht vor dem Boten, daß es ein Versehen war! Warum soll Gott erzürnen über deine Rede und das Werk deiner Hände zunichte machen? (6) Denn wo viel geträumt wird, sind auch viel nichtige Reden. Darum fürchte Gott!*

*V. 17.* Gott gegenüber ist jedes gedankenlose Handeln Leichtsinn. Wenn du dich ihm in seinem Tempel nahst, so sei zuerst zum Empfangen bereit! Der Ungläubige will Gott mit einem Opfer bestechen (es könnte auch ein Geldschein in der Kollekte sein!); so meint man die Bosheit „abbüßen" zu können und zeigt dadurch, daß man Gottes Weise gar nicht kennt.

(5, 1). In der Stunde der Andacht sind fromme Worte und Versprechungen billig. Das gilt auch für jedes zuchtlose Gebet. Gott im

Himmel weiß, was wir bedürfen. Unser Horizont ist nur klein. Ein kurzes, geistvolles Gebet ist mehr wert als eine fromme Wortinflation. Man denke hier an Jesu Worte in Matth. 6, 7 f.; 23, 14!

*V. 2.* Wieder soll ein Sprichwort das Gesagte stützen. Unkonzentrierte Vielgeschäftigkeit macht nervös. Vielrederei macht töricht.

*V. 3. 4.* Vgl. 5. Mose 23, 22 f.! Der Tor verspricht schnell und hält wenig. Ein Gelübde soll gründlich vor Gottes Angesicht überlegt sein. Viel Gewissensnot entstand durch Überhörung dieser Warnung. Wieviel seelsorgerliche Arbeit hatten Luther und seine Mitarbeiter mit diesen Nöten! Hierher gehört auch die Zölibatsnot unserer Tage.

*V. 5.* Überhaupt führt schnelles Reden zur Versuchung und verdirbt unser Leben. (2. Mose 20, 7; 3. Mose 5, 1. 4; 19, 12; 5. Mose 5, 11). Der „Bote" ist der Priester (vgl. Mal. 2, 7), dem die Sünde gebeichtet wird. Das Gesetz unterschied eine Sünde „aus Versehen" (3. Mose 4, 2. 13), die milder beurteilt wurde, von dem Unrecht, das bewußt und gewissenlos getan wird.

*V. 6.* Vgl. V. 2! Träumereien sind nichtig. Rechte Gottesfurcht kann uns helfen.

## 2. Im Verkehr mit Menschen (5, 7. 8)

*(7) Siehst du Bedrückung des Armen und Raub an Recht und Gerechtigkeit im Lande, so staune nicht darüber! Denn ein Hoher wacht über den Hohen und ein noch Höherer über sie. (8) Aber ein Gewinn für das Land ist in alledem ein König, der dem bebauten Lande dient.*

*V. 7.* Aufs neue weist der Verfasser auf die ungerechten Zustände hin. Er mahnt auch hier zur Gelassenheit. Die Begründung heißt entweder: Im Staate werden die Beamten von ihren Vorgesetzten überwacht und diese von den höheren staatlichen Stellen. Oder aber: Einer schützt den andern, und es ist eine von Grund auf verdorbene Gesellschaft. (Die Auffassung Luthers: Über allen steht Gott als der Richter – ist durch die Ausdrücke nicht belegt.)

*V. 8.* Am besten ist es, wenn der König sich selbst für alles – bis auf das platte Land – interessiert. Es sind hier offenbar die Verhältnisse im persischen Königreich mit seinen wohl organisierten Satrapien, d. h. Regierungsbezirken, gemeint.

# V. Reichtum und Ehre sind eitel (Kap. 5, 9–6, 12)

## 1. Die Fragwürdigkeit des Besitzes (5, 9—19)

*(9) Wer Geld liebt, wird am Geld nicht satt, und wer Reichtum liebt, wird an seinem Einkommen nicht satt. Auch das ist nichtig. (10) Wo der Besitz sich mehrt, da mehren sich auch die Nutznießer. Und was hat der Eigentümer mehr davon als das Nachsehen? (11) Süß ist der Schlaf des Arbeiters, ob er wenig oder viel zu essen hat; aber der satte Reiche findet keine Ruhe zum Schlaf. (12) Es gibt eine Krankheit, die ich sah unter der Sonne: ein Reichtum, der seinem Besitzer zum Schaden aufbewahrt ist. (13) Und dieser Reichtum geht durch ein Unglück zugrunde, und wenn er einen Sohn gezeugt hat, so bleibt diesem nichts in der Hand. (14) Wie er aus dem Leib seiner Mutter hervorging, muß er nackt wieder gehen, wie er kam, und nichts hält er in seiner Hand für seine Mühe, was mit ihm ginge. (15) Auch das ist ein böses Übel: Ganz wie er kam, so geht er. Und was ist sein Gewinn, da er sich abmühte für nichts? (16) Dazu nährt er sich alle Tage im Dunkel und in einer Menge Ärger, Krankheit und Verdruß. (17) Siehe, was ich als das Beste ersah, was schön ist: zu essen und zu trinken und Gutes zu sehen in all seiner Mühe, mit der einer sich mühte unter der Sonne nach der Zahl seiner Lebenstage, die Gott ihm gibt; denn das ist sein Teil. (18) Ja, jeder Mensch, dem Gott Reichtum und Vermögen gegeben hat und Macht, davon zu genießen und sein Anteil davon zu tragen und sich zu freuen an seiner Mühe — das ist eine Gabe Gottes. (19) Denn er denkt nicht viel seiner Lebenstage; denn Gott gibt ihm zu schaffen in der Freude seines Herzens.*

*V. 9.* Je mehr einer hat, je mehr will er. Das Gieren nach Besitz ist sinnlos.

*V. 10.* Es stellen sich bald zahlreiche ein, die am Reichtum partizipieren wollen. Nicht nur Verwandte, auch Bittsteller und Bettler. Und schließlich ist da ein ganzer Troß von Angestellten. So muß der Besitzer mit vielen teilen und kommt nicht zum Vollgenuß seines Reichtums.

*V. 11.* Der Arme dagegen, der viel arbeiten muß, wird durch einen gesunden Schlaf belohnt. Diesen Lohn findet der Reiche nicht, der andere für sich arbeiten läßt. Wer zu gut und zu viel ißt, schläft schlecht. Ganz abgesehen von den Sorgen, die der Besitzende um seinen Besitz hat.

*V. 12.* Der Reiche ist von einer „Krankheit“ bedroht, die der Arme nicht kennt; denn sein Besitz bringt ihn in Gefahr.

*V. 13.* Dieser ist auf Erden immer von Verlust bedroht. Unsere Generation hat davon einen unüberhörbaren Unterricht bekommen. Wer viel hat, kann auch viel verlieren. Es braucht nur irgendeine Katastrophe einzutreten – Börsenkrach, Krieg, Revolution –, und alles ist dahin. Der Erbe eines Nabob steht dann mit leeren Händen da.

*V. 14. 15.* Und schließlich, Spätestens in der Todesstunde muß jener alles fahrenlassen. Vgl. Hiob 1, 21; Ps. 49, 18; Luk. 12, 20! Der Tod stellt alle Lebensmühsal in Frage.

*V. 16.* Das Leben bringt viele Nöte und Leiden, dunkle Tage, undurchsichtige Geschicke. Man denke an 1. Mose 3, 19 und Hiob 21, 23–26!

*V. 17.* Und wieder kommt der überraschende Schluß – vgl. 2, 24; 3, 12. 22; 8, 15; 9, 7; 11, 9 f.! Es zeigt sich wieder, daß der Verfasser nicht der skeptische Pessimist ist, den viele in ihm suchen. Er weiß von Gottes Schenken. „Gott gibt“ – wer so sprechen kann, hat Glauben an Gott. Bei aller Mühsal des Lebens läßt er sich an Gott nicht irremachen. Sein ist der Alltag mit seinen kleinen und auch großen Freuden oder Mühen.

*V. 18.* Noch stärker betont dieser Vers, was Gottes Gabe für alle ist: nicht nur der Besitz, sondern auch die Mühsal. Wer so dem Leben gegenübersteht, dem muß Liebes und Leides zum Segen werden.

*V. 19.* Der Schlußsatz ist vieldeutig. Vielleicht ist gemeint: Wer so unter Gottes Schenken lebt, macht sich nicht viel Gedanken. Er lebt einfältig und kindlich in den Tag hinein. Der zweite Satz heißt entweder: „Gott müht sich mit ihm“ oder: „Gott antwortet ihm“. Die Ausleger übersetzen frei: Gott hält ihn in Beschäftigung. Luther übersetzt: „Er denkt nicht viel an das elende Leben, weil Gott sein Herz erfreut.“ Er fügt als Erklärung hinzu: „Also hat ein Gottesfürchtiger mitten in seiner Arbeit Freude, und mitten in allerlei Trübsal ist er dennoch fröhlich, und hebt sich hier mit ihm an das Himmelreich. Wiederum die Gottlosen und Geizigen haben nimmer keinen Frieden noch Ruhe, welche, diesem Exempel nach, des Gegenwärtigen nicht brauchen; und hebt sich hier mit ihnen die Hölle an und währet ewig.“ (92)

## 2. Weder Reichtum noch Ehre ist beständig (6, 1—6)

*(1) Es gibt ein Übel, das ich unter der Sonne gesehen habe, und es lastet schwer auf dem Menschen. (2) Da ist ein Mann, dem Gott Reichtum, Vermögen und Ehre gibt, und es fehlt seiner Seele nichts*

*von allem, was er sich wünscht; aber Gott gestattet ihm nicht, es zu genießen, sondern ein fremder Mann genießt es. Das ist nichtig und ein böses Leiden. (3) Und wenn einer hundert Söhne gezeugt hätte und viele Jahre lebte, solange seine Lebensjahre währen, und seine Seele sich nicht sättigte von dem Guten und bekäme auch kein Begräbnis — so sagte ich: Eine Fehlgeburt hat es besser als er. (4) Denn als Nichts kam sie, und in Finsternis ging sie, und in Dunkel wird ihr Name verhüllt. (5) Sie hat auch die Sonne nicht gesehen und kannte sie nicht. Sie hat mehr Ruhe als jener. (6) Und gesetzt, einer lebte zweimal tausend Jahre, und das Gute bekäme er nicht zu sehen — muß nicht (schließlich) alles an einen Ort gehen?*

*V. 1. 2.* Eine neue Beobachtung zeigt dem Verfasser, wie quälend es ist, wenn der von Gott mit allerlei Überfluß an Vermögen und Ehre Ausgestattete keinen Genuß davon haben darf. Bleibt er noch dazu ohne Leibeserben, so fällt alles in fremde Hände. Es wird nicht gesagt, was für Schicksale mitgewirkt haben.

*V. 3.* Kinderreichtum galt im Alten Testament als Segen Gottes (Ps. 127, 3), desgleichen ein langes Leben. Die Patriarchen starben sämtlich alt und gesättigt am Leben: 1. Mose 25, 8; 35, 29; 1. Chron. 29, 28; 2. Chron. 24, 15; auch Hiob 42, 17. Und doch ist das alles nur ein Rahmen. Darf der Inhalt nicht genossen werden, so bleibt alles nichtig und leer. Auf ein Begräbnis wurde in Israel hoher Wert gelegt: Jes. 14, 19; 22, 15 ff.; Jer. 22, 19; auch das apokryphe Buch Tobias 1, 20 f. Solch ein Reicher ist eigentlich arm. Dann lieber nie geboren sein! Vgl. Hiob 3, 16!

*V. 4. 5.* Der Name bedeutet die Existenz. Wer namenlos ist, ist ohne Dasein. Darum hat das Ungeborene auch die Unruhe dieses Lebens nicht gekostet.

*V. 6.* Wie in V. 3 wird mit Hilfe einer Hyperbel (d. h. einer rednerisch üblichen Übertreibung) ein unsinniger Fall gesetzt, daß jemand mehr als zweimal so alt wird wie Methusalem, der nach 1. Mose 5, 25 ff. neunhundertneunundsechzig Jahre alt wurde. Aber was hülfe solch ein märchenhaft langes Leben, wenn man das Gute nicht zu sehen bekäme! Im Tode wäre ein solcher nicht mehr als eine Fehlgeburt. Lies Matth. 16, 26!

## 3. Alle Begierde ist eitel (6, 7—12)

*(7) Alle Mühe des Menschen ist für seinen Mund, aber sein Verlangen wird nicht gestillt. (8) Denn was hat der Weise vor einem*

*Toren für einen Vorteil? Und was der Elende, der zu wandeln weiß, gegenüber den Lebenden (?)? (9) Besser mit den Augen sehen als wandern mit Verlangen (?). Auch das ist nichtig und Greifen nach Wind. (10) Was geschieht, ist längst beim Namen genannt; und es ist festgesetzt, was der Mensch sein wird; und er kann nicht rechnen mit dem, der stärker ist als er. (11) Denn wo viele Worte sind, ist viel Nichtiges; was hat der Mensch davon? (12) Denn wer weiß, was gut ist für den Menschen im Leben nach der Zahl seiner nichtigen Lebenstage, die er im Schatten verbringt? Wer sagt dem Menschen, was nach ihm unter der Sonne sein wird?*

*V. 7.* Zwar arbeitet der Mensch und müht sich, um sich zu sättigen, aber sein Verlangen (oder seine Gier) kommt nie zum Ziel (vg. 1, 8). Zutiefst ist alles Mühen sinnlos. „Was nützt alles Essen; man wird doch wieder hungrig" (Hertzberg 134).

*V. 8.* Darin hat auch der Weise vor dem Narren nichts voraus. – Die zweite Hälfte des Verses ist undeutlich und verlangt nach einer Korrektur. Hertzberg liest: der Arme, „der es versteht, den Weg des Glücks zu gehen". Galling: „Warum verstehe ich dann vor den Lebenden zu wandeln?" Die Miniaturbibel: „Was ist ein Kranker, der weiß, wie man wandeln soll, gegenüber dem Gesunden?" Der Sinn ist zweifellos, daß im Blick auf die Erfolglosigkeit des Lebens der Unterschied zwischen Reichen und Armen unwichtig ist.

*V. 9.* Hier steht wieder ein Sprichwort, das etwa den Sinn hat: „Besser ein Sperling in der Hand als eine Taube auf dem Dach." Was man vor Augen hat, ist realer, als was das Verlangen sich ausmalt.

*V. 10.* Über dem Menschenleben steht die Allmacht Gottes. Er ruft uns mit Namen (Jes. 43, 1). Er ruft uns in die Existenz und bestimmt unser Menschenschicksal. Es wäre sehr töricht, ihn zur Rechenschaft ziehen zu wollen. Vgl. Jes. 45, 9; Hiob 9, 12; Röm. 9, 20!

*V. 11.* Mit Gott kann man nicht diskutieren. Je mehr Worte wir ihm gegenüber machen, um so hohler wirken sie.

*V. 12.* Wie will auch das kleine Menschlein bestimmen, was ihm gut ist? Dazu fehlt ihm jeglicher Maßstab und auch das Urteilsvermögen; denn es fehlt ihm an Licht. Luther sagt dazu: „Wenn Gott nicht hilft an den Sachen heben, so wird doch endlich nicht mehr daraus, denn daß man davon geredet hat. Darum, wenn weise Leute sehen, daß sie oft fehlen, auch in den allernützlichsten Räten, lassen sie doch nicht ab, denken immer: Wenn wir aber so getan hätten, so wäre es recht gegangen. Aber man sagt: Nachrat, Narrenrat!" (97)

# VI. Rechte Weisheit (Kap. 7, 1-8, 1)

## 1. Der Ernst des Lebens (7, 1—6)

*(1) Ein guter Ruf ist besser als gutes Öl – und der Todestag als der Tag der Geburt. (2) Es ist besser in ein Trauerhaus gehen als in ein Trinkhaus, weil dies das Ende jedes Menschen ist, und der Lebende nimmt sich's zu Herzen. (3) Besser trauern als lachen, denn bei trauriger Miene wird das Herz gebessert. (4) Das Herz der Weisen ist im Trauerhaus, aber das Herz der Toren im Haus der Freude. (5) Es ist besser, das Schelten eines Weisen zu hören als das Lied der Toren. (6) Denn wie das Knistern der Dornen unter dem Kochtopf, so ist das Lachen eines Toren. Auch das ist nichtig.*

*V. 1.* Eben sprach der Verfasser noch von der Lebensfreude; nun spricht er um so nachdrücklicher vom Lebensernst. Er liebt die Antithesen, die Gegensätze. Seine Lebensfreude kommt nicht aus dem Leichtsinn und sein Ernst nicht aus der Schwermut. Den schmalen Weg zwischen beiden hat der Gottesmensch zu gehen. – Zuerst hören wir ein Sprichwort. Das Öl gehört in Palästina zu den wichtigsten Nahrungsmitteln (5. Mose 7, 13; 32, 13; 1. Kön. 17, 14 und öfter). Vgl. im übrigen Spr. 22, 1! Daher auch immer wieder die Warnung vor Verleumdung: 2. Mose 20, 16; 3. Mose 19, 16; Ps. 15, 3; Spr. 10, 18; 18, 8; 26, 22; 30, 10; auch Röm. 1, 30; 2. Tim. 3, 3. Weil das Leben nichtig ist, ist der Todestag besser als der Geburtstag. Vgl. 6, 3–5!

*V. 2.* Der Leichtsinn, der das Ziel des Lebens aus den Augen verliert, ist schlimmer daran als einer, der vor den Todesernst des Lebens gestellt ist. Wir sollten solch ein Wort im Licht von Luk. 6, 24 f. und Jak. 5, 1 zu verstehen suchen. In Kap. 5, 17 ff. ist die gottgeschenkte Freude gemeint, die in Dankbarkeit Gottes Gabe genießt. Hier aber bezeichnet das Trinkhaus die Flucht vor Gott.

*V. 3.* Wie alle Weisheitslehrer ist der Verfasser ein Pädagoge. Es geht ihm um den Weg zum Leben und zu göttlicher Freude. Aber der Weg dahin geht durch Trauer. Dem Glaubenden des Neuen Testaments ist dieser Gedankengang vertraut: Matth. 16, 24 f.; 5, 4; 2. Kor. 7, 10; Röm. 5, 3 ff.; 12, 12; 1. Petr. 1, 6–9; 4, 13; Jak. 1, 1. 12; Hebr. 12, 11 und öfter. Auch die Weisheit kennt diesen Weg: Spr. 3, 11 f.

*V. 4.* Der wahrhaft Weise läßt sich nicht in die Gesellschaft der Leichtsinnigen ziehen. Sie sind ihm zu oberflächlich. Er trägt das Leid mit den Trauernden und lernt aus dieser Trauer.

*V. 5. 6.* Deshalb ist er eher bereit, sich durch die Zucht eines Weisheitslehrers läutern zu lassen, als die albernen Lieder und das Lachen der Gottlosen zu hören, das so viel Lärm macht wie das Knacken des Dornbuschs im Feuer, das doch nicht viel Wärme gibt. Hertzberg sagt zu V. 1–6: „Auf solch einem dunklen Hintergrund kann sich wohl der Bau des Glaubens erheben. Man denkt an die tief pessimistische Lebensbetrachtung in Röm. 6 und 7 und den Triumphgesang, mit dem Röm. 8 schließt." (147) Deshalb gehört dieser Todesernst in den Heilsweg der Bibel.

## 2. Geduld ist nötig (7, 7—9)

*(7) Denn die Erpressung macht zum Narren, und das Geschenk richtet die Gesinnung zugrunde. (8) Besser das Ende einer Sache als ihr Anfang, besser langmütig als hochmütig. (9) Übereile dich nicht, um dich zu ärgern; denn der Ärger wohnt in der Brust des Toren.*

*V. 7.* Auch dieser Satz mag ein Sprichwort sein. Er steht ohne Verbindung zum Vorhergehenden. Die Erpressung oder die Bestechung will auch den Weisen vom rechten Weg fortlocken und uns Vorteile verschaffen, die Gott uns nicht zudachte. Dadurch wurde manch Weiser zum Narren und ging zugrunde.

*V. 8.* Deshalb sollen wir das Ziel im Auge behalten (Kol. 2, 18), doch dieses nicht auf krummem Wege zu erreichen suchen. Davor werden wir bewahrt, wenn wir durch Geduld auf schnelle Erfolge und in Demut auf das Hochsein verzichten.

*V. 9.* Auch dazu ist Geduld nötig, weil durch Verärgerung leicht ein böser Geist sich in unserem Innern einnistet. Wir sprechen dann etwa von schlechter Laune, doch richtet diese viel Unheil an. Wer aber gelassen bleibt, umschifft solche Klippen des Alltags.

## 3. Der Wert der Weisheit (7, 10—12)

*(10) Sage nicht: Woher kommt es, daß die früheren Zeiten besser waren als die jetzigen? Denn solche Fragen sind nicht weise. (11) Weisheit ist besser, als ein Erbe zu bekommen, und ein Gewinn für die, die die Sonne sehen. (12) Denn im Schatten der Weisheit ist man geborgen, und das Geld ist geborgen; aber der Vorzug der Erkenntnis ist, daß sie ihren Herren Leben gibt.*

*V. 10.* Der Abschnitt steht im Zusammenhang mit dem vorhergehenden. Der Weise überwindet Reizbarkeit und Laune, aber er jammert auch nicht dauernd nach den „guten alten Zeiten". Wer so denkt, urteilt nicht weise.

*V. 11.* Weisheit ist mehr, als ein reiches Erbe anzutreten. Sie ist ein echter Gewinn, während der äußere Besitz trügerisch ist, weil er leicht seinen Wert verliert.

*V. 12.* Ohne Ergänzung ist dieser knappe Satz nicht wiederzugeben. In der Hitze des Orients ist der Schatten das Bild für eine sichere Geborgenheit (Ps. 17, 8; 36, 8; 63, 8; 91, 1; 121, 5). Die Welt meint zwar, solche Geborgenheit bringe nur ein dickes Sparbuch. Aber die Weisheit bringt bessere Geborgenheit: Sie gibt Leben, auch wenn das Geld zerrann. Vgl. Spr. 3, 2. 16. 22; 4, 13; 10, 17; 12, 28; 13, 14; 14, 27; 16, 22; 19, 8. 23 und auch sonst sehr oft!

## 4. Füge dich in Gottes Wege! (7, 13—20)

*(13) Schaue auf das Tun Gottes! Wer kann geradernachen, was er krümmt? (14) Am guten Tage sei guter Dinge! Am bösen Tage aber bedenke: Diesen wie jenen hat Gott gemacht im Blick darauf, daß der Mensch auch nicht das Geringste erraten kann, was nach ihm kommt. (15) All das sah ich in meinen nichtigen Tagen: Da ist ein Gerechter, der geht in seiner Gerechtigkeit zugrunde — und da ist ein Gottloser, der in seiner Gottlosigkeit lange lebt. (16) Sei nicht allzusehr gerecht, und sei nicht übermäßig weise! Warum willst du dich selbst zugrunde richten? (17) Sei nicht allzu gottlos, und sei nicht töricht! Warum willst du vor deiner Zeit sterben? (18) Gut, wenn du dich an dieses hältst und auch von jenem die Hand nicht abziehst; denn wer Gott fürchtet, entgeht dem allen. (19) Die Weisheit macht den Weisen stärker als zehn Gewaltmenschen, die in der Stadt sind. (20) Denn kein Mensch ist so gerecht auf Erden, der nur Gutes täte und nicht sündigte.*

*V. 13.* In der Mühsal der Welt, in der viele Gottlose und Narren sind, sieht der Verfasser als einzige Lebensmöglichkeit die Verbundenheit mit Gott in seinem Schenken und Versagen. Zu dieser Haltung will die Weisheit helfen. „Siehe auf das Tun Gottes!" Was kann es Klügeres geben? Vgl. Ps. 8, 4; 92, 6; 104, 24; 139, 7; Hiob 38 ff.; Jes. 40, 26! An Gottes Tun kann der Mensch nichts ändern, denn er hat nichts dagegenzusetzen. Siehe 1, 15; 3, 11!

*V. 14.* Darum gilt es, sich in Gottes Entscheidungen und Wege zu fügen, an guten Tagen dankbar zu sein und an bösen zu bedenken, daß auch diese aus Gottes Hand kommen, der allein die Zukunft kennt und die Wege dahin bestimmt.

*V. 15.* Dem Menschen ist es unmöglich, in der Verteilung der Geschicke ein System der Gerechtigkeit zu finden. Sachlich stellt der Verfasser fest, daß manch Frevler mehr Erfolg hat als der Gerechte. Hier korrigiert er die allzu schnelle Verallgemeinerung der Urteile der Weisen. Vgl. Spr. 12, 14; 13, 13. 21; 18, 20; auch Ps. 34, 10; 37, 25. 37!

*V. 16.* Dieser überspitzte Satz muß demnach im Zusammenhang verstanden werden. „Zu sehr gerecht" ist ein ironischer Ausdruck, weil Gerechtigkeit ein absoluter Begriff ist, der nicht gesteigert werden kann. Gut erklärt Hertzberg: „Wo Vernunft Unsinn und Wohlfahrt Plage wird – wo Gerechtigkeit zur Pedanterie, Reinheit zur Prüderie, Geduld zur Weichlichkeit, Frömmigkeit zum Hochmut wird" (153). Gott allein ist gerecht und weise und der, den er gerecht macht und demnach als weise ansieht (Röm. 3, 26). Man kann an seiner eigenwillig übersteigerten „Gerechtigkeit" scheitern. Man denke an Saulus vor Damaskus!

*V. 17.* Das bedeutet aber nicht, daß man sich der Immoralität überlassen soll. Es klebt genug Sünde und Bosheit in unserem Herzen, als daß wir noch die Schleusen aufziehen sollten. Das Gericht steht vor der Tür. Der Gewissenlosigkeit redet der Verfasser gewiß nicht das Wort. Sonst glichen wir dem Narren in seiner Gottlosigkeit.

*V. 18.* Dieser Vers faßt das Vorhergehende zusammen. Gottesfurcht ist der rechte Kompaß zwischen den beiden obengenannten Klippen hindurch.

*V. 19.* Hier haben wir offenbar wieder eine Sentenz aus dem Weisheitsunterricht. Ist die Furcht des Herrn der Weisheit Anfang, so gibt sie auch die nötige Kraft zu den geforderten Entscheidungen. Denn V. 16 wollte ja auf keinen Fall der rechten Weisheit den Abschied geben.

*V. 20.* Vgl. Spr. 20, 9; auch 30, 12; Ps. 14, 3! Darum kann der Mensch sich selber nicht helfen. Er hat sich in echter Gottesfurcht in Gottes Wege zu fügen.

## 5. Die Weisheit ist zurückhaltend (7, 21. 22)

*(21) Gib nicht acht auf alle Reden, die geredet werden, damit du nicht hörst, wie dein Knecht dir flucht! (22) Denn dein Herz weiß, wievielmal du auch über andere fluchtest.*

*V. 21.* Der Weise horcht nicht überallhin. Er überhört langmütig, was gedankenlos oder in Reizbarkeit geredet wird. Unser Ohr hört so leicht, was für uns nicht bestimmt ist. Und dann lassen auch wir uns reizen.

*V. 22.* Im Blick darauf haben wir genug vor der eigenen Tür zu kehren. Wer das weiß, wird barmherzig und zurückhaltend gegenüber der Schuld anderer.

## 6. Die wahre Weisheit ist selten (7, 23—8, 1)

*(23) All dieses habe ich erprobt mit der Weisheit. Ich nahm mir vor: Ich werde weise sein. Aber sie blieb mir ferne. (24) Ferne ist, was geschieht, und tief, tief, wer kann es finden? (25) Ich wandte mich, und mein Herz mühte sich, die Weisheit und ihr Ergebnis zu erkennen, ob Bosheit Torheit und Unverstand Tollheit sei. (26) Und ich fand: Bitterer als der Tod ist das Weib, deren Herz Fangseil und Netz ist und ihre Hände Fesseln. Wer Gott wohlgefällt, wird ihr entrinnen; aber der Sünder wird von ihr gefangen. (27) Siehe, das habe ich gefunden — sagte der Prediger, indem er eins zum andern setzte, um ein Ergebnis zu finden. (28) Was meine Seele noch suchte und nicht fand: Einen Mann fand ich unter tausend, aber eine Frau habe ich unter diesen nicht gefunden. (29) Allein dies — siehe! — habe ich gefunden, daß Gott den Menschen aufrichtig geschaffen hat; aber sie suchen viele Künste.*
*(8, 1) Wer ist also ein Weiser? Wer ist, der weiß, die Worte zu deuten? Die Weisheit eines Menschen erleuchtet sein Antlitz, und die Kraft seines Antlitzes wird zum Strahlen gebracht.*

*V. 23.* Die eigentliche Weisheit bleibt den Menschen vorenthalten, weil sie allein Gottes ist. Keiner hat eine Patentlösung für alle Fälle des Lebens in seiner Tasche. Man lese das Lied von der Weisheit in Hiob 28!

*V. 24.* Das von Gott gesandte Geschehen bleibt uns in seinem tiefsten Sinn verborgen. Wir sollen nicht zu schnell meinen, die Geschichte verstehen zu können. Das gilt auch von der Erkenntnis der Schöpfung. Die vielen und erstaunlichen technischen Errungenschaften machen uns nur zu leicht übermütig und oberflächlich. Einer der bedeutendsten Vertreter der Technik unserer Tage sagte etwa: Jede gelöste Frage bringt uns drei neue ungelöste. Die letzten Tiefen können wir nicht ausloten.

*V. 25.* Der Verfasser bemüht sich, sein Forschen nach Wahrheit zu beschreiben. Er machte es sich nicht leicht, die Bosheit als Narrheit und den Unverstand als Tollheit zu erkennen. (Der Stil ist hier schwerfällig und findet daher mannigfaltige Deutung.)

*V. 26.* Vgl. Spr. 2, 16–19; 5, 3 ff.; 7, 6–23; 22, 14! Die Weisheit warnt demnach oft vor der verführenden Ehebrecherin. Hier wird sie als ein Beispiel aus dem Leben angeführt. Der Weise hat sich vor solchen Verführungskünsten zu hüten. Seine Gottesfurcht wird ihn bewahren.

*V. 27.* Der Vers bestätigt die Beobachtung des Verfassers. Aus Einzelheiten schließt er aufs Ganze. Nicht alle bleiben vor der Verführung bewahrt, da die Weisheit selten ist.

*V. 28.* Zimmerli fragt: „Hat Qohélet etwa gar die im Sinne von 1. Tim. 2, 14 verstandene Geschichte von 1. Mose 3 vor Augen?“ (214) So auch Lamparter. Der Verfasser will sagen: Alle sind abgewichen; keiner ist, der da Gutes tue (Ps. 14, 3) – und von Eva ging die Verführung aus.

*V. 29.* Der Vers zeigt, daß er Mann und Weib zusammenfaßt – trotz der hyperbolischen (übersteigerten) Aussage von V. 28. An Gottes Schöpferweisheit liegt es nicht: Gott hat den Menschen anders geschaffen, als er jetzt ist. Darum ist Einfalt und Aufrichtigkeit die Heilung von ungesundem Grübeln und Forschen nach Dingen, die Gott vor uns verhüllt hat. Nach diesem Verse dichtete Matthias Claudius: „Wir stolzen Menschenkinder ...“

(8, 1) (Der Vers gehört eigentlich noch zu Kap. 7.) Der Satz schließt die vorhergehende Überlegung ab. Weise, die die Dinge recht deuten, sind selten. Der zweite Teil des Verses bringt wieder ein Sprichwort. Echte Weisheit prägt sich auf dem Antlitz des Menschen aus.

# VII. Weises Verhalten zu den Menschen (Kap. 8, 2 - 9, 10)

## 1. Das rechte Verhältnis zum König (8, 2—9)

*(2) Beachte das Königswort um des Gotteseides willen (?)! (3) Eile nicht, von seinem Antlitz wegzugehen! Stehe nicht für eine böse Sache (vor ihm)! Denn er tut, was ihm wohlgefällt. (4) Denn des Königs Wort hat Macht, und wer wollte zu ihm sagen: Was tust du? (5) Wer das Gebot bewahrt, hat nichts mit einer bösen Sache zu tun; denn der Verstand eines Weisen kennt Zeit und Rechtsspruch. (6) Denn für jede Angelegenheit gibt es einen Zeitpunkt*

*und einen Rechtsspruch. Die Bosheit aber des Menschen liegt schwer auf ihm. (7) Denn keiner weiß, was geschehen wird; und wer wird ihm anzeigen, was (einst) sein wird? (8) Kein Mensch hat Macht über den Wind, um den Wind zurückzuhalten; und keiner hat Gewalt über den Todestag; auch gibt es keine Entlassung im Kriege, und Bosheit rettet den nicht, der ihr Meister ist. (9) All das sah ich und wandte mein Herz auf alles Tun, das unter der Sonne geschieht – in der Zeit, da einer über den andern Gewalt hat zu dessen Schaden.*

*V. 2.* Die Haltung des Verfassers zum König und zur Obrigkeit gleicht der des Paulus und Petrus (Röm. 13, 1–7; Tit. 3, 1; 1. Petr. 2, 13 f.). Der königliche Befehl will beachtet sein. Der Eid vor Gott wird danebengestellt, denn wir sind um Gottes willen keine Rebellen.

*V. 3. 4.* Hier wird eine Warnung vor dem Abfall gemeint sein. Das Weggehen vom König hieße dann, sich einer rebellierenden Partei anschließen und für eine böse Sache eintreten. Solch ein Schritt ist sinnlos, denn der König hat Macht zu tun, was ihm gefällt, und ist keinem Rechenschaft schuldig.

*V. 5.* Wer des Königs Gebot achtet, läßt sich in böse Dinge, Verschwörungen usw. nicht ein. Der Weise rechnet mit Gottes Terminen und Gerichten. Er kann auf Gottes Gericht warten, selbst wenn der König unrecht täte.

*V. 6.* Dieser Satz bestätigt das Vorhergehende. Gottes Mühlen mahlen langsam, aber seine Stunde kommt – so groß die Last der Bosheit auch ist, die auf dem Menschengeschlecht liegt.

*V. 7.* Die Zukunft kennt keiner. Darum sollten wir uns in Geduld fügen.

*V. 8.* Wie machtlos ist doch der Mensch, der den Mund oft so voll nimmt! Nicht einmal über den Wind ist er der Herr (Joh. 3, 8) – wieviel weniger über sein Leben, dem Gott den Tag des Todes bestimmt! Niemand von uns kann aussteigen und kann rufen: „Ohne mich!" Selbst der Böse wird geschoben, wenn er auch meint, selbst zu schieben. Er denkt, er sei Meister der Bosheit, aber sie meistert ihn.

*V. 9.* Der Verfasser weiß sich in eine Zeit gesetzt, wo die Despotie über die Menschen Gewalt hat. Mag sein, daß an die Perserzeit zu denken ist – aber wie oft wiederholte sich das! Selbst in der sogenannten Demokratie gibt es viel Unzufriedenheit und Auflehnung.

## 2. Die Anfechtung durch das Geschick der Gottlosen (8, 10—17)

*(10) Und weiter sah ich Gottlose kommen und gehen, die vom heiligen Ort weggingen und in der Stadt vergessen wurden, wo sie gewirkt hatten. Auch das ist nichtig. (11) Wird der Urteilsspruch nicht vollzogen, so geschieht wieder Böses. Deshalb schwillt der Mut der Menschenkinder, Böses zu vollbringen. (12) Wenn aber der Sünder hundertmal Böses tut und (doch) lange lebt, so weiß ich doch, daß es den Gottesfürchtigen (schließlich) wohl gehen wird, die sich vor Gott fürchten. (13) Aber dem Gottlosen wird es nicht gut gehen, und seine Tage werden nicht gleich dem Schatten länger werden, weil er keine Furcht vor Gott hat. (14) Es gibt Nichtiges, was auf Erden geschieht: Es gibt da Gerechte, denen es geht, als hätten sie das Werk der Gottlosen getan; und es gibt Gottlose, denen es geht, als wären sie Gerechte. Da sagte ich: Auch das ist nichtig. (15) Und ich lobte die Freude, weil es für den Menschen nichts Besseres unter der Sonne gibt als essen und trinken und sich freuen, daß (all dieses) ihn begleite in der Mühsal der Tage seines Lebens, die ihm Gott gegeben hat unter der Sonne. (16) Und soviel ich mein Herz darauf richtete, die Weisheit und das Getue, das auf Erden getrieben wird, zu erkennen — denn Tag und Nacht sieht man keinen Schlaf in den Augen —, (17) so sah ich, daß der Mensch alles Tun Gottes nicht ergründen kann, nämlich das Geschehen, das unter der Sonne geschieht. Wie sehr der Mensch sich auch abmüht, es zu erforschen, so ergründet er es nicht. Und auch wenn der Weise sagt, daß er es erkennt, so kann er es doch nicht ergründen.*

*V. 10.* Möglicherweise ist in diesem Vers ein Schreibfehler, denn ohne Ergänzung oder Streichung kommen wir nicht aus. Hertzberg hilft sich mit einer kleinen Korrektur. Dann hieße es: Bösewichter durften sich dem Heiligtum nahen, und solche, die recht taten, mußten weichen und wurden vergessen. Das Vergessenwerden erscheint in den Psalmen oft als ein schweres Geschick. Vgl. Ps. 10, 12; 13, 2; 42, 10; 44, 25; auch 77, 10; 112, 6! Wer hat nicht Anfechtungen ähnlicher Art erlebt, „daß es den Gottlosen so wohl geht" (Ps. 73, 3)!

*V. 11. 12.* Wo die Strafe auf sich warten läßt, wird der Boshafte selbstsicher und übermütig. Er fährt fort in seiner Bosheit und hat dennoch ein langes Leben. Offenbar erschrickt der Verfasser, daß er damit

Gott einen Vorwurf machen könnte, und erinnert darum an die bleibende Verheißung für den Gottesfürchtigen.

*V. 13.* Diese Erkenntnis wird durch die Gewißheit unterstrichen, daß der Gottlose schließlich dem Gericht nicht entgehen wird.

*V. 14.* Doch bleibt die Beobachtung: Der Gerechte hat oft das gleiche Geschick wie der Gottlose — und dem Gottlosen geht es, als wäre er gerecht.

*V. 15.* Vgl. 2, 24 ff.; 3, 12. 22; 5, 17; 9, 7; 11, 9! Der Verfasser sieht keinen andern Ausweg, als all den nichtigen Fragen und dem Grübeln den Rücken zu kehren: Nimm, was Gott dir in der Gegenwart schenkt, und überlaß alles übrige ihm!

*V. 16. 17.* Soviel er sich bemühte, die Weisheit zu erlangen, und darüber auch die Nächte wachend zubrachte, so bleibt doch das Resultat, daß er Gottes Tun nicht in den Griff bekam. Er kann eben nicht zu allem Geschehen sagen, er wisse schon, was Gott hier im Sinn habe. Auch die Erkenntnis des Weisen ist sehr fraglich und bedarf der Korrektur. Er klagt Gott in seinen Wegen nicht an, stellt aber die Nichtigkeit des Menschen mit all seiner Weisheit fest.

### 3. Die Überwindung des Rätsels des Schicksals (9, 1—10)

*(1) Denn auf dieses richtete ich mein Herz, um mir klarzumachen, ob die Gerechten und die Weisen und auch ihre Werke in Gottes Hand seien. Sei es Liebe, sei es Haß — der Mensch weiß nicht, was vor ihm liegt. (2) Wie ja das gleiche Geschick alle trifft, den Gerechten wie auch den Gottlosen, den Guten, den Reinen wie den Unreinen — den, der opfert, wie den, der nicht opfert. Wie mit dem Guten, so ist's mit dem Sünder, mit dem Schwörenden wie mit dem, der den Schwur fürchtet. (3) Das ist das Schlimme bei allem, was unter der Sonne geschieht; denn das gleiche Geschick trifft alle. Auch ist das Herz der Menschenkinder voll Bosheit und Tollheit in ihrem Herzen, solange sie leben; und zuletzt geht's zu den Toten. (4) Denn wer noch zu den Lebendigen gesellt ist, für den ist noch Hoffnung; denn „ein lebendiger Hund ist besser als ein toter Löwe". (5) Die Lebenden wissen ja, daß sie sterben müssen; die Toten aber wissen gar nichts mehr, sie haben keinen Gewinn, denn ihr Andenken ist vergessen. (6) Auch ist ihr Lieben und ihr Hassen, auch ihr Eifer längst untergegangen, und sie haben keinen Anteil für ewig an allem, was unter der Sonne geschieht. (7) Drum auf! Iß mit Freude dein Brot, und trink mit frohem Herzen deinen*

*Wein; denn schon längst gefällt Gott dein Tun. (8) Allezeit laß deine Kleider weiß sein, und auf deinem Haupte soll das Öl nicht mangeln! (9) Genieße das Leben mit deiner Frau, die du liebst, alle Tage deines flüchtigen Lebens! Denn das ist dein Anteil im Leben und in deiner Mühsal, mit der du dich mühst unter der Sonne. (10) Alles, was deine Hand findet, um es zu vollbringen, das tu gemäß deiner Kraft! Denn in der Totenwelt, wohin du gehst, gibt es kein Tun und kein Planen, keine Erkenntnis und keine Weisheit.*

*V. 1.* Das Geschick des Menschen steht nicht zu seiner Verfügung. Der Mensch weiß auch nicht, ob Liebe oder Haß ihn treffen wird. Somit kann sich der Mensch nicht seiner Werke rühmen. Er weiß ja auch nicht, was ihm bevorsteht.

*V. 2.* Das Rätsel des Schicksals ist ja gerade darin begründet, daß dem Gerechten wie dem Frevler das gleiche widerfährt — der Mensch mag sich verhalten, wie er will. Wie modern sind doch diese Bedenken, die den Verfasser schon damals umtrieben!

*V. 3.* Gleich ist nicht nur das Schicksal aller, gleich ist auch die Bosheit des Menschenherzens (Ps. 14, 3; Röm. 3, 10—12). Und alle haben das gleiche Ziel — das Todesgeschick.

*V. 4.* Immerhin kann der Lebende noch hoffen. Das beigefügte Sprichwort ist sehr drastisch. Der Hund war in Israel ein verachtetes Tier (1. Sam. 17, 43; 24, 15; 2. Sam. 9, 8; 16, 9; 2. Kön. 8, 13). Aber das geringste lebende Wesen ist mehr als ein Leichnam.

*V. 5.* Am Ende der irdischen Hoffnung sieht der Verfasser nur den Tod. Der Todesüberwinder ist ihm noch fremd (1. Kor. 15, 57; Offb. 1, 18). Haben die Lebenden wenig, so haben die Toten nichts.

*V. 6.* Der Tod setzt der Liebe, dem Haß und allem Eifer ein Ende. Er schließt aus vom „Lande der Lebendigen" (Ps. 27, 13). „So will er nun, daß wir dieses Leben brauchen sollen, dieweil es währt, und Gutes tun, dieweil wir können; denn wir müssen doch das größte Teil der Welt dem Teufel lassen; der wenigste Teil glaubt leider Gottes Wort und kommt zu Gott" (Luther 117).

*V. 7.* In der für den Verfasser charakteristischen Weise folgt aus dieser Hoffnungslosigkeit kein Pessimismus, sondern das getroste und fröhliche Ja zur Gegenwart. Vgl. 2, 24 ff.; 3, 12. 22; 5, 17 ff.; 8, 15; 11, 9 f.! Hertzberg bezeichnet diese Haltung als ein „Dennoch und nun gerade" (178). Diese Haltung ist bei unserem Verfasser weder Frucht der Verzweiflung noch des Leichtsinns, sondern des Glaubens. Gott gefällt solche Haltung wohl, weil sie aus der Dankbarkeit fließt.

*V. 8.* Weiß ist die Farbe der Freude und der Reinheit (Offb. 3, 4; 6, 11; 7, 9; 19, 14). Das Öl ist Zeichen der Festlichkeit (5. Mose 28, 40; Ps. 23, 5 und öfter). Luther sagt: „Brauche doch des Lebens mit Liebe, und mache dir nicht dein eigen Leben mit ängstlichen, vergeblichen Sorgen sauer; du kannst der undankbaren Welt nicht besser spotten, als wenn du nichtsdestoweniger fröhlich bist" (117).

*V. 9.* Weil Gott einem jeden seinen Anteil am Leben zuteilt, soll nicht nur die Mühsal tapfer getragen, sondern auch die Freude dankbar genossen werden. Fern vom Pessimismus, aber auch vom oberflächlichen Optimismus bleibt der Verfasser ein glaubender Realist, der sein Leben mit allem Inhalt von Gott empfängt und vor Gott lebt.

*V. 10.* Solange du lebst, lebe in willigem Gehorsam und handle nach der geschenkten Kraft, ehe dir der Tod alles aus der Hand nimmt! Vgl. auch Joh. 9, 4!

## VIII. Auch die Weisheit ist eitel (Kap. 9, 11 – 10, 11)

### 1. Die Weisheit ist kurzsichtig (9, 11. 12)

*(11) Und wiederum sah ich unter der Sonne, daß nicht die Schnellen das Laufen gewinnen, nicht die Starken den Krieg, nicht die Weisen das Brot, nicht die Klugen den Reichtum und nicht die Verständigen die Gunst, sondern alles kommt auf die Zeit und die Umstände an. (12) Denn auch der Mensch weiß seine Zeit nicht — gleich den Fischen, die im argen Netz gefangen werden, und gleich den Vögeln, die in der Vogelschlinge gefangen werden. Gleich ihnen werden die Menschenkinder gefangen zur bösen Zeit, wenn sie unerwartet über sie kommt.*

*V. 11.* „Es wird in V. 11 gezeigt, wie nicht das Menschliche das Entscheidende ist, sondern das Gottgegebene" (Hertzberg 185). Nicht menschliche Fertigkeit oder Leistungskraft führen zum gewünschten Ziel, sondern gerade das, worüber wir nicht selbst verfügen können, gestaltet unser Geschick. Daran kann weder die Weisheit noch Besitz, weder Tapferkeit noch persönliche Kraft etwas ändern.

*V. 12.* Plötzlich und unberechenbar, wie das Netz über den Fisch, wie die Schlinge über den Vogel kommt, fällt das Unheil über uns, ehe wir es erwarten. „Es soll jeder in seinem Stande arbeiten; aber das Stündlein des Wohlgeratens will sich Gott vorbehalten und soll uns verborgen sein" (Luther 119).

## 2. Die Weisheit wird leicht mißachtet (9, 13—10, 1)

*(13) Auch das sah ich als Weisheit unter der Sonne, und es schien mir bedeutsam: (14) eine kleine Stadt und waren wenig Männer darin. Und es kam ein großer König und schloß sie ein und baute große Belagerungstürme gegen sie. (15) Und es fand sich in ihr ein bedürftiger, aber weiser Mann, der hätte die Stadt retten können in seiner Weisheit; aber kein Mensch dachte an diesen Mann. (16) Da sagte ich: Die Weisheit ist besser als Stärke; aber die Weisheit des Bedürftigen wird verachtet, und keiner hört auf seine Worte. (17) Die Worte von Weisen — in Ruhe angehört — sind besser als das Geschrei eines Herrschers unter Narren. (18) Besser ist Weisheit als Kriegswaffen, und ein einziger Sünder verdirbt viel Gutes. (10, 1) Tote Fliegen machen die Salben des Salbenbereiters stinkend und gärend. Teurer als Weisheit und Ehre kommt ein wenig Narrheit zu stehen.*

*V. 13.* Wieder erzählt der Verfasser ein Beispiel, das er entweder selbst erlebt oder erzählt bekommen hat. Wie hilflos die Weisheit sein kann, wird an diesem Beispiel deutlich.

*V. 14. 15.* Eine kleine Stadt mit geringer Besatzung wird von einem mächtigen König belagert. Er braucht dabei großen Aufwand, schließt die Stadt nicht nur ein, sondern baut auch Belagerungstürme, wie sie die alte Kriegskunst kannte. In der Stadt befand sich ein Weiser, der der Stadt in ihrer Not erfolgreich hätte raten können. Aber er war einflußlos und arm und wurde darum nicht ernst genommen. So blieb seine Weisheit ungenutzt.

*V. 16.* Gewiß ist Weisheit mehr als Kraft, aber die Weisheit des Armen bleibt ungehört.

*V. 17.* Das Geschrei der Narren wird eben mehr gehört als die Weisheit, die in Ruhe erwogen werden muß.

*V. 18.* Manche blutige Auseinandersetzung ließe sich durch Weisheit vermeiden, aber ein lauter Schwätzer und Narr (worunter stets der Gottlose zu verstehen ist) hindert den Frieden.

(10, 1) (Dieser Vers gehört eigentlich noch zu Kap. 9.) Durch ein Sprichwort wird das Vorhergehende belegt. Ein paar tote Fliegen, auf die man nicht rechtzeitig achtet, können große Werte verderben. Kleine Ur=sache — große Wirkung! So hindert ein wenig Torheit den Erfolg der Weisheit. Auch dadurch wird die Nichtigkeit der Weisheit bewiesen.

### 3. Die Weisheit hat es stets mit der Narrheit zu tun (10, 2—7)

*(2) Das Herz des Weisen zieht nach rechts, das Herz aber des Narren nach links. (3) Aber wenn der Narr schon auf dem Wege ist, so fehlt ihm (doch) sein Verstand, und man sagt zu allem: Er ist ein Narr! (4) Wenn der Zorn des Herrschers gegen dich aufsteigt, so weiche nicht von deinem Platz! Denn wer ruhig bleibt, verhütet große Fehler. (5) Es gibt ein Übel, das sah ich unter der Sonne — gleicham ein Mißgriff, der vom Machthaber ausging: (6) Der Narr wurde auf hohe Posten gesetzt, und die Vornehmen sitzen unten. (7) Ich sah Knechte zu Pferde reiten und Fürsten gleich Knechten auf der Erde zu Fuß gehen.*

*V. 2.* Rechts ist die Seite der Kraft und der Ordnung. Die Miniatur=bibel übersetzt frei, aber gut: „Der Weise trägt sein Herz auf dem rechten Fleck." Zwischen dem Weisen und dem Narren ist ein unüberbrückbarer Gegensatz.

*V. 3.* Schon auf der Straße verrät sich der Narr, und jeder sieht es ihm an.

*V. 4.* Vgl. 8, 2—9! Gerade dem König gegenüber ist Weisheit ent=scheidend wichtig. Nur der Weise ist zu dem fähig, was in Spr. 15, 1. 18 und 16, 14 gesagt ist. Die Gelassenheit, von der die Väter oft sprachen, führt über manchen kritischen Punkt hinweg.

*V. 5—7.* Aber gerade Könige vergreifen sich oft und stellen die Un=geeignetsten auf verantwortliche Posten, während die Tüchtigen auf nie=drige Stellen gesetzt werden. So kommt es zu dem grotesken Bild, daß Sklavenseelen hoch zu Roß reiten und Vornehme zu Fuß pilgern. Man erzählt, im Perserreich wären viele Beispiele zu finden gewesen, wo sich ehemalige Sklaven auf hohen Posten als grausame Unterdrücker bewiesen. Durch solches Vordrängen der Narrheit wird die Weisheit unwirksam.

### 4. Die Weisheit muß die Gefahren kennen (10, 8—11)

*(8) Wer eine Grube gräbt, fällt in sie hinein, und wer eine Mauer einreißt, den kann eine Schlange beißen. (9) Wer Steine trägt, kann sich an ihnen verletzen; wer Holz spaltet, kommt in Gefahr. (10)*

*Wenn das Eisen stumpf ist, und niemand schleift die Schneide, so muß man alle Kraft anstrengen. (Dann) ist Weisheit ein Vorteil zum Gelingen (?). (11) Wenn die Schlange zubeißt, ehe sie beschworen ist, so hat der Beschwörer keinen Vorteil.*

*V. 8. 9.* Durch eine Anzahl Sprichwörter wird belegt, daß auch die Weisheit mit Gefahren rechnen muß. Das bekannte Sprichwort (Spr. 26, 27; auch Ps. 7, 16; 9, 16; 35, 7 f.) wird hier auf den Weisen selbst angewandt: Sei vorsichtig beim Graben einer Grube! Das gleiche gilt vom Einreißen einer Mauer, vom Steinebrechen oder Holzspalten. Überall lauert Gefahr, die nicht ohne weiteres zu berechnen ist.

*V. 10.* Hertzberg nennt diesen Vers „einen der schwierigsten Verse des Buches" (191). Wir halten uns an seine Deutung. Der Vers will demnach aufs neue zeigen, daß mit der Weisheit allein auch nicht alles zu erreichen ist, wenn das Werkzeug nicht in Ordnung ist. Denn dann hilft die Weisheit wenig.

*V. 11.* Ein weiteres Sprichwort: Auch die Kunst des Schlangenbeschwörers kann versagen, genau wie die Weisheit.

# IX. Der Weise kann schweigen (Kap. 10, 12 - 20)

## 1. Vieles Reden gehört zum Narren (10, 12—15)

*(12) Worte aus dem Munde eines Weisen bringen Gunst, aber die Lippen eines Narren bringen ihn ins Verderben. (13) Der Beginn der Worte seines Mundes ist Narrheit, und das Ende seiner Rede – üble Tollheit. (14) Auch macht der Narr viele Worte; (doch) der Mensch weiß nicht, was geschehen wird. Wer kündet es ihm, was hernach geschehen wird? (15) Die Mühe des Narren ermüdet ihn, der (nicht einmal) versteht, in die Stadt zu gehen.*

*V. 12. 13.* Ein Sprichwort. Gewiß hat die Rede eines Weisen Anziehungskraft. Aber das Geschwätz des Narren verdirbt ihn selbst. Vgl. Spr. 10, 14; 14, 3; 15, 2. 14; 17, 28; 18, 7. 20.

*V. 14.* Obwohl der Narr nichts weiß, macht er seine Rede wortreich. Der Weise aber hält sich zurück, weil er seine Grenzen kennt. „Der Mensch sieht nicht, was gegenwärtig ist, und ist nimmer zufrieden mit den gegenwärtigen Gaben Gottes, sondern sieht immer auf ein anderes und auf das

Zukünftige und läßt das anstehen, was ihm vom Gott gegeben und befohlen ist" (Luther 125).

*V. 15.* Die Miniaturbibel übersetzt: „Die Mühe der Toren ermüdet den, der den Weg zur Stadt nicht kennt." Das würde etwa heißen: Fragt man den Narren nach dem Wege zur Stadt, so redet er viele Worte, ohne Bescheid geben zu können.

## 2. Vieles Reden bringt Gefahr (10, 16—20)

*(16) Wehe dem Lande, des König ein Knabe ist und dessen Fürsten schon am Morgen schlemmen! (17) Wohl dir, Land, dessen König ein Edler ist und dessen Fürsten zur rechten Zeit speisen — als Männer und nicht als Zecher! (18) Durch Faulheit senkt sich das Gebälk, und bei trägen Händen wird das Haus durchlässig. (19) Zum Vergnügen wird Speise bereitet und Wein zur Freude des Lebens, und das Geld gewährt alles. (20) Fluche dem König auch nicht im Schlafgemach, und in deiner Ruhekammer fluche nicht dem Reichen; denn die Vögel des Himmels tragen die Stimme weiter, und was Flügel hat, teilt das Wort mit.*

*V. 16.* Ist der König unmündig, so vergessen seine hohen Beamten ihre Pflichten.

*V. 17.* Ein würdiger König hat auch würdige Beamte und Minister, die wissen, was sich ziemt.

*V. 18.* Wieder ein Sprichwort als Beleg des Gesagten. Wo gezecht statt gearbeitet wird, wo Trägheit statt Fleiß regiert, bricht ein Haus zusammen. „Baufälligkeit von Gebäuden als Folge des Gehenlassens ist im Orient typisch", sagt Hertzberg (197), der im Orient gelebt hat.

*V. 19.* Wörtlich: „Zum Lachen". Zu lustigem Beisammensein wird Speise und Getränk zugerichtet und unnützes Geld vergeudet. So ist's bei den Schwätzern.

*V. 20.* Wo der Wein die Zunge lockert, da werden unvorsichtige Reden geführt, die man nicht einmal im Schlafzimmer, wo man sich unbeobachtet meint, führen sollte. Die Wände haben Ohren, und vor dem Fenster sitzen die Vögel (vgl. auch Schillers Ballade „Die Kraniche des Ibykus").

# X. Helfende Weisheit (Kap. 11, 1 – 12, 7)

## 1. Lebe in der Gegenwart! (11, 1—6)

*(1) Schick dein Brot aufs Wasser; denn nach langer Zeit wirst du es finden. (2) Gib Anteil an sieben und auch an acht; denn du weißt nicht, was Arges geschehen mag auf Erden. (3) Sind die Wolken voll, so strömt der Regen auf die Erde; und mag ein Baum nach Süden fallen oder nach Norden – am Platz, wo er hinfällt, bleibt er liegen. (4) Wer auf den Wind achtet, sät nicht; und wer nach den Wolken schaut, wird nicht ernten. (5) Gleichwie du nicht weißt, wie der Weg des Windes ist, wie die Gebeine im Mutterleib (sich bilden), so weißt du auch nicht das Tun Gottes, der alles auf Erden wirkt. (6) Früh am Morgen säe deinen Samen, und am Abend laß deine Hand nicht ruhen; denn du weißt nicht, ob dies oder jenes gelingt, oder ob beides glückt.*

*V. 1. 2.* Ob, wie meist angenommen, diese Verse von Wohltätigkeit reden, ist fraglich. Man hat auch gemeint, hier ein Wort wagemutigen Seehandels zu finden: Das Meer ist das Gebiet großer Gefahren, aber durch Überseehandel läßt sich auch viel gewinnen. Doch werden jene recht haben, die den Vers mit dem folgenden zusammen verstehen wollen. Das Brot ins Wasser werfen heißt, unbesonnen und leichtsinnig damit umzugehen. Sieben oder gar acht Teilhaber am Geschäft haben heißt, sich übervorsichtig sichern zu wollen. Im ersten Fall könnte das Brot sich wiederfinden lassen. Im zweiten Fall könnten unberechenbare Katastrophen alle Vorsicht zunichte machen. Es folgt daraus: Man ist nie gesichert, und aller Ausgang ist ungewiß. Wir haben die Zukunft nicht in unserer Verfügung. Auch hier steht im Hintergrund die Gewißheit (wie in Kap. 9, 11): Gott allein ordnet den Gang der Dinge.

*V. 3. 4.* Wer will sich gegen Ordnung und Gesetze des Geschehens auflehnen? Es nimmt alles seinen Gang, wie der Schöpfer es geordnet hat. Daran kannst du mit deinem Grübeln auch nichts ändern. Saat und Ernte verlangt eine Arbeit zur rechten Zeit – du darfst nicht auf anderes Wetter warten. Denn nicht du regierst Wind und Wetter.

*V. 5.* Gott hat seine Geheimnisse, hinter die wir nicht blicken können. „Der Wind weht, wo er will" (Joh. 3, 8). Auch das Entstehen neuen Lebens im Mutterleib ist vom Geheimnis der Schöpfung umgeben. „Du weißt nicht" – ein Wort, das den Menschen unserer Zeit unerträglich ist. Aber Gott allein ist der Herr des Windes (2. Mose 14, 21; 15, 10; Hiob 1, 19;

Ps. 104, 3 f.; 135, 7; 147, 18; Jes. 59, 19; Jer. 51, 1; Hes. 37, 9; Amos 4, 13 und öfter). Der Glaube an den Schöpfer wird nirgends in der Bibel in Frage gestellt.

*V. 6.* Doch macht das die Hand des Gottesmenschen nicht träge oder lässig. Hertzberg sagt: „Gerade der Mensch, der sich der völligen Relativität des Irdischen bewußt ist, hat die innere Freiheit zu aktivem Tun" (203). Treuer Fleiß wird gerade das Kennzeichen dessen sein, der sich versöhnt weiß mit dem Schöpfer und dem Vater Jesu Christi.

## 2. Freue dich der Gabe Gottes! (11, 7—10)

*(7) Süß ist das Licht, und schön ist es für die Augen, die Sonne zu sehen. (8) Denn wenn der Mensch auch viele Jahre lebt, soll er sich ihrer aller freuen und der dunklen Tage gedenken; denn ihrer sind viel. Alles, was kommt, ist nichtig. (9) Freue dich, Jüngling, in deiner Jugend und laß es deinem Herzen gut gehen in deiner Jugendzeit und wandle nach den Wegen deines Herzens, und wonach deine Augen blicken! Aber wisse, daß über all das Gott dich ins Gericht zieht! (10) Laß deinem Herzen den Unmut fern sein und halte dir das Üble vom Leibe! Denn Jugend und Jugendblüte sind vergänglich.*

*V. 7.* Statt über das Kommende erfolglos nachzugrübeln, freue dich des Lichtes der Sonne als der großen, gegenwärtigen Gabe Gottes!

*V. 8.* Die dunklen Tage werden nicht fehlen, darum freue dich der Gegenwart!

*V. 9.* Es folgt nun wieder eine jener Aufforderungen zur Lebensfreude, wie wir sie in unserem Buch schon einige Male lasen (2, 24 f.; 3, 12. 22; 5, 17 ff.; 7, 14; 8, 15; 9, 7 ff.). Zum ersten Mal wird hier der junge Mann angeredet, wie es in der Weisheitsliteratur oft geschieht. Der Lebenserfahrene gibt seine Erkenntnisse der jungen Generation weiter: Nimm dankbar und mit Freuden an, was Gott dir in der Gegenwart schenkt! Aber in aller Lebensfreude bleibe unter Gottes Augen! Das bedeutet keine Einschränkung der Freude, sondern ganz im Gegenteil ihre Bewahrung vor bösem Nachgeschmack. Gott bleibt allezeit der Maßstab für Gut und Böse und der Richter! Vgl. 3, 17; 5, 5 f.; 8, 5 f. 13!

*V. 10.* Dem Unmut, der bösen Laune, dem Kummer soll man keinen Raum geben. „Jugendblüte" übersetzen wir mit Zimmerli. Hertzberg versteht das Wort als „Schwärze" und übersetzt „schwarze Haare". Auch die Jugendzeit hat ihre Grenzen und ist darum der Vergänglichkeit und Nichtigkeit unterworfen.

### 3. Bereite dich auf die Zeit des Alters vor! (12, 1—7)

*(1) Gedenke deines Schöpfers in den Jugendtagen, bevor die bösen Tage kommen und sich die Jahre nähern, von denen du sagen wirst: Ich habe an ihnen kein Gefallen! (2) Ehe die Sonne dunkel wird und das Licht, der Mond und die Sterne und die Wolken nach dem Regen wiederkommen; (3) zu der Zeit, wo die Wächter des Hauses zittern und die Starken sich krümmen und die Mahlmägde mit der Arbeit aufhören, weil ihrer wenig geworden sind, und dunkel werden, die durch die Fenster blicken; (4) und die Türen zur Straße geschlossen sind und das Geklapper der Mühle leiser wird und man sich erhebt bei der Vogelstimme und alle Lieder leiser tönen. (?) (5) Auch fürchtet man sich vor Höhen und Schrecknissen auf dem Wege, wenn der Mandelbaum blüht und die Heuschrecke sich schleppt (?) und die Kaper aufbricht (?). Denn der Mensch geht zu seinem ewigen Haus, und die Klagenden ziehen auf der Straße (6) – ehe das silberne Seil zerreißt und das goldene Gefäß zerbricht und der Krug an der Quelle zerschellt und das Rad in den Brunnen fällt (?). (7) Aber der Staub kehrt zur Erde zurück, wie er gewesen ist, und der Geist kehrt zurück zu Gott, der ihn gegeben hat.*

*V. 1.* Diese Verse hängen mit dem Vorhergehenden eng zusammen. Die Lebensfreude der Jugend soll betont werden auf dem dunklen Hintergrund des kommenden Alters mit seinen Gebrechen. Die Freude der Jugendtage ist unmittelbare Gabe Gottes, des Schöpfers. Wer die Jugendfreuden als Gottesgabe bejaht, wird auch Lust und Leid des Alters aus Gottes treuen Händen nehmen.

*V. 2.* In Gleichnissen und Allegorien wird im Folgenden die Gebrechlichkeit des alten Menschen geschildert. Hertzberg, als guter Kenner Palästinas, weist darauf hin, daß hier der Winter im Gelobten Lande geschildert wird, der dem von der Wärme der Sommerzeit verwöhnten Menschen unbehaglich ist. Die Sonne verhüllt sich, und die Wolken bleiben auch nach den Regengüssen. So ist das Alter die Winterzeit des Menschenlebens.

*V. 3.* In Bildern beschreibt der Verfasser den Verfall der Körperkräfte. Das „Zelthaus" (vgl. 2. Kor. 5, 1) unseres Leibes wird baufällig. Die Wächter sind die Arme, die geschwächt sind und zittern. Die Beine, die „starken Männer", werden schwach und krumm. „Die Mahlmägde" –

das sind die Sklavinnen, die in einem israelitischen Hause die Handmühle bedienen (Matth. 24, 41). Hier sind es die Zähne. Ihrer werden immer weniger, und darum tun sie den Dienst nicht mehr. Den Zahnersatz kannte jene Welt noch nicht. Die Frau durfte sich damals wenig in der Öffentlichkeit zeigen, schaute aber darum um so neugieriger durch die Gitterfenster. Das hört nun auf. Das heißt: Die Augen tun nicht mehr recht ihren Dienst.

*V. 4.* Hier gibt es Schwierigkeiten der Übersetzung. Die Türen des Hauses sind offenbar die Ohren. Auch sie versagen allmählich den Dienst. „Das Geklapper der Mühle" könnte alle Geräusche im Hause zusammenfassend meinen. Aber nun das Folgende! Hertzberg übersetzt: „Sie erhebt sich zur Vogelstimme" und meint zu wissen, daß der alte Mann eine hohe, dünne Stimme hat. Ob diese Beobachtung wirklich richtig ist? Besser gefällt uns die Miniaturbibel: „Man erwacht beim Vogelgesang." Das Alter hat einen kurzen Schlaf. Am schwierigsten ist das Letzte. „Es neigen sich die Kinder des Gesanges", liest Hertzberg. „Sich ducken muß jede Sängerin" – die Miniaturbibel. „Aller Sang und Klang verstummt", übersetzt Menge. Am besten scheint uns Zimmerli die blumenreiche Sprache zu übertragen: „Und alle Lieder nur leise klingen." Das paßt zum Gesamtthema des Verses, der die Schwerhörigkeit des Greises schildert.

*V. 5.* Auch dieser Vers macht Schwierigkeiten. Die Bildersprache der Allegorie wird hier verlassen. Der erste Satz ist deutlich: Das Bergsteigen, das in Palästina fast überall nötig ist, sucht das Alter nach Möglichkeit zu vermeiden. Leicht erschrickt man, da die Sinne nicht schnell reagieren. Man denke daran, wie oft heutzutage im Straßenverkehr alte Leute zu Schaden kommen, weil sie nicht mehr recht achtgeben können. Beim blühenden Mandelbaum hat man zwar an das weiße Haar der Alten gedacht. Aber Hertzberg wird recht haben, daß auch hier nicht mehr allegorisch gesprochen wird. Es ist vielmehr der Frühling beschrieben mit der Mandelblüte, der ziehenden Heuschrecke und der aufbrechenden Kaperknospe. Doch dem Alten bringt kein Frühling mehr neues Leben. Er zieht aus seinem gebrechlichen Zelthaus um in seine ewige Wohnung. Mag dieses Bild auch vom Felsengrab reden – wir dürfen als Kinder des Neuen Testaments das Wort verstehen im Sinne von Joh. 14, 2 und 2. Kor. 5, 1 ff. Mögen dann die Zurückbleibenden Trauergesänge singen, wir singen mit den Vollendeten vor Gott und des Lammes Thron: Offb. 7, 9–17; 21, 3–7.

*V. 6.* In starken Bildern wird nun der Tod, die Auflösung des irdischen Lebens, geschildert. Die Quelle als Bild des Lebens ist ein in der Bibel oft gebrauchter Vergleich (Ps. 36, 10; Spr. 14, 27; Jer. 2, 13; 17, 13; Joh. 4, 14; auch Jes. 12, 3; 58, 11; Joh. 7, 38; Offb. 22, 17 und öfter).

Der Krug, der am Brunnen zerbricht, ist eine Beschreibung des Todes: Das Lebenswasser ist nicht mehr erreichbar. Das Rad, mit dem der Krug oder Eimer in den Brunnen gesenkt wird, fiel hinunter. Daß vom silbernen Seil und goldenen Gefäß gesprochen wird, ist eine poetische Verstärkung. Es geht im Leben um hohe Werte.

*V. 7.* Nun ist auch hier die Bildersprache verlassen: Der aus der Erde von Gott geschaffene Mensch kehrt zur Erde zurück (3, 20; 1. Mose 2, 7; 3, 19; Ps. 103, 14; 104, 29; 1. Kor. 15, 42).

## XII. Die Schlußworte (Kap. 12, 8–14)

*(8) Völlige Nichtigkeit! – So hat Qohélet gesprochen. Alles ist nichtig! (9) Und es bleibt (zu sagen): Qohélet war ein Weiser, allezeit lehrte er das Volk Erkenntnis; er erwog und forschte und gestaltete viele Sprüche. (10) Qohélet suchte gefällige Worte zu finden und richtige, wahre Worte aufzuschreiben. (11) Die Worte der Weisen sind wie Stacheln und wie eingeschlagene Nägel; was in der Spruchsammlung steht und von einem einzigen Hirten gegeben ist (?). (12) Es bleibt dabei: Mein Sohn, laß dich warnen; es ist kein Ende des Büchermachens, und das viele Studium ermüdet den Leib. (13) Am Schluß laßt uns hören: Fürchte Gott und halte seine Gebote; denn dies gilt allen Menschen. (14) Denn Gott wird jedes Werk vors Gericht bringen, auch alles Verborgene, es sei gut oder böse.*

Diese Worte müssen als Schlußworte des Herausgebers verstanden werden (siehe V. 9). Fraglich ist, ob V. 8 noch zum Vorhergehenden gehört oder eine Zusammenfassung des Themas des ganzen Buches durch den Redaktor ist. Kap. 1, 2 und 12, 8 umklammern die Meditationen des Verfassers.

*V. 8.* Wörtlich: „Nichtigkeit der Nichtigkeiten". Die Mehrzahl drückt die Steigerung aus: völlig nichtig. „So hat Qohélet gesprochen." Qohélet (d. h. Prediger) wird also hier wie ein Eigenname benutzt. Mit diesem Satz ist der Schlußstrich gezogen.

*V. 9.* Hier spricht deutlich ein anderer. Man könnte übersetzen: „Es ist noch nachzutragen" (so Hertzberg). Der Verfasser wird als einer der Weisheitslehrer bezeichnet, der ohne zu ermüden dem Volk Gottes Lebenserkenntnis lehrte. Wörtlich: „Er wog ab", wie man es mit der Waage tut

— eine Bezeichnung kritischen Denkens: Er erwog. Erst aufgrund dieses Urteilsvermögens gestaltete er seine Aussagen.

*V. 10.* Es ging ihm nicht nur um die Wahrheit im Inhalt, sondern auch um die Schönheit in der Form.

*V. 11.* Auch hier am Schluß wird ein Sprichwort zur Bekräftigung herangezogen. Der Stachel ist der angespitzte Stab, mit dem der Rinderhirt seine Zugochsen antreibt (vgl. Apg. 26, 14). Eingeschlagene Nägel sitzen fest. Bei gut geprägten Sätzen sprechen wir auch von Nägeln mit Köpfen. Der Schlußsatz ist fast unerklärlich und kaum aufzuhellen. Statt „Was in der Spruchsammlung steht" (nach Zimmerli) spricht Hertzberg von den Gliedern der Spruchsammlung und die Miniaturbibel vom Hauptpunkt der Sammlung. Das Wort bleibt dunkel. Deutlich aber ist: Alle diese Worte stammen von einem Verfasser, der hier Hirte genannt wird. „Gott als der *eine* Hirte wird damit als der letzte und eigentliche auctor [Urheber] der Weisheit angesehen" (Hertzberg 219). Vgl. 1. Mose 48, 15; 49, 24; Ps. 23, 1; 80, 2; Jes. 40, 11 und öfter!

*V. 12.* Hat etwa die nächsten Verse ein noch Späterer geschrieben, wie viele annehmen? Es klingt freilich wie eine Einschränkung des hohen Lobes, das V. 11 brachte. Dort heißt es: Das Buch ist von Gott eingegeben. Hier aber steht eine Warnung für Schriftsteller und Studierende. Wir wissen aus der Geschichte der Synagoge, daß später darüber gestritten wurde, ob das Buch Qohélet zu den kanonischen Büchern des Alten Bundes gerechnet werden dürfe. Vielleicht gefiel manchem Schriftgelehrten nicht, daß das Buch die Weisheit, wie sie etwa in Spr. 1–9 geschildert wird, kritisiert. Es spricht aber für die Bedeutung des Predigers, daß er vor aller Selbstsicherheit und allem Selbstruhm warnt, von dem auch die wahrhaft Weisen angefochten werden können.

*V. 13.* Nun wird die entscheidende Erkenntnis der Weisheit, ihre Voraussetzung wie ihre Folge betont: die Gottesfurcht. Sie ist der Weisheit Anfang (Ps. 111, 10; Spr. 1, 7; 9, 10), ihr Inhalt (Hiob 28, 28), aber auch ihr Ertrag (Spr. 2, 5). Das hat auch Qohélet gewußt: 3, 14; 5, 6; 7, 18; 8, 12.

*V. 14.* Die ganze Bibel kennt den lebendigen Gott als Richter aller (siehe die Konkordanz). Nur wer den Versöhner nicht kennt, dem Gott alles Gericht übergeben hat (Joh. 5, 22), wird darin eine Beeinträchtigung seiner Freude an Gottes Gaben sehen. Das Wissen um das Gericht Gottes ist ein großer Schutz. Nichts wird sich vor ihm verbergen können. Vgl. Matth. 10, 26; Mark. 4, 22; Luk. 8, 17; 12, 2!

# DAS HOHELIED

Adolf Schlatter schreibt in seiner Einleitung in die Bibel (139): „Das Lied der Lieder, d. h. das schönste, die Krone unter allen Liedern, preist die Süßigkeit und Seligkeit der Ehe. Die eheliche Liebe hat es geschaffen, die nicht satt wird am Gemahl und sich seiner in immer neuer Wonne freut. Deshalb besteht das Lied aus einer Kette von Gesängen, in denen abwechselnd jetzt das Weib und dann der Mann die Sehnsucht und Lust ihres Herzens aussprechen. In der Einheit und Harmonie der Freude in beiden steht das Glück des ehelichen Verbundenseins."

Würthwein hat in seinem Kommentar deutlich zu machen gesucht, daß es sich hier um eine Sammlung von Liedern handelt, die bei Hochzeitsfeiern gesungen wurden. Daß es solche Lieder gab, darauf deuten einige Bibelstellen wie etwa Jer. 7, 34; 16, 9; 25, 10; 33, 11 und öfter. Einige Stellen im Hohenlied sprechen ausdrücklich von der Braut (4, 8—12; 5, 1). An anderen ist es eindeutig, daß das jungverheiratete Paar spricht. In der Auslegung muß das näher begründet werden. Wenn uns manche Stellen dieser Lieder zu offen von der Gemeinschaft zwischen Mann und Frau reden, so ist damit gezeigt, daß in Israel nicht falsche Prüderie, sondern ein dankbarer Schöpfungsglaube herrschte. Mitten unter Völkern, die die Vielehe pflegten — wie auch in der alten Zeit in Israel —, und wo oft in den Tempeln eine „heilige" (in Wirklichkeit sehr unheilige) Prostitution getrieben wurde, verherrlichen diese Lieder die Treue der Liebe in der Einehe. Gewiß war eine Eheschließung in Israel mehr eine Angelegenheit der Familien als der Neigung der Verlobten. Vgl. die Werbung Eliesers um Rebekka für Isaak in 1. Mose 24! Aus diesen Liedern aber sehen wir, wie stark die persönliche Liebe der jungen Leute zu ihrem Recht kam. Delitzsch sagt, der Grundgedanke des Hohenliedes sei die tief innerliche Wesenheit der ehelichen Verbindung, der Gedanke der wahren Liebe, wie er der Monogamie zugrunde liegt. Der junge Mann sagt zu seiner Frau: „Du meine Einzige" und schließt damit jede Vielehe aus.

Über die allegorische Deutung des Hohenliedes, wie sie Jahrhunderte in der Kirche Gewöhnung war, lese man im Nachwort dieser Auslegung. Diese bleibt aus Ehrfurcht vor dem Wort bei der wörtlichen Auslegung; erst wenn der ursprüngliche Wortsinn ernst genommen ist, könnte eine bildhafte Auslegung versucht werden.

Über den Verfasser und die Entstehungszeit ist schwer Endgültiges zu sagen. A. R. Hulst (Holland) sagt im theologischen Nachschlagewerk

„Religion in Geschichte und Gegenwart" zwar apodiktisch: „Der salomo=
nische Ursprung des Buches oder eines Teils desselben ist nicht aufrecht=
zuerhalten", fügt aber später hinzu: „3, 6–11 könnte ein Hochzeitslied
für Salomo sein" und „Tirza (nordisraelitische Königsstadt) neben Jeru=
salem (6, 4) weisen in die (ältere) Königszeit." Auch Ringgren (1) sagt:
„Der salomonische Ursprung wird ... seit langem und mit Recht bezwei=
felt", doch fügt auch er hinzu: „Es ist die Annahme ernstlich in Betracht
zu ziehen, die ursprünglichen Lieder könnten sehr wohl in die ältere
Königszeit hinaufreichen." Wir sehen, daß selbst den Gelehrten eine ein=
deutige Beantwortung der Verfasserfrage nicht möglich ist. Von Salomo
sagt das erste Königsbuch (5, 12): „Seiner Lieder waren tausendundfünf."
Daß nicht die Geschichte seiner eigenen Ehe besungen wird, wird die Aus=
legung deutlich machen.

Die Begrenzung der einzelnen Lieder und die Unterteilung des Textes
ist nicht frei von einer gewissen Willkür. Kein wissenschaftlicher Kommen=
tar stimmt darin mit einem anderen überein. Und doch hilft die Einteilung
zu einer gewissen Sinndeutung und ist um der Übersichtlichkeit willen
für den Bibelleser eine Hilfe. Adolf Schlatter zählt nur zehn Lieder; Würth=
wein, dessen Kommentar wir viel danken, zählt ihrer dreißig.

## Die Überschrift (Kap. 1, 1)

*(1) Das schönste Lied Salomos.*

Wörtlich: Das Lied der Lieder. Das ist die Form des hebräischen Super=
lativs. Die kleine Partikel, die den Verfasser bezeichnen kann („von
Salomo"), könnte aber auch übersetzt werden: „dem Salomo", das heißt:
ihm gewidmet. Oder auch: nach seiner Art. Mag die Überschrift später
hinzugekommen sein, so sind wir doch berechtigt, dem Sohn Davids und
König Israels, Salomo, die Gabe zuzutrauen, solche Lieder zu dichten. Für
das Verständnis der ganzen Liedersammlung ist die Verfasserfrage aller=
dings unwichtig.

# I. Erstes Lied (Kap. 1, 2-8)

## 1. Ein Lob auf die Liebe des Bräutigams (1, 2—4)

*(2) Er küsse mich mit Küssen seines Mundes; denn deine Liebe ist beglückender als Wein. (3) Angenehm duften deine Salben, dein Name ist ausgegossen (gleich einer Salbe); darum lieben dich die Jungfrauen. (4) Zieh mich dir nach! Wir wollen eilen. Führe mich, König, in dein Gemach! Wir wollen jubeln und uns deiner freuen, wir wollen deiner Liebe (preisend) gedenken mehr als des Weins! Mit Recht liebt man dich.*

*V. 2.* Die dialogische Form dieser Lieder läßt die Abgrenzung der Reden oft fragwürdig sein. Dazu kommt, daß in der israelitischen Poesie der Wechsel der zweiten und dritten Person oft geschieht, ohne daß dieser Wechsel begründet wird. Vgl. etwa Ps. 32, 6–11 oder 91, 9–16; auch oft in den Propheten! Dieser erste Vers drückt gleich die innige Liebe der Braut zum Bräutigam aus. Seine Zärtlichkeit und Liebe beglückt und macht sie fröhlicher als der Wein, der beim Hochzeitsfest nicht fehlt (Joh. 2, 3). Nach Ps. 104, 15 ist er vom Schöpfer den Menschen als Freudenspender gegeben.

*V. 3.* Wohlriechende Salben gehören im Orient zur festlichen Freude, wie bei uns etwa die Musik (Ps. 23, 5; 45, 8; 92, 11; Spr. 27, 9; Pred. 7, 1; 9, 8; Luk. 7, 46). Der Name steht für die Existenz und ist „ein Teil des Menschen selbst" (Ringgren 5). Nicht ganz gewiß ist die Übersetzung: „Dein Name ist (gleich einer Salbe) ausgegossen." Vielleicht heißt es einfach: „Dein Name ist wie eine Turaksalbe." Der Name der Salbe ist aber nicht zu erklären. – Neben der Braut stehen die Jungfrauen, ihre Gespielinnen. Vgl. Ps. 45, 15; Matth. 25, 1 ff.; auch Richt. 11, 37 f.! Sie alle freuen sich und schätzen den Bräutigam. Vielleicht sind die hier Genannten den „Töchtern Jerusalems" gleichzusetzen, die in Kap. 2, 7; 3, 5; 8, 4 erwähnt werden.

*V. 4.* Wie heute noch vielfach im Orient wird der Bräutigam als „König" bezeichnet. Wenn diese Vermutung Würthweins recht hat, dann wird auch hier deutlich, daß wir es in den Liedern nicht mit der Gestalt Salomos zu tun haben. Die Braut huldigt am Hochzeitstag der Liebe des Bräutigams und ist bereit, zu ihm in seine Wohnung zu ziehen.

## 2. Die Unwürdigkeit der Braut (1, 5. 6)

*(5) Ich bin schwarz, aber schön, ihr Töchter Jerusalems, gleich den Zelten Kedars, gleich den Vorhängen Salmas. (6) Seht mich nicht an, weil ich schwarz bin, da die Sonne mich versengte! Die Söhne meiner Mutter zürnten mir; sie machten mich zur Wächterin der Weinberge. Meinen eigenen Weingarten habe ich nicht behütet.*

*V. 5.* Ein Ausdruck der Demut der Braut vor ihrem Bräutigam. Sie kann keine zarte weiße Haut aufweisen, wie sie dem damaligen Schönheitsideal entsprochen hätte. Ja, es ist wahr, sie ist dunkelhäutig geworden wie die dunklen Beduinenzelte. Diese Beduinenzelte sind aus schwarzen Ziegenhaaren gewoben. Zu Kedar vgl. Ps. 120, 5! Der Name Salma kommt auch in Jesu Stammbaum vor (Ruth 4, 20 f.; 1. Chron. 2, 11; Matth. 1, 4 f.; Luk. 3, 32). Es wird wohl auch ein Name arabischer Nomaden sein.

*V. 6.* Die Braut wehrt die spöttischen Blicke der Anwesenden von sich ab, als hätte sie nicht genügend für die Erhaltung ihrer Schönheit gesorgt. Weil sie ihren eigenen Weinberg nicht recht zu hüten gewußt hatte, zürnten ihr ihre älteren Brüder (8, 8 f.) und zwangen sie, nun die Wächterin aller Weingärten der Familie zu sein. Unter dieser Mühe hat sie gelitten und ist ihre Haut verbrannt. Das bringt sie als Entschuldigung vor.

## 3. Sehnsucht nach dem Bräutigam (1, 7. 8)

*(7) „Künde mir, du, den meine Seele liebt, wo du (die Herde) weidest, wo du sie am Mittag lagerst! Warum soll ich wie eine Umherirrende bei den Herden deiner Freunde sein?" (8) „Wenn du das nicht weißt, du Schönste der Frauen, gehe den Spuren der Schafe nach und weide deine Ziegen bei den Hütten der Hirten!"*

*V. 7.* Die Braut fühlt sich einsam und fragt nach dem Geliebten. Um die Mittagshitze lagert die Herde im Schatten. Vgl. Ps. 23, 2, wo es wörtlich heißt: „Er lagert mich an ruhigen Wassern." Da will sie bei ihm sein und sich seiner Gemeinschaft freuen. Ohne ihn irrt sie weg- und ziellos umher.

*V. 8.* Die Braut bekommt eine Antwort, ohne daß der Redende genannt wird: Sie brauche nur den Spuren der Herde nachzugehen.

Eine andere Auslegungsmöglichkeit dieser ersten acht Verse deutet die Verse 2–4 als Lob auf den König (Salomo ?), der um das Hirtenmädchen geworben haben mag. Sie aber wendet ihre schwarze Haut vor, um ihre Unwürdigkeit zu zeigen (V. 5. 6), und sehnt sich nach ihrem schlichten Hirtenbräutigam (V. 7. 8).

# II. Zweites Lied (Kap. 1, 9-2, 7)

## 1. Der Bräutigam preist die Braut (1, 9—11)

*(9) „Einer Stute am Wagen Pharaos vergleiche ich dich, meine Freundin! (10) Schön sind deine Wangen mit Schmuckketten, dein Hals mit Perlenketten (?). (11) Kettlein von Gold wollen wir dir machen, Kettenglieder* [wörtlich: *Pünktchen] aus Silber."*

*V. 9.* Die beiden jungen Menschen haben sich gefunden und freuen sich aneinander. Die Beschreibung der menschlichen Schönheit geschieht in diesen Liedern oft in Bildern, die uns befremden und unserm Geschmack nicht entsprechen. Aber wir befinden uns in einem fremden Lande. Der Vergleich der weiblichen Schönheit mit einem edlen Roß ist dem alten Orient nicht fremd. Und wie auserwählt waren die Pferde des Pharao, die reich geschmückt wurden! „Meine Freundin" ist die stete Anrede des Bräutigams an seine Braut. Wir könnten auch sinngemäß übersetzen: „Meine Liebe". Es ist aber nicht der gleiche Wortstamm wie in der Anrede der Braut an den Bräutigam.

*V. 10. 11.* Er will das liebe Gesicht schmücken mit Gold und Perlen. Die einzelnen Schmuckstücke können nicht eindeutig erklärt werden. Wir wissen, daß im alten Orient die Frauen besonders reichen Schmuck trugen. Es geht hier aber gar nicht buchstäblich um Gold, Silber und Edelsteine. Es geht vielmehr um die zärtliche Liebe des Bräutigams, der seine Braut all dieses Reichtums wert hält.

## 2. Die Braut preist den Bräutigam (1, 12—14)

*(12) Solange der König bei mir ist (?), gibt meine Narde ihren Duft. (13) Mein Geliebter ist wie ein Bündel Myrrhen, das mir zwischen meinen Brüsten ruht. (14) Eine Zyperntraube ist für mich mein Geliebter in dem Weingarten En-Gedis.*

*V. 12.* *„König"* nennt die Braut hier scherzend den Bräutigam. Man könnte auch übersetzen: „Solange der König beim Festmahl ist". Dieses königliche Mahl mag eine bescheidene Stärkung gebracht haben. Zur Narde vgl. das zu V. 3 Gesagte! Wohlgerüche gehörten zum festlichen Beisammensein wie Speise und Trank.

*V. 13. 14.* Myrrhe ist das duftende Harz eines Strauches. Es war in alter Zeit beliebt und wird in der Bibel oft genannt (z. B. 1. Mose 37, 25; 43, 11; Esth. 2, 12; Ps. 45, 9; Matth. 2, 11; Joh. 19, 39). Frauen trugen Myrrhenbündel gern auf der Brust. Die Zypernblume wird noch heute in der Oase En-Gedi nahe dem Toten Meer gefunden. Die Araberinnen gewannen aus ihren Blättern und Wurzeln einen gelblichen Farbstoff zum Färben der Nägel und Haare (Calwer Bibellexikon, Sp. 1442). All das hatte hohen Wert und wird von der Braut als Ausdruck ihrer Liebe gesagt. Als wollten wir sagen: „Du bist mein Gold!"

## 3. Zwiegespräch der Liebe (1, 15—2, 3)

*(15) „Ja, wahrlich, du bist schön, meine Freundin, wahrlich, schön sind deine Augen gleich Tauben!" (16) „Ja, auch du bist schön, mein Geliebter, auch lieblich! Auch unser Lager grünt. (17) Zedern sind Balken unseres Hauses, Zypressen sind die Dachsparren." (2, 1) Ich bin eine Narzisse (?) Sarons, eine Lilie der Täler. (2) „Wie eine Lilie zwischen den Dornen, so ist meine Freundin unter den Mädchen." (3) „Wie ein Apfelbaum unter den Bäumen des Waldes, so ist mein Geliebter unter den jungen Burschen. In seinem Schatten sitze ich gern, und seine Frucht ist meinem Gaumen süß."*

*V. 15. 16.* Gegenseitig rühmen sie voll Liebe die Schönheit des anderen. Der Vergleich der Augen mit Tauben soll ihre Klarheit bezeichnen.

*V. 17.* Es war alte jüdische Sitte, bei der Geburt eines Knaben eine Zeder, bei der Geburt eines Mädchens eine Zypresse zu pflanzen. Zum Hochzeitstag baute man daraus eine Art Baldachin für die jungen Eheleute.

(2, 1) Die Blüte, mit der die Braut sich hier vergleicht, ist nicht gewiß auszumachen. Luther spricht von einer Blume und nennt im zweiten Satz die Rose. Im neuesten Lexikon steht: Affodil, das ist Goldwurz. Anderswo: Herbstzeitlose oder auch Narzisse, sogar Krokus. Die Auswahl ist also groß. Daß im zweiten Satz die Lilie gemeint ist, darüber besteht Einigkeit.

*V. 2.* Der Bräutigam bestätigt den Vergleich mit der Lilie. Doch sieht er sie umgeben von den in Palästina so häufigen Dornbüschen. So hebt sich die liebliche Braut in den Augen des Bräutigams aus allen anderen Mädchen heraus. Während die Braut von sich sagt: „Ich bin eine unter vielen", sagt der Bräutigam: „Du bist einzigartig."

*V. 3.* Die Braut aber vergleicht den Bräutigam mit dem Apfelbaum mitten unter der zahllosen Menge der Waldbäume, die keine süßen Früchte tragen. Auch er ist für sie der Einzige unter vielen.

## 4. Die Zärtlichkeit der Liebe (2, 4—6)

*(4) Er führte mich ins Weinhaus, und Liebe ist sein Panier über mir. (5) Er stärkt mich mit Trauben und erfrischt mich mit Äpfeln; denn ich bin vor Liebe krank. (6) Seine Linke ist unter meinem Haupt, seine Rechte umarmt mich.*

*V. 4. 5.* Ob das „Haus des Weins" wörtlich oder bildlich vom Weinberg spricht, ist nicht zu entscheiden. Die beiden Liebenden erquicken sich mit Trauben. Die Liebe ist wie ein Zeichen aufgepflanzt und beherrscht die beiden Brautleute. „Krank vor Liebe" — dieser Ausdruck findet sich in der Liebeslyrik vieler Völker. Vgl. 2. Sam. 13, 2! Es ist das Ähnliche, als wenn wir vom Kranksein vor Heimweh sprechen.

*V. 6.* Schlicht bezeugt die Braut die herzliche Umarmung durch den Geliebten. Luther, der das Hohelied allegorisch zu deuten sucht, sagt zu diesem Vers: „Auch dieses Gleichnis ist hergenommen von der Liebe zwischen Bräutigam und Braut, welche heilig und erlaubt ist." (17).

## 5. Ein Warnruf an die Töchter Jerusalems (2, 7)

*(7) Ich beschwöre euch, ihr Töchter Jerusalems, bei den Gazellen oder den Hinden des Feldes: Weckt nicht und erregt nicht die Liebe, bis es ihr gefällt!*

*V. 7.* Viermal lesen wir diesen Ruf in unseren Liedern (noch 3, 5; 5, 8 und 8, 4). Angeredet wurden die Töchter Jerusalems auch schon in Kap. 1, 5. Der Sinn könnte sein: Stört die nicht, die gern allein sein wollen! „Kein Fremder darf sich hier dazwischendrängen" (Lamparter 80). Es könnte aber auch heißen: Die Braut warnt ihre Freundinnen, die Liebe nicht zu erwecken, ehe sie von selber erwacht. So Adolf Schlatter.

# III. Drittes Lied (Kap. 2, 8 - 17)

## 1. Die Braut erblickt den nahenden Bräutigam (2, 8. 9)

*(8) Horch, mein Geliebter! Siehe, da kommt er, springend über die Berge, hüpfend über die Hügel! (9) Mein Geliebter ist gleich einer Gazelle oder einem jungen Hirsch. Siehe, da steht er hinter unserer Mauer; nun schaut er durchs Fenster, er blickt durchs Gitter.*

*V. 8.* Zuerst hört die Braut den fernen Ruf. Dann sieht sie ihn selbst über die nächsten Höhen zu ihr eilen. Im bergigen Palästina ist das Bild deutlich. Vgl. etwa Jes. 52, 7, wo der Freudenbote in seinem Lauf auf den Bergen schon aus der Ferne erschaut wird.

*V. 9.* Schnell wie ein Hirsch, leicht wie eine Gazelle läuft der Hirte zu seiner Braut (2. Sam. 2, 18). Und nun ist er schon hinter der Gartenmauer, und jetzt blickt er schon durchs Gitterfenster. Wörtlich heißt es: „Er blitzt", seine strahlenfrohen Augen leuchten.

## 2. Die Einladung des Bräutigams (2, 10—14)

*(10) Mein Geliebter begann und sagte mir: „Stehe auf, meine Freundin, meine Schöne, und komm! (11) Denn siehe, der Winter ist vorüber, der Regen ist vorbei und zieht ab. (12) Die Blumen zeigen sich auf dem Erdboden, die Zeit des Saitenspiels ist nahe; die Stimme der Turteltaube läßt sich hören in unserem Lande. (13) Der Feigenbaum rötet seine Frühfeigen, und die Rebenblüten duften. Stehe auf und komm, meine Freundin, meine Schöne, komm hervor! (14) Du meine Taube in den Schlupfwinkeln des Felsens, im Versteck des Felsenpfades, laß mich deine Gestalt sehen und deine Stimme hören; denn deine Stimme ist angenehm und deine Gestalt mir lieb."*

*V. 10.* Nun berichtet die Braut selbst, wie der Geliebte sie einlädt, mit ihm zu kommen.

*V. 11.* Das Frühlingswetter lockt die Liebenden hinaus in die blühende Pracht. Die winterliche Regenzeit ist vorbei.

*V. 12.* Alle Fluren bedecken sich mit dem bunten Teppich der Frühlingsblüten. Zuerst blüht die rote Anemone mit großem Farbenreichtum auf den Hängen und Wiesen, dann ein leuchtender Hahnenfuß und schließlich der rote Mohn. Da all diese Pracht im Hochsommer schnell verblüht (Hiob 14, 2; Ps. 90, 5 f.; 103, 15 f.; Jes. 40, 6 f.), so ist der kurze Frühling in Palästina noch mehr als bei uns im Norden eine Offenbarung der schenkenden Güte Gottes. — Statt „Zeit des Saitenspiels" übersetzen andere: „Zeit, da die Reben beschnitten werden". Was in diesen Versen an Naturbeschreibung gegeben ist, ist einmalig in der ganzen Bibel. Die Turteltaube ist nach Jer. 8, 7 ein Zugvogel. Hört man ihre Stimme, so ist der Frühling da — wie bei uns, wenn der Kuckuck ruft.

*V. 13.* Die Frühfeigen reifen schon im Frühsommer, denn der Feigenbaum trägt bekanntlich zweimal im Jahr Früchte. Auch die Weinberge schmücken sich mit ihren ersten Blüten und Trieben. Das alles soll die Braut locken, mit dem Geliebten draußen den Frühling zu grüßen.

*V. 14.* Wie die Taube in den Felsspalten verborgen ist, so ist die Braut dem Auge des Bräutigams in ihrem Haus entzogen. Darum bittet er: Laß mich dich sehen und hören! Es gehört zur weiblichen Zurückhaltung, daß die Braut den Kommenden zwar sieht, aber sich selbst noch verborgen hält.

## 3. Die Antwort der Braut (2, 15—17)

*(15) „Greift uns die Füchse, die kleinen Füchse, die Verderber des Weinbergs; denn unsere Weinberge blühen. (16) Mein Geliebter ist mein, und ich bin sein, der in den Lilien weidet, (17) bis der Tag kühl wird und die Schatten weichen. Wende dich zu mir, mein Geliebter, gleich der Gazelle oder dem jungen Hirsch auf den Bather Bergen!"*

*V. 15.* Die kleinen Füchse, die den Weinberg zu verderben drohen, mögen ein Bild für alles sein, was das Verhältnis der Braut und des Bräutigams stören oder hindern kann. Der Fuchs wird in der Bibel oft als ein heimtückischer Feind genannt. Vgl. Neh. 3, 35; Ps. 63, 11; Luk. 13, 32!

*V. 16.* Um so stärker betont sie das unauflösliche Band der beiden Liebenden. Auch die „Füchse" sollen das Band der Treue nicht zerschneiden. Sie gehören einander in Festigkeit gegenseitiger Liebe. Auch hier wird der Bräutigam als Hirte bezeichnet. Vgl. Kap. 1, 7!

*V. 17.* Sie wollen beieinander bleiben, bis der Morgen anbricht. Sie tun es, wie die Hirten tun, die zur Nacht ihre Herden in den Pferch führen und gemeinsam wachen (Luk. 2, 8). Gegen Morgen eilt der Hirte wieder fort. Wo die Bather Berge zu suchen sind, ist ungewiß.

# IV. Viertes Lied (Kap. 3, 1–5)

## 1. Suchen und Finden (3, 1—4)

*(1) Auf meinem Lager nachts suchte ich den, den meine Seele liebt. Ich suchte ihn und fand ihn nicht. (2) Ich will aufstehen und in die Stadt gehen, auf die Straßen und Plätze und den suchen, den meine Seele liebt. Ich suchte ihn und fand ihn nicht. (3) Mich fanden die Wächter, die durch die Stadt gehen: „Saht ihr den, den meine Seele liebt?" (4) Kaum war ich an ihnen vorübergegangen, da fand ich den, den meine Seele liebt. Ich faßte ihn und ließ ihn nicht los, bis ich ihn ins Haus meiner Mutter geführt hatte, ins Gemach derer, die mich geboren hat.*

Lamparter deutet dieses Lied mit einer Anzahl älterer Ausleger als ein Traumerleben. Doch ist daran zu denken, daß bei lyrischen Liedern nicht immer konkrete Erlebnisse zugrunde liegen. Sie geben vielmehr verborgenen Gedanken Ausdruck.

*V. 1.* In der Einsamkeit der Nacht erwacht bei der Braut die Sehnsucht nach dem Geliebten. Vergeblich sucht sie ihn.

*V. 2.* Da macht sie sich zu nächtlicher Stunde auf, um auf den Straßen der Stadt nach ihm zu suchen. Auch das schien vergeblich.

*V. 3.* Als sie die Stadtväter trifft, fragt sie diese nach dem Vermißten. Von solchen Wächtern lesen wir auch in Ps. 127, 1; 130, 6; Jes. 21, 11; 52, 8.

*V. 4.* Offenbar konnten auch diese ihr keine Auskunft geben. Doch kaum hat sie die Wächter verlassen, als sie den Freund fand. Sie führt ihn zu ihrer Mutter. Man sollte sich hier nicht stoßen an „unpassendem Herumtreiben in nächtlicher Stunde". Es wird das Suchen der Braut nach ihrem Bräutigam geschildert, ohne über Sitte und Schicklichkeit zu reflektieren.

## 2. Zweiter Warnruf an die Töchter Jerusalems (3, 5)

*(5) Ich beschwöre euch, ihr Töchter Jerusalems, bei den Gazellen und Hinden des Feldes: Weckt und erregt nicht die Liebe, bis es ihr gefällt!*

*V. 5.* Das Lied schließt mit dem Vers, den wir aus Kap. 2, 7 kennen. Lamparter bezeichnet ihn mit Recht als Kehrreim (72). Wieder ist es eine Art Warnruf an die Mädchen, die Liebe nicht vorzeitig zu wecken. Sie bringt zwar Freuden, aber ist nie frei von Leiden.

# V. Fünftes Lied (Kap. 3, 6 - 5,1)

## 1. Der Festzug Salomos (3, 6—11)

*(6) Wer ist diese, die aus der Wüste heraufzieht gleich Rauchsäulen, duftend nach Myrrhe und Weihrauch, nach allem Gewürzpulver der Krämer? (7) Siehe, die Sänfte Salomos! Sechzig Recken sind um sie her von den Recken Israels. (8) Sie alle tragen das Schwert, sind erfahren im Kriege; jeder ist mit dem Schwert umgürtet gegen die Schrecken der Nacht. (9) Einen Tragsessel hat sich König Salomo gemacht aus Hölzern des Libanon. (10) Seine Füße aus Silber, seine Lehnen aus Gold, sein Sitz von Purpur, seine Mitte bestickt von den Töchtern Jerusalems! (11) Kommt heraus und seht, ihr Töchter Zions, den König Salomo im Diadem, das ihm seine Mutter aufsetzte an seinem Hochzeitstag und am Tag seiner Herzensfreude!*

*V. 6.* Die Schilderung dieses Festzugs ist voller Spannung. (Leider geben einige unbekannte Worte dem Übersetzer Rätsel auf.) Aus der Steppe zieht ein festlicher Zug herauf. Weihrauchwolken begleiten ihn, und reiche Düfte umschweben ihn.

*V. 7.* Beim Näherkommen ist die Sänfte Salomos, des reichen Königs, erkennbar. Sie ist umgeben von einer stattlichen, bewaffneten Eskorte.

*V. 8.* Es sind kriegserfahrene Kämpfer, die jeden Überfall von räuberischen Beduinen in der unbewohnten Wüste abweisen können.

*V. 9. 10.* Ausführlich wird das kostbare Material geschildert: Edelhölzer, Silber, Gold, roter Purpur, Edelsteine. Hier ist alles kostbar. — Vielleicht haben wir es in diesem Festzug mit der Heimholung der Pharaonentochter zu tun, der Salomo diese kostbare Sänfte entgegensandte. Geschützt durch seine Krieger, zieht die Prinzessin nach Jerusalem zur Hochzeit: 1. Kön. 3, 1.

*V. 11.* Die Frauen und Mädchen Jerusalems werden gerufen, den König in seiner Pracht zu sehen, dem seine Mutter zum Hochzeitstag einen Stirnreif aufgesetzt hatte. Welch eine Bedeutung seine Mutter Bathseba bei der Thronbesteigung Salomos hatte, lesen wir in 1. Kön. 1, 15—31.

## 2. Die Schönheit der Braut (4, 1—7)

*(1) Siehe, du bist schön, meine Freundin! Ja, du bist schön! Deine Augen gleichen Tauben hinter deinem Schleier; dein Haar ist wie eine Herde Ziegen, die vom Gebirge Gilead herabhüpfen. (2) Deine*

*Zähne — wie eine Herde glatt geschorener Schafe, die von der Schwemme aufsteigen; sie alle haben Zwillinge, keins ist kinderlos. (3) Deine Lippen sind wie ein karmesinroter Faden, und dein Mund ist lieblich. Deine Schläfen gleichen der Scheibe eines Granatapfels hinter deinem Schleier. (4) Wie der Turm Davids ist dein Hals — erbaut für Kriegerscharen (?); tausend Schilde sind an ihm angehängt, alles Schilder der Recken. (5) Deine beiden Brüste sind wie zwei Kitzen, Zwillinge der Gazelle, die in den Lilien weiden. (6) Ehe die Kühle des Tages weht und die Schatten weichen, will ich zu den Bergen der Myrrhen gehen und zum Hügel des Weihrauchs. (7) Ganz und gar schön bist du, meine Freundin, und kein Makel ist an dir.*

*V. 1.* Doch was ist alle Herrlichkeit Salomos und aller Reichtum einer Pharaonentochter gegen die Schönheit der Hirtenbraut! Mag ganz Jerusalem auf den Beinen sein, den königlichen Hochzeitszug zu bewundern — das Auge des Bräutigams wird nicht von jenem Glanz gelockt. Er schaut allein nach der Anmut seiner geliebten Braut. Wie in Kap. 1, 9 ff. und 2, 13 f. preist er hier ihre Schönheit. Hinter dem orientalischen Schleier schauen die Augen klar wie Taubenaugen (1, 15; 2, 14; 5, 2. 12; 6, 9). Überraschen mag uns der Vergleich der Haarlocken mit einer vom Gebirge herabsteigenden Ziegenherde. Aber es ist die Bildersprache des Hirten aus seiner täglichen Umwelt.

*V. 2.* Darum leuchten die weißen, blanken Zähne der Braut wie frisch aus der Schwemme kommende Schafe. Keins der Schafe ist kinderlos — das soll wohl daran erinnern, daß keine Lücke die Zahnreihen unterbricht. Bei der fehlenden Zahnpflege treten solche Lücken im Orient oft schon früh auf. Vgl. auch Pred. 12, 3!

*V. 3.* Die roten Lippen und der fein geschnittene Mund werden gepriesen. Hinter dem Schleier leuchten die Schläfen oder Wangen gleich frischen Schnitten des Granatapfels.

*V. 4.* Der Hals der Braut ist stolz wie der Bergfried auf dem Zion, wo David regierte. Der reiche Kopfschmuck mag an die Schilde erinnern, die dort als Siegestrophäen hingen. Die stolze Haltung der Braut hat offenbar dem Bräutigam imponiert.

*V. 5.* Er scheut sich nicht, die jungfräuliche Brust mit zwei scheuen Kitzlein zu vergleichen.

*V. 6.* Der Vers erinnert an Kap. 2, 17. Von Myrrhe und Weihrauch war bei der Beschreibung des salomonischen Brautzugs die Rede (3, 6).

Vielleicht will der Bräutigam mit diesem Bilde sagen: Ich frage nicht viel nach den Schätzen Salomos. Ich weiß „Weihrauch und Myrrhe" auch bei der Meinen.

*V. 7.* Alle Beschreibung umfassend lautet das Urteil: Du bist schön und ohne Makel. An deiner Liebe habe ich genug und frage nicht nach ägyptischen Königstöchtern.

## 3. Die Wonne der Liebe (4, 8—11)

*(8) Komm mit mir vom Libanon, meine Braut, komm mit mir vom Libanon, komm! Steige herab vom Gipfel des Amana, vom Gipfel des Senir und des Hermon, wo die Höhlen der Löwen sind und in den Bergen Parder! (9) Du hast mich betört, meine Schwester, meine Braut, du hast mich betört mit einem deiner Blicke, mit einem Schmuck deines Halses (?). (10) Wie schön ist deine Liebe, meine Schwester, meine Braut! Wieviel schöner ist deine Liebe als Wein und der Duft deiner Salben als aller Balsam! (11) Deine Lippen tropfen von Honigseim, meine Braut, Honig und Milch sind unter deiner Zunge, und der Duft deiner Kleider ist wie der Duft des Libanon.*

*V. 8.* Geht es hier um eine utopische Landschaft? Vielleicht geht es um ein Wortspiel: Libanon und Weihrauch (lebona) erinnern aneinander, vielleicht auch Myrrhe (hamor) und Parder (nemar). Gewiß wird das alles bildlich zu verstehen sein. Die Gipfel des Libanon und sein Ausläufer Hermon (nach 5. Mose 3, 9 nannten die Amoriter ihn Senir) sind mit den dort hausenden Raubtieren Bilder der drohenden Welt, aus der der Bräutigam die Braut in seine schützenden Arme ruft (nach Lamparter).

*V. 9. 10.* Die Liebe seiner Braut — hier nennt er sie zum ersten Male so — nimmt den Bräutigam so gefangen, daß er sich selbst närrisch vorkommt. Ein einziger Blick aus ihren Augen voll Liebe hat es ihm angetan. Statt Halskette liest Lamparter: „eine Locke deines Nackens". Vielleicht ist doch der Halsschmuck gemeint, mit dem die Frauen im Orient nicht sparen.

*V. 11.* Milch und Honig sind ja längst Ausdruck für das reiche Schenken Gottes. Vgl. „das Land, wo Milch und Honig fließt" (2. Mose 3, 8. 17; 13, 5 und sehr oft)!

## 4. Der Vergleich der Braut mit dem Garten (4, 12—5, 1)

*(12) „Ein verschlossener Garten bist du, meine Schwester, meine Braut, ein verschlossener Garten, ein versiegelter Quell. (13) Deine Ranken sind ein Park von Granatapfelbäumen mit köstlichen Früchten, Zypressen mit Narden, (14) Narde und Safran, Würzrohr und Zimt, mit allem Weihrauchholz, Myrrhe und Aloe mit den besten Gewürzen. (15) Du Gartenquelle, Born des lebendigen Wassers, das vom Libanon fließt!" (16) „Wach auf, Nordwind, und komm, Südwind, durchwehe meinen Garten, daß seine Düfte strömen! Komm, mein Geliebter, in den Garten und iß seine köstlichen Früchte!"*

*(5, 1) „Ich komme in meinen Garten, meine Schwester und Braut, ich pflücke meine Myrrhe mit meinem Balsam, ich esse meine Wabe mit Honig. Ich trinke meinen Wein mit meiner Milch. Eßt, Freunde, trinkt und berauscht euch, ihr Lieben!"*

*V. 12.* Statt des wilden Gebirges, aus dem der Bräutigam die Braut ruft, folgt nun das Bild vom umhegten und umzäunten Garten. Sie selbst gleicht solch einem reichen Park. Der Bräutigam preist an seiner Braut ihre Unberührtheit. Weil das Wasser in Palästina so selten und kostbar ist, verschloß und versiegelte man den Zugang zum Brunnen.

*V. 13. 14.* Nun schildert er diesen wunderbaren Paradiesgarten (hier steht das persische Wort, von dem unser deutsches Wort „Paradies" abgeleitet ist). Außer den Granatäpfeln und Zypressen nennt der Bräutigam kostbare Pflanzen, die in Palästina gar nicht vorkommen. Ihre Früchte und Düfte aber wurden aus dem Ausland eingeführt: Narde, Safran, Zimt, Weihrauch, Myrrhe usw. Der Garten der Braut duftet nach den kostbarsten Balsamdüften.

*V. 15.* Ja, einer frischen lebendigen Quelle gleicht die Braut. Solche Quellen fand man am Fuß des Libanon.

*V. 16.* Jetzt nimmt die Braut selbst das Wort. Sie ruft den wehenden Winden zu, daß sie helfen sollen, die Düfte des Gartens weiterzutragen. Sie ruft den Geliebten, den Garten zu betreten und sich seiner zu freuen.

(5, 1) Nun antwortet der Bräutigam. Er kommt und freut sich der reichen Gaben. Da das Lied offenbar bei einer Hochzeitsfeier gesungen wurde, ruft der Bräutigam auch den Gästen zu, die aufgetischten Gaben zu genießen.

# VI. Sechstes Lied (Kap. 5, 2–6, 3)

## 1. Verfehlte Begegnung (5, 2—7)

*(2) Ich schlief, aber mein Herz wachte. Horch, mein Geliebter klopft: „Öffne mir, meine Schwester, meine Freundin, meine Taube, meine Reine! Denn mein Kopf ist voll Tau, meine Locken von den nächtlichen Tropfen." (3) „Ich habe mein Gewand abgelegt. Wie sollte ich's wieder anziehen? Meine Füße habe ich gewaschen, wie sollte ich sie wieder beschmutzen?" (4) Mein Geliebter streckte die Hand durchs Türloch, und mein Innerstes wurde erregt. (5) Ich stand auf, um meinem Geliebten zu öffnen; meine Hände tropften von Myrrhe und meine Finger von fließender Myrrhe auf den Griff des Riegels. (6) Ich öffnete meinem Geliebten, aber mein Geliebter war fortgegangen. Ich suchte ihn, aber fand ihn nicht; ich rief, aber er antwortete nicht. (7) Es fanden mich die Wächter, die die Stadt durchziehen; sie schlugen mich, sie verwundeten mich, sie nahmen meinen Überwurf von mir, die Wächter der Mauern.*

*V. 2.* Ähnlich wie in Kap. 3, 1 ff. wird in diesem Lied eine nächtliche Szene geschildert. Auch hier wollen manche Ausleger eine Traumschilderung sehen. Gewiß ist viel Traumhaftes dabei. Aber ist das der Lyrik sonst fremd? – Die Braut hat noch nicht tief geschlafen („mein Herz wachte"), als sie das Klopfen an der Tür hört und die Bitte des Geliebten, ihr zu öffnen. Der nächtliche Tau hat ihm den Kopf gekühlt. Er sucht die Wärme.

*V. 3.* Die Braut zaudert. Sie hatte sich schon zur Ruhe begeben. Soll sie sich aufs neue ankleiden und die frisch gewaschenen Füße wieder in den Staub treten lassen?

*V. 4.* Als der Bräutigam seine Hand durchs Gitter streckt, wird sie erregt.

*V. 5.* Sie steht nun doch auf, um dem Bräutigam zu öffnen, hat sich vorher die Hände mit Myrrhe eingerieben und schiebt den Riegel weg. Der etwas umständliche Bericht soll wohl die Spannung erhöhen.

*V. 6.* Doch indem sie die Tür öffnet, ist der Geliebte verschwunden. Hat er sich bloß einen Scherz erlaubt? Die Gründe seines Verschwindens werden nicht genannt. Sollte alles nur ein Traum gewesen sein? Die Bestürzung der Braut ist groß. Sie beginnt, ihn zu suchen; sie ruft nach ihm, aber keine Antwort läßt sich hören.

*V. 7.* Wie in Kap. 3, 1–3 wiederholt sich das nächtliche Suchen auf der Straße. Wieder begegnen ihr die Wächter (3, 3). Aber diesmal sind sie rauh zu ihr, verwunden sie mit rohen Schlägen und entreißen ihr gar ihren Schleier. Man hat gemeint, daß die „Wächter der Mauern" eine Art nächtliche Polizei war, die einen Schnellprozeß abhielt. Aber das bleibt sehr fraglich.

## 2. Zwiegespräch der Braut mit den Töchtern Jerusalems (5, 8—6, 3)

*(8) „Ich beschwöre euch, ihr Töchter Jerusalems: Wenn ihr meinen Geliebten findet — was wollt ihr ihm sagen? Daß ich krank bin vor Liebe!" (9) „Was ist denn dein Geliebter mehr als ein anderer Geliebter, du Schönste der Frauen? Was ist dein Geliebter mehr als ein anderer Geliebter, daß du uns beschwörst?" (10) „Mein Geliebter ist weiß und rot, hervorragend vor Zehntausenden. (11) Sein Kopf ist geläutertes Gold, seine Locken sind wie Palmzweige, rabenschwarz. (12) Seine Augen sind wie Tauben an den Wasserbächen, gebadet in Milch, ruhend in Fülle. (13) Seine Wangen sind gleich Balsambeeten — Türme von Salbe! Seine Lippen — Lilien, träufelnd von flüssiger Myrrhe. (14) Seine Hände wie Zapfen von Gold, umfaßt von Tharschischsteinen; sein Leib — ein Werk aus Elfenbein, bedeckt mit Saphiren. (15) Seine Schenkel — Säulen von weißem Marmor, gegründet auf goldene Sockel. Sein Aussehen — wie der Libanon, gleich auserlesenen Zedern. (16) Sein Mund ist Süßigkeit; er ist ganz und gar Wonne. So ist mein Geliebter, und so ist mein Freund, ihr Töchter von Jerusalem."*

*(6, 1) „Wo ist dein Freund hingegangen, du Schönste unter den Frauen? Wohin wandte sich dein Geliebter, auf daß wir ihn mit dir suchen?" (2) „Mein Geliebter stieg in seinen Garten hinab zu den Balsambeeten, um im Garten zu weiden und Lilien zu pflücken. (3) Ich bin meines Geliebten, und mein Geliebter ist mein, der unter den Lilien weidet."*

*V. 8.* Hier wird deutlich, daß wir es mit einem Wechselgesang zwischen der Braut und ihren Gefährtinnen zu tun haben, der bei der Hochzeitsfeier gesungen wird. Die Braut ruft nach Beistand beim Suchen nach dem Bräutigam. Sie sollen ihm bestellen, daß sie krank sei vor Sehnsucht nach ihm. Vgl. 2, 5!

*V. 9.* Die Freundinnen fragen neckisch: „Ist ihr Bräutigam denn mehr als einer der unsern?" Und diese Frage wird zum Anlaß dazu, daß nun die

Braut die Schönheit des Bräutigams rühmt, nachdem dieser wiederholt ihre Anmut und Lieblichkeit gepriesen hat. Vgl. 2, 8–11; 4, 1–5; auch 7, 2–8!

*V. 10.* Die Vergleiche in den folgenden Versen scheinen so eigenartig zu sein, daß mancher Ausleger hier mehr die abstrakte Schönheit geschildert sieht, wie sie etwa ein antiker Bildhauer in seinen Bildwerken zu schaffen suchte. Doch geht es auch hier nicht um eine ästhetische Leistung. Aus allem spricht die bewundernde Liebe eines schlichten Hirtenmädchens, die den Geliebten gegenüber dem protzigen Reichtum der Könige herausstreichen will. Unter den Ungezählten gibt sie ihm allein den Vorzug, und sie schildert ihn in grellen Farben. Vgl. Klagel. 4, 7!

*V. 11.* Die Braut schildert den Bräutigam vom Kopf bis zum Fuß. Sein Kopf, von der Sonne gebräunt, scheint ihr wie geläutertes Gold. Das Lockenhaupt wird von den Alten oft mit der Baumkrone verglichen. Die Blütenscheide der Dattelpalme ist schwarz (nach Gerleman 174).

*V. 12.* Den Vergleich der Augen mit den Tauben lasen wir bereits in Kap. 1, 15 und 4, 1. In Milch baden bedeutet großen Reichtum (1. Mose 49, 12; Joel 4, 18; Jes. 55, 1). Andererseits ist aber auch Milch ein Bild für die Lauterkeit (Klagel. 4, 7; 1. Petr. 2, 2). „Ruhend in der Fülle" – die Augen sind in das frische, gesunde Gesicht gebettet.

*V. 13.* Balsamduft umströmt sein Gesicht. „Türme von Salben" meinen wohl einen Schmuckgegenstand in Kegelform, der um seines Dufts willen getragen wurde (Gerleman 175). Die hier genannten Lilien sind purpurrot und sollen die Farbe der Lippen schildern.

*V. 14. 15.* Leib und Glieder werden Edelmetall, Elfenbein und Edelsteinen verglichen. Die ganze Gestalt gleicht einer ragenden Zeder des Libanon. Im baumarmen Lande galten die Zedern als Zeichen erhabener Schönheit. Vgl. Jes. 2, 13 und öfter!

*V. 16.* Noch einmal wird der Mund genannt, der von Liebe redet. An ihm ist alles Lieblichkeit und Wonne. – So hat die Braut den Töchtern Jerusalems den Bräutigam auf ihre Frage hin (V. 9) geschildert.

(6, 1) Diese sind nun bereit, ihn suchen zu helfen, wollen aber wissen, in welcher Richtung er sich entfernte.

*V. 2.* Die Braut vermutet ihn in seinem Garten. Vielleicht denkt sie an den Vergleich von Kap. 4, 12 und 5, 1. Er wird sich bei ihr einfinden.

*V. 3.* Denn sie weiß sich mit ihm und mit ihm allein untrennbar verbunden.

# VII. Siebentes Lied (Kap. 6, 4–10)

## 1. Preis der Schönheit der Braut (6, 4—7)

*(4) Du bist schön, meine Freundin, wie Thirza! Lieblich wie Jerusalem! Furchterregend wie um Banner Gescharte! (?) (5) Wende deine Augen von mir ab; denn sie verwirren mich. Dein Haar gleicht einer Herde Ziegen, die von Gilead herabziehen. (6) Deine Zähne sind gleich einer Herde Mutterschafe, die aus der Schwemme aufsteigen. Sie alle haben Zwillinge, und keins ist kinderlos. (7) Deine Schläfen gleichen einer Scheibe eines Granatapfels hinter deinem Schleier.*

*V. 4.* Wieder geht der Einzelbeschreibung ein Gesamturteil voraus wie in Kap. 5, 10. Thirza war die alte Hauptstadt des unter Jerobeam I. abgefallenen Nordreichs Israel (1. Kön. 14, 17; 15, 21. 33; 16, 15. 23). Erst der König Omri erbaute die neue Hauptstadt Samaria (1. Kön. 16, 23). Thirza hat zugleich die Bedeutung von „Anmut". Dann hieße der Satz etwa: „Du bist schön, die rechte Schönweide." „Furchterregend" wie eine Kämpferschar, daß niemand sich ihr gegen ihren Willen nahen darf.

*V. 5.* Der liebende Blick ihrer Augen verwirrt den Bräutigam. Die Beschreibung des wallenden Haares wie in Kap. 4, 1.

*V. 6. 7.* Auch hier eine Wiederholung von Kap. 4, 2. 3. Der reiche Schmuck der Braut weist auf die Hochzeitsfeier.

## 2. Schöner als Salomos Frauen (6, 8—10)

*(8) Sechzig sind der Königinnen und achtzig der Nebenfrauen – und Mädchen ohne Zahl! (9) Eine aber ist meine Taube, meine Reine, ihrer Mutter Einzige, die Auserlesene derer, die sie gebar! Die Töchter sahen sie und priesen sie selig; die Königinnen und Nebenfrauen rühmten sie. (10) „Wer ist diese, die herabschaut wie die Morgenröte, schön wie der Mond, auserlesen wie die Sonne, furchterregend wie die um das Banner Gescharten?"*

*V. 8.* Sarkastisch wird von der Vielweiberei Salomos und von seinem Harem gesprochen.

*V. 9.* Der glückliche Bräutigam weiß nur von einer, die er liebt. Hier wird der Einehe das Preislied gesungen. Nicht nur der Bräutigam kennt und lobt die Braut als die Reine – auch unter ihren Schwestern ist sie die Auserlesene. Vielleicht haben wir unter den Töchtern die Frauen und Mädchen zu verstehen, die sie kennen. Nicht nur diese, sondern auch die Frauen vom Hof rühmen sie. So spricht die Liebe des Mannes zu seiner Frau. An diese langen die anderen alle nicht heran.

*V. 10.* Hier hören wir den Lobpreis der Braut im Chor aus dem Munde der eben Genannten: Gleich der strahlenden Morgenröte schimmert sie; nur dem Mond und der Sonne ist sie zu vergleichen. Zugleich aber ist sie respekteinflößend. „Die um das Banner Gescharten" (4, 4) mögen eine Art Leibgarde gewesen sein, die als Schutztruppe des Königs besonders gefürchtet war. Die Braut läßt niemand Unberufenes an sich heran. Man hat Ehrfurcht vor ihr. Ein hohes Lob!

# VIII. Achtes Lied (Kap. 6, 11 – 7, 1)

## Die Begegnung der Braut mit dem Fürstengefolge

*(11) Zum Nußgarten schritt ich herab, um nach den Sprossen der Palmen zu sehen und zu schauen, ob der Weinstock sproßt, ob die Granatäpfel Blüten haben. (12) Ich weiß nicht, wie mir zumute wurde. Man führte mich zu den Wagen angesehener Leute (?). (7, 1) „Wende dich, wende dich, Sulamith! Wende dich, wende dich, damit wir dich sehen!" Was seht ihr an Sulamith? Etwa einen Lagertanz?*

*V. 11.* Wir kommen hier an ein sehr verschieden gedeutetes Lied, das in seinem Zusammenhang und seinem Sinn nicht ohne Phantasie verständlich wird. Die Braut erzählt, wie sie zum Nußgarten ging, um nach dem Fortschritt der Blüte an den Bäumen und Weinstöcken zu sehen.

*V. 12.* Die nächsten beiden Verse sind wohl die schwersten in unserem Liederbuch. Viele Ausleger verzichten auf eine Erklärung und lassen die Verse weg. Schon der erste Satz ist sehr fraglich. Man kann übersetzen: „Ich kannte meine Seele nicht." Oder (Miniaturbibel): „Wovon ich nichts gewußt hatte, darauf ward meine Seele aufmerksam." Unsere Übersetzung richtet sich nach Gerleman.. Lamparter sagt: „Ich kenne mich selbst nicht mehr." Nur aus einem gedachten Zusammenhang wird dieser Satz verständlich. Die Braut ist auf dem Wege in den Nußgarten offenbar verwirrt durch das Nahen einiger Wagen mit fürstlichem Gefolge.

(7, 1) Die übermütigen Gefolgsleute eines angesehenen Mannes wollen mit ihr scherzen. Sie rufen ihr zu, sich nach ihnen umzuwenden, weil sie das schöne Mädchen beschauen wollen. Sie ist ihnen offenbar flüchtig bekannt, denn sie rufen sie mit ihrem Namen (der nur hier genannt ist). Dadurch soll die Dreistigkeit jener beschrieben werden, die so vertraut mit ihr tun. Doch da antwortet eine andere Stimme. Ist es etwa die des Bräutigams? „Was habt ihr an Sulamith zu sehen? Etwa einen Reigentanz aus dem Lager?" (Gerleman: „Als ob sie eine Lagertänzerin wäre!") Das ist eine abwehrende Frage: Laßt euer freches Rufen! (Wenn Amminadib als Eigenname zu verstehen ist, dann wäre es ein einzelner, der sich hier etwas herausnimmt und abgewiesen wird.) Gerleman schreibt dazu: „Es schickt sich nicht, das unschuldsvolle Mädchen mit frivolen Blicken anzugaffen, als wäre sie eine freche Lagertänzerin" (193).

## IX. Neuntes Lied (Kap. 7, 2–8, 4)

### 1. Neuer Lobpreis der Schönheit der Braut (7, 2—10)

*(2) Wie schön sind deine Schritte in den Sandalen, du Fürstentochter! Deine runden Hüften sind wie Geschmeide, ein Werk von Künstlerhand! (3) Dein Schoß gleicht einer runden Schale – nicht fehle ihm der Würzwein! Dein Leib ist gleich einem Weizenhaufen, umhegt von Lilien. (4) Deine Brüste sind wie zwei Kitzen der Gazelle. (5) Dein Hals ist wie ein Elfenbeinturm, deine Augen wie die Teiche von Hesbon am Tor Bat-Rabbin. Deine Nase wie der Libanonturm, der nach Damaskus blickt. (6) Dein Haupt auf dir – wie der Karmel! Die Locken deines Hauptes – wie Purpur! Der König wäre gefangen von deinen Flechten. (7) Wie schön bist du, wie lieblich, du Liebe im Liebreiz! (8) Deine Gestalt gleicht der Palme und deine Brüste den Trauben. (9) Ich sagte: Ich will den Palmbaum besteigen und seine Rispen greifen. Deine Brüste sind wie Trauben des Weinstocks und der Hauch deiner Nase wie von Äpfeln. (10) Und dein Gaumen gleicht einem guten Wein, der meinem Geliebten leicht hinuntergleitet, der die Lippen und Zähne netzt.*

*V. 2.* Mit diesem Vers beginnt die ausführlichste Schilderung der Braut und ihrer Schönheit. Man wird an Luthers Wort erinnern müssen: „Der Heilige Geist ist keusch und tut der weiblichen Glieder zu dem Zweck Erwähnung, daß er sie als gute Kreaturen Gottes angesehen wissen will"

(24). Wir werden auch daran denken müssen, daß wir uns auf einer bäuerlich ländlichen Hochzeit Israels befinden, deren derber Ton nicht anstößig sein will. — Die Schritte der Braut werden gepriesen. Damit sind die Füße gemeint. Wenn der Bräutigam die Braut „Fürstentochter" nennt, so will er damit seine Verehrung ausdrücken. (So darf auch etwa der Ausdruck „Herzensheilige" nicht wörtlich als Heiligsprechung verstanden werden.) Ihr Körperbau scheint ihm wie von Künstlerhand gebildet.

*V. 3.* Der Schoß wird mit einer Schale, der Leib mit einem Weizenhaufen oder einer Weizengarbe verglichen. Es ist die derbe Sprache des Hirten. So ungeschickt die Bilder zu sein scheinen, so spricht doch aus ihnen die Bewunderung für seine junge Frau.

*V. 4.* Das gleiche gilt von diesem Vers. Vgl. 4, 5 und das dort Gesagte!

*V. 5. 6.* Vgl. 4, 4! Die Augen der Geliebten erinnern an das klare Wasser, das er an den Teichen von Hesbon sah. Der Turm auf dem Libanon ist offenbar ein Wachtturm gegen Damaskus. Er ist sonst unbekannt. Dem Hirten machte das hohe Bauwerk einen imponierenden Eindruck. So imponierend ist ihm das scharf geschnittene Profil seiner Braut. Der aufragende Karmel ist ein Bild der stolzen Haltung ihres Kopfes. Locken und Flechten sind so schön, daß sie einen König bestricken könnten.

*V. 7.* In seiner warmen Begeisterung für seine junge Frau bricht er in diesen bewundernden Ausruf aus.

*V. 8.* Wie ein stolzer Palmbaum, hochragend und verlockend durch seine Früchte, erscheint sie ihm.

*V. 9. 10.* Es wacht sein Verlangen auf, diesen Palmbaum zu umarmen und seine Früchte zu genießen. Hauch und Atem scheinen wie frische Äpfel oder süßer Wein, anziehend und verlockend.

## 2. Die Antwort der Braut (7, 11—8, 3)

*(11) Ich bin meines Geliebten, und nach mir geht sein Verlangen. (12) Komm, mein Geliebter, laß uns aufs Feld gehen und in den Dörfern weilen! (13) In der Frühe laß uns in die Weinberge gehen, um zu sehen, ob der Weinstock sproßt, ob die Knospen sich öffnen, die Granatäpfel blühen! Dort will ich dir meine Liebe schenken. (14) Die Liebesäpfel geben ihren Duft, und an unserer Tür sind lauter köstliche Früchte, neue und vorjährige, die ich dir, mein Geliebter, aufbewahrte.*

*(8, 1) Daß du doch mein Bruder wärest, der die Brust meiner Mutter sog! Fände ich dich draußen, so küßte ich dich, und niemand verachte mich. (2) Ich führte dich und brächte dich zum Hause meiner Mutter, die mich unterrichtete. Ich wollte dich tränken mit Würzwein, mit dem Most meiner Granatäpfel. (3) Seine Linke ist unter meinem Haupt, und seine Rechte umfängt mich.*

*V. 11.* Seine ihm angetraute Braut weist ihn nicht ab. Sie ist seiner Liebe froh.

*V. 12. 13.* Sie lädt ihn ein, mit ihr hinauszugehen, um in den Weilern zu bleiben. Sie wollen sich miteinander des Schenkens Gottes freuen. Sie öffnet sich froh seinem Werben und gibt ihm nach. Sie wollen sich miteinander ihrer Hochzeit freuen.

*V. 14.* Vgl. 1. Mose 30, 14 ff.! Es handelt sich um die gelbe Frucht der Alraune, der man eine Wirkung auf Fruchtbarkeit zuschrieb. Auch heute sollen im Orient daraus Liebestränke bereitet werden. Alle Früchte hat die Braut dem Geliebten aufgespart. Vielleicht will sie damit sinnbildlich sagen, daß sie sich für ihn rein bewahrt habe.

(8, 1. 2.) Noch möchte die Braut ihr seliges Liebesgeheimnis verborgen halten und legt sich in der Öffentlichkeit Zwang an um des Klatsches der Menschen willen. Deshalb ihr Wunsch: Wären wir doch Geschwister! Dann fiele unsere Herzlichkeit nicht auf. Dann könnte sie ihn zu Hause empfangen und bewirten.

*V. 3.* Doch nun als Ehepaar gehören sie einander.

### 3. Dritter Warnruf an die Töchter Jerusalems (8, 4)

*(4) Ich beschwöre euch, ihr Töchter Jerusalems, daß ihr die Liebe nicht erregt und nicht aufweckt, ehe ihr's gefällt!*

*V. 4.* Ein drittes Mal hören wir den refrainartigen Ruf an die Mädchen von Jerusalem (vgl. 2, 7; 3, 5). Wir werden beim Singen dieser Lieder auf der Hochzeitsfeier die früheren Gespielinnen der jungen Frau uns gegenwärtig denken müssen. Sie, ihre jungen Freundinnen, möchte sie bewahren, daß sie mit der Liebe kein leichtfertiges Spiel treiben und Geduld haben, bis sie von selber erwacht.

# X. Zehntes Lied (Kap. 8, 5–14)

## 1. Die Stärke der ehelichen Liebe (8, 5—7)

*(5) Wer ist sie, die heraufkommt aus der Wüste, sich lehnend auf ihren Geliebten? Unter dem Apfelbaum habe ich dich geweckt, wo deine Mutter dich gebar, wo deine Gebärerin mit dir in den Wehen lag. (6) Lege mich wie einen Siegelring an dein Herz, wie einen Siegelring auf deinen Arm! Denn Liebe ist stark wie der Tod; ihre Leidenschaft ist hart wie das Totenreich; ihre Gluten sind Feuergluten, Flammen Jahves. (7) Viele Wasser können die Liebe nicht löschen, und Ströme werden sie nicht wegschwemmen. Wenn ein Mann alle Habe seines Hauses für die Liebe gäbe, würde man ihn darum etwa verachten?*

Dieses letzte Lied wird von vielen Auslegern als zusammenhanglose Bruchstücke angesehen. Doch ist es wohl ein feierlicher Ausklang, eine Apotheose der treuen ehelichen Liebe.

*V. 5.* Glücklich sieht man die junge Frau am Arm ihres Ehemanns herankommen. Die Ausdrücke erinnern an Kap. 3, 6 ff. Dort war es die ägyptische Pharaonentochter in Pracht und Glanz – hier das schlichte Hirtenmädchen, das doch mit jener nicht tauschen möchte. Ihr Reichtum ist der Geliebte. Nun kommen sie als glückliche Eheleute, sonst würden sie sich in der Öffentlichkeit nicht so zeigen. Sie nimmt das Wort und erinnert ihn daran, wie er war, als sie sich zum ersten Mal trafen. Der Apfelbaum mag vielleicht eine Allegorie sein für die erwachende Liebe der Geschlechter, für die eheliche Liebe, die sich in den Generationen fortpflanzt. Darum erinnert sie an seine Mutter. Lamparter schreibt vom „Wunder der Liebe, dem du selbst dein Dasein verdankst" (123).

*V. 6.* Versiegelt wie eine unverbrüchliche Urkunde soll ihre Liebe sein. Der Ring ist auch bei uns das Sinnbild ehelicher Treue. Die Braut findet die stärksten Worte, um die Kraft der ehelichen Verbundenheit und Liebe zu bezeichnen. Der Tod ist ja der mächtigste und letzte Feind des Lebens (1. Kor. 15, 26). Aber selbst er kann die Liebe nicht töten. Sie wagt, sich mit dem Tode zu messen. Der Eifer und die Leidenschaft der Liebe sind unbezwinglich wie der Eifer der Totenwelt. Wie der Tod ungefragt kommt und den Menschen überfällt, so fällt die Liebe mit ihrer Gewalt auf diesen. Die Flammen der Liebe stammen von Jahve, dem Schöpfer des Menschen. Damit ist ihnen alle Fragwürdigkeit oder gar Unreinheit genommen. Unrein macht sie erst die Sünde. Daß diese die Liebe verführen kann, ist die große Tragödie des Menschengeschlechts. Darum braucht dieses den Erlöser, um der Liebe die Reinheit wiederzugewinnen. Jesu erstes Wunder geschah auf einem Hochzeitsfest (Joh. 2, 1 ff.; lies auch 1. Mose 2, 18–25!)

*V. 7.* Wohl uns, daß die Ströme des Hasses die Liebe auf Erden nie ersticken werden! Sie ist es wert, alles andere für sie dranzugeben. (Der letzte Satz könnte auch verstanden werden: Wer meint, daß Liebe käuflich sei, fällt der Verachtung anheim, weil er sich dadurch so schwer an der Liebe versündigt.)

## 2. Die älteren Brüder (8, 8. 9)

*(8) Wir haben eine kleine Schwester, die noch keine Brüste hat. Was wollen wir mit unserer Schwester machen am Tage, da man um sie wirbt? (9) Wenn sie eine Mauer ist, so werden wir auf sie eine Zinne von Silber bauen. Wird sie aber eine Tür, so wollen wir sie verschließen mit Zedernbalken.*

*V. 8.* Wir verstehen diese Verse als einen Rückblick auf die Vergangenheit. Einst mußten die Brüder für ihr Schwesterchen sorgen. Obwohl sie noch unreif war, machten sie sich schon Gedanken, wie sie sich verhalten würden, wenn sie einst umworben wird. Man vergleiche etwa Labans Sorge um Rebekka (1. Mose 24, 29 ff. 50 ff.; auch 34, 11)!

*V. 9.* Die Mauer bezeichnet die Unzugänglichkeit der Schwester. Die Brüder wollen sie darin bestärken und sie schützen. Sollte sie aber unbesonnen die Tür öffnen, so werden die Brüder sie verrammeln.

## 3. Nun weiß die Braut sich reicher als Salomo (8, 10—12)

*(10) Ich bin eine Mauer, und meine Brüste gleichen Türmen. Da wurde ich in seinen Augen eine, die den Frieden fand. (11) Salomo hatte einen Weinberg in Baal-Hamon. Er übergab den Weinberg den Wächtern. Ein jeder brachte für seine Frucht tausend Silberlinge. (12) Der Weinberg, der mir gehört, ist vor mir. Die Tausend seien die, Salomo! Und zweihundert denen, die seine Frucht hüten!*

*V. 10.* Nun aber ist die Schwester erwachsen. Sie hat im Arm ihres Geliebten den Frieden gefunden (man könnte auch übersetzen: Sie ist für ihn ein Hort des Friedens geworden). Jetzt brauchen sich die Brüder keine Sorgen mehr um sie zu machen. Sie hat einen Beschützer gefunden.

*V. 11.* Gewiß, Salomos Reichtum, von dem hier nur ein Beispiel genannt ist, ist groß. Dieser königliche Weinberg mag dem Hirten bei seinen Weidewegen je und dann imponiert haben.

*V. 12.* Doch mit einer verächtlichen Handbewegung überläßt die Braut Salomo seinen Reichtum — und all denen, die als seine Diener und Wächter daran teilhaben. Ihr Weinberg, ihr Lebensglück, ist ihr mehr wert als alle Schätze und Besitztümer des Königs.

## 4. Letztes Zwiegespräch der jungen Eheleute (8, 13. 14)

*(13) „Die du in den Gärten weilst, — Freunde lauschen deiner Stimme — laß sie mich hören!" (14) „Eile, mein Geliebter, gleich einer Gazelle oder den Jungen der Hindin auf den Balsambergen!"*

*V. 13.* Er bleibt der Liebende. In jeder Ehe sollte etwas Bräutliches bleiben. Noch einmal möchte er jenen Zuruf hören, mit dem sie ihn einst rief (2, 9). Mögen andere sich nach ihrer Stimme umwenden — er weiß ja doch: Diese gilt nur ihm allein.

*V. 14.* Sie tut ihm den Gefallen und wiederholt jene zärtlichen Worte, um zu zeigen, daß das zarte Verhältnis geblieben ist und bleibt.

*

Solch eine Hochzeitsfeier in Israel währte acht Tage. Die Lieder wurden dem jungvermählten Paar gesungen, das einander bereits gehörte.

# Nachwort

Manch einen Bibelfreund mag es überraschen, daß diese Auslegung des Hohenliedes sich an den Wortlaut des Textes hält und daß wir auf die allegorische Auslegung verzichteten. Uns nötigte dazu die Ehrfurcht vor dem Wortlaut der Schrift, wenngleich gerade bei der wörtlichen Auslegung oft erkennbar wird, warum die Kirche durch viele Jahrhunderte die allegorische Auslegung bevorzugte. Auch wenn wir die Bildersprache im Hohenlied suchen, ist es nötig, daß wir zuvor wissen, was der Text eigentlich aussagt. Es ist uns kein Zweifel, daß die Liebe der Geschlechter das große Geschenk des Schöpfers ist. Erst die Sünde brachte die ungezügelte Sexualität und damit große Not über die Menschen. Sind wir mit Gott nicht verbunden durch das kindliche Vertrauen zu ihm, so wird jede Gabe Gottes zur Gefahr. Der Besitz führt zum Mammonismus, die Klugheit zum Hochmut, die Schönheit zur Eitelkeit, die Geschlechtlichkeit zum Sexualismus. Die Überwindung dieser Verkehrtheiten wird nicht erreicht durch irgendeine Gesetzlichkeit, etwa Askese, Prüderie oder engherzige Unnatur. Helfen kann uns nur der erlösende Einfluß Jesu Christi, dem wir alles opfern: Geld und Gut, Kraft und Gesundheit, Leib und Seele. Von ihm empfangen wir alles gereinigt und geheiligt zurück. „Alle Kreatur Gottes ist gut, die mit Danksagung empfangen wird" (1. Tim. 4, 4) schreibt der Apostel Paulus. Das gilt auch von der Geschlechterliebe, der Liebe des Mannes zu seiner Frau und der Frau zu ihrem Mann.

Darum dürfen wir sehr dankbar sein, daß Gott seine Liebe zu uns Menschen im Alten wie im Neuen Testament unter dem Bilde der ehelichen Liebe und Treue darstellt. Soweit wir zu erkennen vermögen, hat der Prophet Hosea dieses Bild als erster verwenden dürfen. Er wirkte im Nordreich Israel/Samaria unter König Jerobeam II. (787/86–747/46 v. Chr.). Um die Untreue Israels gegenüber dem Bundesgott zu schildern, erfährt der Prophet selbst das tiefe Leid einer Ehe mit einer ehebrecherischen Frau. Doch Israels Untreue wird durch Gottes Treue überwunden. Er verheißt: „Ich will mich mit dir verloben in Ewigkeit ... ja, in Treue will ich mich mit dir verloben" (Hos. 2, 21 f.). Gott spricht: „Alsdann wirst du mich nennen: mein Mann" (Hos. 2, 18). Dieses Gleichnis finden wir auch im Buch Jesaja (54, 1–6; 62, 5; vgl. auch 49, 18; 61, 10). Auch Jeremia scheut das Bild nicht (2, 2). So werden wir auch Hes. 16, 8 ff. zu verstehen haben. Das Neue Testament hat das Bild kräftig weitergeführt: Jesus der Bräutigam oder Ehemann – seine Gemeinde als Braut (Mark. 2, 19; vgl. Matth. 22, 2 ff.; 25, 1 ff.). Der Täufer Johannes spricht im Blick auf Jesus ebenso (Joh. 3, 29). Am ausführlichsten hat der Apostel Paulus im Epheserbrief die christliche Ehe nach dem geistlichen Vorbild Jesu beschrieben (Eph. 5, 25–32; 2. Kor. 11, 2). Und schließlich wird in der Offenbarung in Zusammenhang all dieser Bibelstellen das sieghafte Wiederkommen Jesu als Hochzeit des Lammes mit der Gemeinde, die sich als Braut zurüstete, geschildert (Offb. 19, 6 ff.; 21, 2; 22, 17).

Alle diese biblischen Bilder machen es begreiflich, daß seit dem großen Theologen Origenes in Alexandrien († 254) die Kirche das Hohelied meist allegorisch verstanden hat. Allerdings gibt es bis in die Gegenwart dabei eine Anzahl Abwandlungen. Luther sah in der Braut das jüdische Volk. Die mittelalterliche Mystik deutete das Lied auf das Verhältnis Christi, des Bräutigams, zur Einzelseele als Braut. So auch vielfach in der Neuzeit. Der biblischen Aussage entspricht es mehr, in der Braut die Gemeinde Christi zu sehen (Eph. 5, 32 und die oben genannten Stellen aus der Offenbarung). Dennoch hat die individualistische Auffassung der Braut am stärksten durch die Erbauungsliteratur in der Kirche gewirkt. Das gilt nicht nur von einigen Kreisen des alten Pietismus (z. B. Gottfried Arnold), sondern auch von der lutherischen Orthodoxie. Man denke an Philipp Nicolais groß=artigen Choral: „Wie schön leucht' uns der Morgenstern!" Daß der Barockpietismus auch den biblischen Gedanken der Gemeinde als Braut kannte, zeigt das Lied des Schülers August Hermann Franckes Ernst Gott=lieb Woltersdorf: „Wer ist der Braut des Lammes gleich?" Aus der Er=weckungsbewegung zu Anfang des vergangenen Jahrhunderts lese man die beachtliche Umdichtung des Hohenliedes von Gustav Jahn, die heute noch ihre Wirkung hat! Der Dichter war ursprünglich Gerbergeselle und später ein Mitarbeiter der Inneren Mission in Pommern. Die Predigtreihe Fr. W. Krummachers im Wuppertal: „Salomo und Sulamith" ist ein Denk=mal aus der romantischen Erweckungsbewegung. Von reicher seelsorger=licher Erfahrung und tiefer Heilserkenntnis zeugt die Auslegung Hudson Taylors, des Begründers der China=Inland=Mission.

Alle diese und viele nicht genannten Werke haben im Rahmen der sogenannten „asketisch", der Heiligungsliteratur ihre große Bedeutung. Aber niemand kann leugnen, daß diese allegorischen Auslegungen nicht ohne Gewaltsamkeiten möglich wurden. Es ist verhältnismäßig leicht, ein=zelne Verse oder Abschnitte herauszulösen und auf Christus und seine Brautgemeinde anzuwenden. Dem Ganzen der Liedersammlung aber wird man dadurch noch nicht gerecht. Wer etwa Luthers Auslegung liest, sieht sofort, daß hier der Textsinn verlassen wird. Meist wird in den Text etwas hineingelesen, was der eigenen Glaubenserfahrung entspricht. Man lese etwa die prachtvollen Bibelstunden von Ludwig Harms, die ein kräftiges lutherisches Hausbrot geben, aber den Text des Hohenliedes gar nicht zu Wort kommen lassen. Gewiß darf die Erbauungsliteratur den Ehe= und Brautgedanken aus dem Hohenlied zur Beschreibung des Verhältnisses Gottes zu seinem Volk heranziehen, aber dazu sollte zuerst der Text dieses Buches in seinem Wortsinn verstanden sein. Weil wir auch dieses Buch als von Gottes Geist in die Bibel geschenkt wissen, sollte die Ehr=furcht vor Gottes Schenken uns zu dieser Mühe nötigen. Dazu wollte unsere Auslegung dienen.

# Literaturnachweis

*Textausgaben:*

Biblia hebraica. Ed. Kittel/Kahle/Alt/Eisfeld. Stuttgart 1945.
Sepher Thora Nebiim Ketubim. Ed. Henry Snaith. London 1960.

*Übersetzungen:*

Vetus Testamentum graece iuxta LXX interpretes. Ed. Tischendorf. Leipzig 1860.
Textbibel des Alten und Neuen Testaments von Kautzsch/Weizsäcker. Tübingen 1911.
Die Heilige Schrift, übersetzt von Dr. Hermann Menge. Stuttgart o. J.
Miniatur-Bibel. Herausgegeben von Franz Eugen Schlachter. Biel 1908.
Die Bibel (russisch). Stockholm 1946.
Die Heilige Schrift Alten und Neuen Testaments. Berleburg 1726.

*Lexika und Wörterbücher:*

Ed. König: Hebräisches und aramäisches Wörterbuch zum Alten Testament. Leipzig 1922.
Koehler/Baumgartner: Lexicon in Veteris Testamenti libros. Leiden 1958.
Gerhard Kittel u. a.: Theologisches Wörterbuch zum Neuen Testament. Stuttgart 1957 ff.
Calwer Bibellexikon. Stuttgart 1959.
Ev. Kirchenlexikon. Göttingen 1956/61.
Religion in Geschichte und Gegenwart. 3. Auflage. Tübingen 1957/62.
Fritz Rienecker: Lexikon zur Bibel. Wuppertal 1960.

*Konkordanzen:*

Gerhard Lisowsky: Konkordanz zum hebräischen Alten Testament. Stuttgart 1958.
Bremer Biblische Handkonkordanz. Frankfurt/M. 1958.

*Kommentare und Erklärungen:*

Martin Luther. Auslegung: Die Salomonischen Schriften: Hoheslied, Prediger, Sprüche. Gesammelt von Chr. G. Eberle. Stuttgart 1879.
Friedrich Christoph Oetinger: Die Sprüche und der Prediger Salomo, das Hohelied, Hiob und kleinere Schriften. Stuttgart 1861.
F. Godet: Bibelstudien. Hannover 1888.
Hermann L. Strack: Die Sprüche Salomos. Kurz gefaßter Kommentar. Nördlingen 1888.
Lamparter: Das Buch der Weisheit. Prediger und Sprüche. Stuttgart 1955.
Lamparter: Das Buch der Sehnsucht. Ruth, Hoheslied, Klagelieder. Stuttgart 1962.
Ringgren/Weiser: Das Hohe Lied, Klagelieder und das Buch Esther. ATD 16/2. Göttingen 1958.
Gerleman: Ruth. Das Hohelied. Biblischer Kommentar Altes Testament, Bd. XVIII, 2/3. Neukirchen 1956.
Hertzberg: Der Prediger. Kommentar zum Alten Testament, Bd. XVIII, 4/5. Gütersloh 1963.

Würthwein/Galling/Plöger: Die fünf Megilot. Ruth, Das Hohelied, Der Prediger, Die Klagelieder. Handbuch zum Alten Testament, Bd. I/18. 2. Auflage. Tübingen 1969.

*Predigten:*

Fr. W. Krummacher: Salomo und Sulamith. Fünfzehn Predigten aus dem Lied der Lieder. Schorndorf 1964.

Lüthi: Der Prediger Salomo lebt das Leben. Eine Auslegung für die Gemeinde. Basel o. J.

*Weitere theologische Arbeiten:*

v. Rad: Theologie des Alten Testaments. Bd. I. München 1958.

v. Rad: Gesammelte Studien zum Alten Testament. Theologische Bücherei, Bd. 8. München 1958.

Kraus: Die Verkündigung der Weisheit. Biblische Studien 2. Neukirchen 1951.

Bauer/Kayatz: Einführung in die alttestamentliche Weisheit. Biblische Studien 55. Neukirchen 1969.

Eichrodt: Theologie des Alten Testaments I. 5. Auflage. Stuttgart/Göttingen 1957. II. Leipzig 1933.

Hermisson: Studien zur israelitischen Spruchweisheit. Wissenschaftliche Monographien zum Alten und Neuen Testament. Bd. 28. Neukirchen 1968.

Fichtner: Jesaja unter den Weisen. Theolog. Literaturzeitung, Febr. 1949, Sp. 75 ff.

Fichtner: Zum Problem Glaube und Geschichte in der israelitisch-jüdischen Weisheitsliteratur. Theolog. Literaturzeitung, März 1951, Sp. 145 ff.